D1003257

Les relations internationales de 1871 à 1914

Pierre Milza

Les relations internationales de 1871 à 1914

Deuxième édition

ARMAND COLIN

COLLECTION CURSUS • HISTOIRE

ISBN 2-200-26590-5

ARMAND COLIN • 21, RUE DU MONTPARNASSE • 75006 PARIS

Introduction

L'année 1871 marque un moment important de l'histoire des relations internationales. En Europe, le traité de Francfort, qui met fin à la guerre franco-allemande, consacre, sinon l'hégémonie, du moins la prépondérance du Reich sur le continent. Bismarck, qui avait délibérément provoqué la guerre, parce qu'elle lui semblait nécessaire à l'achèvement de l'unité allemande, et qui a été l'artisan du succès prussien, se montre dès lors satisfait et va pendant vingt ans consacrer son indomptable énergie au maintien d'un *statu quo* favorable à son pays.

Dans le monde, les années qui suivent la guerre de 1870-1871 marquent le début de l'apogée européenne. Les grandes explorations, l'occupation de vastes territoires non exploités, la pénétration économique des vieux empires, les progrès de l'évangélisation, sont les manifestations essentielles de la volonté d'expansion de la civilisation européenne.

De 1871 à 1890, ces deux phénomènes semblent évoluer dans une indépendance relative l'un par rapport à l'autre. Tant que la colonisation demeure ouverte aux appétits des Européens, c'est-à-dire aussi longtemps que le « partage du monde » n'est pas achevé, les rivalités impériales ne sont pas trop explosives, ni trop étroitement imbriquées dans les conflits proprement européens. L'expansion coloniale peut même apparaître alors comme une « soupape de sûreté » propre à atténuer les tensions continentales. Bismarck ne considère-t-il pas les conquêtes coloniales de la France comme un moyen de détourner celle-ci de l'idée de revanche ? Sans doute est-ce parce que pendant cette période les préoccupations des grandes puissances demeurent principalement axées sur l'Europe, *La prépondérance allemande* est bien pendant ces vingt années le fait essentiel de l'histoire diplomatique du monde ; elle fera l'objet de la première partie de cette étude.

À partir de 1890, les relations internationales se trouvent profondément modifiées. Tout d'abord, l'avènement de Guillaume II en Allemagne provoque le départ de Bismarck dont l'autoritarisme s'accorde mal avec les vues personnelles du nouveau souverain. En quelques années tout le système savamment élaboré par le vieux chancelier se décompose et la France parvient à rompre l'isolement auquel la diplomatie bismarckienne l'avait condamnée. Guillaume II entend en effet substituer à un système qu'il considère comme trop étroitement européen, une politique mondiale – *Weltpolitik* – qui seule, lui semble compatible avec la puissance nouvelle de son pays. L'Allemagne s'engage à son tour dans la voie de la colonisation et de la pénétration économique. Mais le Reich n'est pas seul à vouloir étendre son influence à la planète. C'est toute l'Europe qui est maintenant attirée par les marchés d'outre-mer et une très sévère compétition économique stimule les rivalités entre les grandes puissances. Dès lors les problèmes extra-européens se trouvent beaucoup plus étroitement mêlés à ceux du continent, soit que les marchés extérieurs soient devenus une nécessité absolue pour les économies nationales, soit que les territoires contrôlés puissent éventuellement servir de monnaie d'échange en Europe ou hors d'Europe.

Mais en même temps que le champ des relations internationales s'élargit, tandis que l'expansion européenne connaît son apogée, les grandes puissances du vieux continent vont pour la première fois trouver devant elles des concurrents aux ambitions d'abord modestes mais qui s'affirment au fur et à mesure que s'accroissent leurs moyens d'action : les États-Unis puis le Japon font leur entrée sur la scène internationale et vont très vite se révéler de puissants rivaux.

Pendant cette seconde période, qui va de 1890 à 1907, les questions européennes semblent donc absorber moins complètement les chancelleries. C'est l'abandon de la diplomatie bismarckienne, jugée par Guillaume II trop « européenne », qui provoque l'alliance franco-russe et c'est le règlement de questions coloniales qui amorce les rapprochements franco-anglais, franco-italien et anglo-russe, qui favorise donc le démantèlement de la Triple Alliance et la genèse de la Triple Entente, amenant la division de l'Europe en deux blocs antagonistes.

Au cours de la troisième période, de 1907 à 1914, l'Europe revient au centre des intérêts et des rivalités. Si la compétition économique demeure l'un des fondements majeurs des conflits, c'est, semble-t-il, le heurt des nationalismes qui met, en juillet 1914, le feu aux poudres et déclenche la première guerre mondiale, et c'est une question strictement européenne, celle des Balkans, qui joue le rôle de détonateur.

Les années 1871-1914 sont donc marquées par deux faits fondamentaux : la prépondérance allemande sur le continent et l'hégémonie européenne dans le monde. La Grande Guerre sera fatale à cette double prééminence en provoquant la défaite militaire de l'Allemagne et le déclin économique du vieux continent face à la montée des États-Unis.

PREMIÈRE PARTIE

De la prépondérance allemande à l'hégémonie européenne 1871-1890

1 L'Europe bismarckienne

L'EUROPE EN 1871

La prépondérance allemande

Bismarck avait toujours pensé qu'une guerre contre la France était nécessaire à l'achèvement de l'unité allemande. « J'étais convaincu – écrit-il dans ses *Souvenirs* – que l'abîme creusé au cours de l'Histoire entre le Nord et le Sud de la Patrie, ne pouvait pas être plus heureusement comblé que par une guerre nationale contre le peuple voisin qui était notre séculaire agresseur. »

Seule une « menace française » pouvait en effet pousser les États du Sud de l'Allemagne, demeurés indépendants, à entrer dans la Confédération allemande. Aussi, avant même la capitulation de Paris, le chancelier prussien qui avait obtenu le concours des États du Sud dans la guerre franco-allemande, parvenait-il à les faire adhérer à l'Empire. Le 18 janvier 1871, dans la galerie des Glaces du château de Versailles, les princes allemands offraient au roi de Prusse Guillaume Ier la couronne impériale : l'unité de l'Allemagne était faite en même temps qu'était fondée sa prépondérance sur le continent.

Pendant un demi-siècle, le nouvel empire va en effet dominer l'Europe. Cette domination est d'abord d'ordre démographique : si l'on excepte la Russie dont la population très arriérée est en même temps très dispersée, l'Allemagne est l'État le plus peuplé d'Europe, avec 41 millions d'habitants en 1871 et près de 50 en 1890. Cet essor démographique est un puissant facteur du développement économique. La grande industrie moderne, qui s'était déjà développée en Prusse depuis 1850, connaît au lendemain du conflit, dans le cadre unifié de l'Empire, une remarquable poussée. La main-d'œuvre abondante, l'apport non négligeable des capitaux français livrés au titre de l'indemnité de guerre, la richesse du sous-sol en charbon, sont autant de facteurs favorables au rapide essor de l'industrie allemande. Dès 1871, l'Empire est le premier producteur de houille sur le continent et les progrès de l'extraction stimulent constamment ceux de la sidérurgie. De 1871 à 1873, la production de fonte augmente de plus de 50%, et dès les années 1880 la production industrielle commence à dépasser globalement en valeur celle de l'agriculture.

La puissance allemande repose enfin sur la force militaire. L'Empire possède la meilleure armée du monde, l'État-Major le plus dynamique et des effectifs qui atteindront en 1890 près de 500 000 hommes sous les drapeaux en temps de paix, avec la possibilité d'en mobiliser dans des délais très courts un million et demi de plus. Cette puissance militaire est cependant pour le moment uniquement terrestre et il faudra attendre la période suivante pour voir l'Allemagne se constituer sous l'égide de von Tirpitz une flotte redoutable.

L'hégémonie allemande s'appuie enfin sur une remarquable *volonté de puissance*, une cohésion et un orgueil national que sont venues renforcer les récentes victoires sur l'Autriche et la France. Il faut y ajouter les vertus allemandes traditionnelles : le sens de la discipline et du devoir, le goût de l'organisation et un esprit d'entreprise comparable à celui des Britanniques.

Un dernier point doit être souligné : le chancelier n'est responsable de ses actes politiques que devant l'empereur, à aucun moment devant le Reichstag. Il dispose donc de l'initiative la plus large et n'est pas tenu, comme ses collègues français ou britannique, de compter constamment avec les fluctuations de l'opinion publique, ce qui est un atout précieux dans le domaine diplomatique, où les décisions doivent être prises avec le maximum de promptitude. Ces larges pouvoirs, appuyés sur la confiance de l'empereur Guillaume Ier, vont permettre à Bismarck de mener pratiquement à sa guise pendant vingt ans les destinées de la politique extérieure allemande. Et lorsqu'on connaît les qualités de l'homme d'État prussien, son habileté à exploiter la moindre faiblesse de l'adversaire, sa parfaite connaissance du jeu diplomatique, son audace dans la lutte et sa prudence dans la victoire, on ne peut que voir dans cette toute-puissance du chancelier, un atout supplémentaire pour la politique allemande.

Quelle sont, en face de cette puissance allemande, les forces des autres nations européennes ?

La France

• *La guerre de 1870-1871* a coûté à la France la prépondérance qu'elle avait exercée sur le continent pendant le Second Empire. Les pertes matérielles et humaines provoquées par la guerre, le coût financier des opérations militaires et de l'indemnité de 5 milliards imposée par les vainqueurs, le poids de l'occupation d'une partie du territoire par l'ennemi, se font profondément sentir au lentement du conflit. La perte de l'Alsace et de la Lorraine, riches provinces industrielles, a nécessairement affecté son potentiel économique, en même temps qu'elle laissait à vif l'amour-propre national.

La reprise se fit cependant très vite. Dès 1875, la production de l'industrie textile avait dépassé son niveau d'avant guerre, tandis que la production minière doublait. Si l'économie allemande progresse plus vite, l'écart demeure raisonnable. En 1880, la France contrôle environ 9% de la production industrielle mondiale, tandis que la part de l'Allemagne est de 16%.

Surtout la puissance financière reste un élément capital, comme en témoigne la façon dont s'est opéré le paiement de l'indemnité de 5 milliards. Les deux emprunts qui ont été contractés par le gouvernement français pour payer cette dette ont en effet été couverts au-delà de toute espérance puisqu'il a fallu refuser une quarantaine de milliards. On peut s'interroger sur le sens de ce remboursement rapide. La littérature « patriotique » a depuis toujours mis l'accent sur le sentiment national des Français, qui ont su prélever du « bas de laine » les sommes nécessaires pour obtenir une libération rapide du territoire. C'est l'image d'Épinal. Elle n'est pas fausse, mais elle n'est pas exclusive d'une autre explication, à savoir que l'emprunt a été souscrit par des capitalistes, par des banquiers et – fait beaucoup plus surprenant – par des banquiers étrangers, parmi lesquels des Allemands et des Autrichiens. Dans le consortium bancaire qui a participé à l'opération, on trouve quatorze banques allemandes et cinq ou six banques viennoises, tout simplement parce que l'affaire était rentable.

Les forces militaires se reconstituent également sans difficulté. En dépit d'une situation démographique moins favorable que celle de l'Allemagne, la France peut, grâce aux lois de 1872 et 1873, aligner en temps de paix des effectifs égaux à ceux de l'armée allemande.

Du point de vue psychologique, la défaite a provoqué un renouveau du sentiment national dans toutes les couches de la population et dans toutes les familles idéologiques du pays. Les républicains, qui avaient manifesté à la fin de l'Empire un antimilitarisme militant, abandonnent leur positions pacifistes, jugées par un homme comme Jules Ferry « périlleuses et décevantes ». La « Ligue de l'enseignement », qui avait dix ans plus tôt professé des opinions semblables, s'efforce maintenant de donner à la jeunesse le goût des questions militaires. L'armée devient enfin, en ces débuts de la Troisième République, l'objet d'un véritable culte. En un mot, une forte vague *nationaliste* déferle sur le pays. Elle expliquera à la fin de cette première période le succès du mouvement boulangiste, lequel tente d'apporter à des groupes politiques fort divers le ciment du panache militaire et de l'idée de revanche. Ce sentiment collectif se manifeste notamment par un attachement fervent aux provinces perdues et dont on ne se résout guère à accepter la perte. L'*Alsace-Lorraine* va jouer dans le mental collectif le rôle d'un véritable mythe. Chansons, images d'Épinal, poèmes, contes – comme celui d'Alphonse Daudet, La dernière classe –, romans, célèbrent le souvenir des territoires annexés au Reich et sensibilisent profondément l'opinion. Cependant, sauf dans de petits groupes proches de l'État-Major, ou dans les milieux ultra-nationalistes animés par des hommes comme Déroulède ou Maurice Barrès, ce sentiment ne va généralement pas jusqu'au désir conscient et explicite de provoquer un nouveau conflit armé. Il est toutefois assez vif pour susciter les inquiétudes de Bismarck qui craint la volonté de revanche de la France.

La Russie

L'Empire russe est de loin le pays le plus peuplé d'Europe, avec plus de 75 millions d'habitants. Cette puissance démographique et les immenses ressources naturelles du pays ne sont toutefois que très imparfaitement exploitées. La Russie est encore presque exclusivement une nation agricole et il faut attendre les années 1880-1890 pour voir le pays amorcer une politique d'industrialisation et pour que commence à se constituer une bourgeoise qui faisait jusque-là presque entièrement défaut. Mais cette *révolution* économique, la Russie des Tsars n'a pas les moyens de la faire seule et l'appel aux investissements étrangers est la condition première de la transformation du pays. Dès 1880, les capitaux allemands, anglais, belges et français vont affluer et permettre le développement de régions industrielles comme celle du Donetz et de l'Oural, en attendant l'exploitation des champs pétrolifères de Bakou.

Sur le plan militaire, la Russie ne dispose pas d'une puissance qui soit en rapport avec son potentiel. L'exiguïté des ressources budgétaires, le manque de cadres, l'insuffisance des moyens de transport, la qualité inférieure de l'armement, ne permettent pas à un état-major, d'ailleurs médiocre, de disposer rapidement d'un instrument de combat efficace.

Enfin l'agitation des minorités nationales, notamment des Polonais, qui doivent être constamment surveillés, est un autre facteur de faiblesse avec lequel doit compter le gouvernement impérial.

Ces moyens d'action médiocres n'empêchent pas les responsables de la politique russe de nourrir des vues impérialistes en Europe. L'accès à la Méditerranée demeure le but essentiel de la diplomatie tsariste qui entend profiter de la décomposition de l'Empire ottoman pour s'assurer le contrôle des détroits et une expansion territoriale à travers la péninsule balkanique. Pour réaliser ce dessein, le tsar se pose traditionnellement en protecteur naturel des populations chrétiennes des Balkans, placées sous le joug turc et avides d'indépendance. Mais les visées russes se heurtent aux intérêts anglais peu disposés à laisser la flotte russe libre d'accéder à la Méditerranée orientale, et à l'Autriche-Hongrie, soucieuse de conserver son autorité sur les Slaves des Balkans.

L'Autriche-Hongrie

Depuis 1867 l'Empire autrichien a adopté un régime *dualiste*. L'Autriche et la Hongrie forment deux nations différentes, liées par quelques affaires communes et l'attachement à la dynastie. Les problèmes qui se posaient à l'empire de François-Joseph, et particulièrement celui des *nationalités*, n'ont pas pour autant été résolus. L'État austro-hongrois se présente en effet comme une véritable marqueterie de peuples divers, fortement attachés à leurs traditions, à leur manière de vivre et de penser, à leur langue. Nulle part le problème des nationalités n'est aussi aigu que dans l'Empire austro-hongrois. Si le compromis de 1867 s'est efforcé de donner une solution à la question hongroise, en accordant à la nationalité magyare les mêmes droits qu'à la partie germanique de l'Empire, les Tchèques de Bohême, les Roumains de Transylvanie, les Italiens du Trentin et de Trieste continuent à réclamer une certaine autonomie et la reconnaissance de leur originalité nationale, contre la politique centralisatrice de l'empereur et la germanisation à outrance.

Mais ce sont surtout les Serbo-Croates du Sud de l'Empire, « Slaves du sud » ou Yougoslaves, qui inquiètent le gouvernement de Vienne. Ceux-ci regardent en effet volontiers vers la petite principauté indépendante de Serbie qui rêve de rassembler un jour en un seul État tous les peuples de race slave de l'Empire ottoman et à l'occasion de l'Empire austro-hongrois, de jouer en quelque sorte le rôle catalyseur qui avait, en Italie, été celui du royaume de Piémont.

Du point de vue économique, l'empire des Habsbourg reste essentiellement un pays agricole et a été peu affecté par la révolution industrielle avant l'extrême fin du XIXe siècle. La société reste en grande partie d'essence aristocratique et les institutions politiques sont encore fortement teintées d'absolutisme. Le gouvernement n'est pas gêné dans la conduite de sa politique extérieure par le contrôle du Parlement, le ministre des Affaires étrangères n'ayant aucun compte à rendre aux assemblées de Vienne et de Budapest.

Les moyens militaires sont modestes et les effectifs médiocres bien que la population de l'Empire atteigne 35 millions d'habitants en 1871. Le service militaire est obligatoire depuis 1868, mais l'armée ne fait appel chaque année qu'au tiers du contingent mobilisable.

Dans ces conditions, les ambitions extérieures de l'Autriche sont limitées. Jusqu'en 1890, la « poussée vers Salonique » et l'établissement d'une sorte de protectorat sur les peuples des Balkans, libérés du joug ottoman, restent à l'ordre du jour. Cette politique ne peut manquer de se heurter aux visées expansionnistes de la Russie. Cependant, au fur et à mesure qu'elle sera plus absorbée par les problèmes intérieurs de l'Empire, la double monarchie s'orientera vers une politique plus étroitement défensive, se contenant d'un maintien du *statu quo* dans les Balkans, lui permettant de surveiller l'action de la Serbie et d'empêcher celle-ci de réaliser autour d'elle l'unité des « Slaves du Sud ». La question serbe va en fait devenir pour l'Empire austro-hongrois, le problème fondamental. Nous le retrouverons à l'origine des principales crises balkaniques et en particulier de celle qui, en juillet 1914, devait déclencher la Première Guerre mondiale.

L'Italie

En 1871, l'Italie vient à peine d'achever son unité, puisque c'est la chute de Napoléon III, défenseur du pouvoir temporel du Pape, qui lui a permis de se donner Rome comme capitale. A peine unifié, le jeune royaume connaît une double crise de croissance.

• *Sur le plan intérieur,* l'Italie accuse un profond retard dans le domaine économique. Sa pauvreté en ressources énergétiques et minérales, la faiblesse de ses moyens de transport, le manque de capitaux ne permettent guère qu'un timide développement de l'industrie, d'ailleurs limité au Nord du pays. L'unité qui s'est faite autour du Piémont, plus évolué économiquement, a favorisé cette région où se concentrent les capitaux et les entreprises modernes. Il en résulte un déséquilibre fondamental dont sont victimes les pays du Sud, du *Mezzogiorno*, que les hommes d'affaires du Nord considèrent un peu comme un pays « colonisé ». l'industrialisation n'a d'ailleurs affecté que des zones très restreintes et, dans son ensemble, l'Italie demeure un pays rural où domine encore une aristocratie terrienne fort attachée à ses privilèges.

L'essor démographique, particulièrement spectaculaire, va encore aggraver la situation précaire des masses rurales, notamment dans le Midi, où le chômage sévit à l'état endémique et où le nombre croissant des *disoccupati* présente un grave danger pour la paix sociale. En 1893, de graves troubles éclatent en Sicile, provoqués par le mouvement anarchisant des *fasci dei lavoratori.* La vie politique n'échappe pas à cet état de crise : l'abstention électorale, l'absentéisme parlementaire et l'instabilité ministérielle s'installent dans la péninsule. La vétusté du système fiscal et la médiocrité de l'activité économique ont des incidences financières profondes et le budget est chroniquement déficitaire.

• *Sur le plan diplomatique,* ces faiblesses sont impropres à donner à l'Italie les moyens d'une grande politique étrangère. Les effectifs militaires sont loin de correspondre aux possibilités démographiques et les difficultés financières ne permettent pas d'entretenir une flotte de guerre conforme à la vocation méditerranéenne du jeune royaume. L'unité est d'autre part un fait trop récent pour que l'Italie ait eu le temps de se constituer une tradition diplomatique. Le jeune État n'est cependant pas sans ambitions. Aux yeux de la majorité des Italiens l'unité ne sera pas réalisée tant que des territoires de langue et de sentiment italiens resteront sous la domination étrangère. C'est le cas du Trentin et de la région de Trieste encore sous le joug autrichien ; ils constituent les terres « irrédentes » et alimentent tout un courant nationaliste de l'opinion publique italienne, qualifié pour cette raison d'« irrédentisme ». Il s'y ajoute bientôt une volonté d'étendre en Méditerranée l'influence du Royaume et de participer à l'expansion coloniale.

Privée des moyens d'action qui lui permettraient d'appliquer ce programme, l'Italie se trouve contrainte de chercher des alliances d'autant plus difficiles à trouver que les puissances jugent de peu de poids le secours du jeune royaume. D'autre part, les visées irrédentistes et les ambitions balkaniques se heurtent inévitablement à l'hostilité autrichienne, tandis que toute action en Méditerranée trouve devant elle les ambitions de la France.

L'Italie se voit ainsi portée par nécessité à mener une politique de bascule entre ses deux grandes voisines, à un empirisme dans l'action diplomatique qui fera sa réputation de duplicité. Bismarck, qui professait un certain mépris pour l'Italie, sut le premier tirer partie de cette situation.

La Grande-Bretagne

Elle doit à son insularité d'échapper à la plupart des préoccupations continentales. Première puissance économique du monde à cette époque, nantie de l'empire colonial le plus vaste et de la flotte de guerre de loin la plus redoutable, elle jouit d'un sentiment de sécurité, d'une confiance en son destin, qui lui fait alors préférer l'isolement à toutes les combinaisons diplomatiques susceptibles de l'entraîner dans des conflits où son intérêt direct ne serait pas en jeu. Elle se contente donc de veiller à ce qu'un certain équilibre se maintienne en Europe et porte tout son effort sur la conservation de ses positions sur mer et outre-mer.

• Depuis le début du XIXe siècle, *l'Angleterre s'est en effet spécialisée dans la fonction d'usine et d'entrepôt du monde.* Fondée sur le charbon, sa puissance industrielle est encore sans rivales en 1871 ; avec 80 millions de tonnes, elle fournit les 2/3 du charbon mondial. Les produits de l'industrie textile et de la métallurgie britannique sont les meilleurs et les moins chers du monde, la Grande-Bretagne conservant sur ses éventuels concurrents une expérience et une avance technique remarquables.

Forte de cette suprématie industrielle, ne craignant aucune concurrence, les Britanniques ont au milieu du siècle adopté une politique *libre-échangiste*. Les produits agricoles et les matières premières entrent en Grande-Bretagne sans acquitter de droits de douane, ce qui permet à l'industrie anglaise d'abaisser encore ses prix de revient ; notons que l'entrée en franchise du blé américain a eu pour conséquence le bon marché du prix du pain et a permis un abaissement des salaires. La suppression des barrières douanières a eu pour conséquence la ruine des producteurs de céréales, concurrencés par ceux des pays neufs et a provoqué un recul très sensible de l'agriculture. Ces inconvénients du *libre-échange*, le gouvernement britannique les a acceptés en toute connaissance de cause, pensant qu'ils hâteraient la spécialisation de la Grande-Bretagne dans le domaine industriel et commercial.

Cette orientation économique implique pour les Britanniques la nécessité de se fournir à l'étranger en produits agricoles et en matières premières, ainsi que de trouver des débouchés aux produits de leurs industries. C'est sur ce double courant d'échanges qu'est fondée la puissance économique du Royaume-Uni. Elle implique une politique mondiale et la maîtrise des mers. Maintenir en Europe continentale l'équilibre des puissances, s'assurer de larges marchés extérieurs, ne souffrir aucune menace à son hégémonie navale, tels sont donc les principaux mobiles de la diplomatie anglaise. Ils pourront occasionnellement entraîner celle-ci à accepter certaines entorses au principe de l'isolement.

En résumé, deux faits dominent en 1871 les relations internationales : la prépondérance allemande sur le continent où va triompher pendant vingt ans la politique bismarckienne et la suprématie britannique dans le monde. Jusqu'en 1890, les deux hégémonies, poursuivant des buts différents, ne donnent pas lieu à une véritable rivalité. Tout changera avec l'avènement de Guillaume II au trône impérial d'Allemagne et l'adoption par le Reich de la *Weltpolitik*.

LE PREMIER « SYSTÈME » DE BISMARCK (1871-1878)

Au lendemain de la guerre de 1870-1871, Bismarck se montre « satisfait ». L'achèvement de l'unité allemande, la proclamation de l'Empire et l'annexion de l'Alsace-Lorraine lui semblent des résultats suffisants et il ne manifeste aucun désir de pousser plus avant l'expansion territoriale de l'Allemagne. Sans se laisser griser par le succès, le vieux chancelier entend seulement maintenir sur le continent un *statu quo* territorial favorable à son pays. Or Bismarck est persuadé que la France ne se résignera pas à la perte de ses provinces orientales et cherchera un jour ou l'autre à les récupérer. Cette préoccupation est au centre de la construction politique que le chancelier allemand va s'efforcer de mettre en place. Le but avoué de la diplomatie bismarckienne est d'isoler la France de façon à rendre impossible, ou du moins très improbable, une revanche française. De 1871 à 1873, l'homme d'État prussien met au point la première forme de ce qu'il est convenu d'appeler son *système*, bien que Bismarck ait toujours répudié cette appellation.

L'exécution du traité de Francfort

Le premier souci de Bismarck est d'obtenir de la France la stricte application du traité de Francfort. Celui-ci imposait au vaincu le paiement, avant mars 1874, d'une lourde indemnité de 5 milliards de francs. Jusque-là les Allemands maintiendraient leurs troupes dans les départements occupés. L'État-Major impérial n'est pas pressé de voir la France payer, préférant maintenir le plus longtemps possible les garanties stratégiques fournies par l'occupation. Bismarck est d'un avis contraire. Le versement intégral du tribut de guerre est à ses yeux le meilleur moyen de retarder le relèvement français. Il accueille donc favorablement les avances de Thiers qui, afin d'écarter les risques de conflit que suscite la présence des troupes allemandes sur le territoire français, souhaite un paiement anticipé de l'indemnité, espérant obtenir en échange du gouvernement impérial un départ plus rapide des forces d'occupation.

En fait la tension demeure grande entre les deux anciens belligérants car Bismarck ne croit pas que la France paiera. Il le déclare en août 1871 au chargé d'affaires français Gabriac : « À vous dire franchement ma pensée, je ne crois pas que vous vouliez maintenant rompre la trêve qui existe ; vous nous paierez deux milliards, mais quand nous serons en 1874 et qu'il faudra acquitter les trois autres, vous nous ferez la guerre. Eh bien vous comprenez que, si vous devez reprendre les hostilités, il vaut mieux pour nous que ce soit plus tôt que plus tard. »

Le chancelier va ainsi agiter pendant quelques années la menace de la guerre préventive, sans avoir semble-t-il vraiment l'intention de la déclencher et dans le seul but de retarder le relèvement militaire de la France. Dans une lettre de 1875 à Guillaume Ier, il révèle le sens de sa politique d'intimidation : « On peut bien dire que ce n'est pas un gage de paix de laisser à la France la certitude qu'elle ne sera jamais attaquée, quelles que soient les circonstances et quoi qu'elle fasse. Aujourd'hui, aussi peu qu'en 1867 dans la question du Luxembourg, je n'engagerai Votre Majesté à faire la guerre immédiatement, par le seul motif que l'adversaire pourrait être mieux préparé plus tard ; on ne peut jamais, en pareille matière, prévoir avec assez de certitude les voies de la providence divine. Mais il n'est pas utile de donner à l'adversaire l'assurance que de toutes façons on attendra qu'il vous attaque. »

• *La présence des troupes allemandes en France* n'en demeurait pas moins une source de conflits possibles. En juin et en décembre 1871 des incidents entre Français et occupants – en particulier l'acquittement des meurtriers d'un soldat allemand par les jurés de Seine-et-Marne – avaient provoqué la fureur de Bismarck et une menace d'intervention. Thiers, qui craignait que le chancelier prît prétexte du moindre incident pour reprendre les armes, voulut hâter l'évacuation du territoire. Il engagea avec le comte d'Arnim, ambassadeur d'Allemagne à Paris, des négociations en vue d'un paiement anticipé de l'indemnité. L'Empereur, pressé par l'État-Major, se montra tout d'abord très réticent. Il fallut que Bismarck menaçât de donner sa démission pour que les propositions françaises fussent acceptées.

Une convention, signée le 29 juin 1872, admit le principe des paiements anticipés et accorda en échange l'évacuation graduelle des territoires occupés. En France, l'emprunt lancé par Thiers connut, on l'a vu, un succès inespéré et permit au gouvernement de hâter les versements. Thiers put en mars 1873 signer une seconde convention qui fixait les dernières échéances et l'évacuation définitive des départements occupés pour l'automne 1873, soit avec six mois d'avance sur les dates prévues par le traité de Francfort.

• *Le paiement de la dette française marqua une certaine détente* dans les relations franco-allemandes ; Bismarck télégraphia personnellement à Thiers sa satisfaction de voir les clauses financières du traité de Francfort aussi ponctuellement observées. Le chancelier allemand est d'ailleurs tout à fait partisan du maintien au pouvoir du président de la République française. Au contraire, le comte d'Arnim, ambassadeur du Reich à Paris, se déclare favorable à une restauration monarchique et intrigue auprès des milieux légitimistes. Ainsi seraient écartés, pense-t-il, les risques d'une contagion révolutionnaire en Europe. Bismarck préfère une France républicaine qui aura beaucoup plus de mal à trouver des alliances auprès des monarchies européennes. Il craint d'autre part l'esprit « revanchard » des milieux royalistes ainsi que l'avènement d'un régime « fort » susceptible de donner à la France les moyens de reconquérir ses provinces perdues. Aussi accueille-t-il très mal la nouvelle de la chute de Thiers et l'arrivée au pouvoir d'un gouvernement de tendances monarchistes et catholiques, dirigé par Mac-Mahon (24 mai 1873). Il s'estime heureux cependant d'avoir pu mettre en place un premier réseau d'alliances permettant d'isoler la République et de juguler toutes les initiatives diplomatiques de la France.

« L'entente des Trois Empereurs »

Depuis deux ans, Bismarck négocie en effet avec les puissances continentales une alliance destinée à maintenir le *statu quo* européen. Avec l'Autriche, le rapprochement se fait sans difficulté. En 1866, après la victoire de Sadowa, malgré le roi et l'État-Major prussien, Bismarck n'a pas voulu humilier l'Autriche et annexer des territoires impériaux. Il recueille maintenant les fruits de cette pondération et entretient de bons rapports avec le nouveau ministre des Affaires étrangères de Vienne, le Hongrois Andrassy. Celui-ci, abandonnant toute idée de revanche et d'hégémonie autrichienne en Allemagne, regarde maintenant vers les Balkans et songe à tirer parti de la dissolution de l'Empire ottoman. Bismarck l'encourage dans cette voie tout en veillant à ce que les ambitions autrichiennes ne heurtent pas trop vivement celles de la Russie.

Le chancelier allemand voudrait en effet mettre également l'Empire russe dans son jeu. Chose apparemment aisée puisqu'il n'existe pas de véritable contentieux russo-allemand. Les liens économiques entre les deux puissances sont même assez serrés, l'Allemagne étant le principal fournisseur de la Russie et les capitaux allemands commençant à s'investir dans les textiles et la métallurgie de la région de Saint-Pétersbourg. Il reste l'appui donné par Bismarck à la politique balkanique de l'Empire austro-hongrois. Comment appuyer Andrassy dans sa « poussée vers Salonique » et gagner en même temps les sympathies du tsar. Il faut toute l'habilité, tout le machiavélisme de Bismarck, pour réaliser ce tour de force. Le chancelier use auprès d'Alexandre II d'un argument auquel lui-même ne croit guère : la solidarité monarchique en face de la France républicaine et agressive. Sentant d'autre part le rapprochement austro-allemand inéluctable, le tsar, qui ne songe alors nullement à une alliance de revers avec la France « révolutionnaire », juge préférable de s'y associer.

Ainsi se noue en 1872-1873 « l'Entente des Trois Empereurs », première forme du « système » bismarckien. Guillaume Ier, François-Joseph et Alexandre II se rencontrent à Berlin en septembre 1872 et jettent les bases de leur accord. Celui-ci prend en 1873 la forme d'une série de conventions entre les trois puissances. La première est un accord germano-russe, signé le 6 juin 1873 et qui stipule qu'en cas d'attaque d'un des empires par une « puissance européenne », l'autre interviendrait immédiatement avec une force de 200 000 hommes. Il s'agit par conséquent d'une alliance défensive, conclue sans limitation de temps, mais susceptible d'être dénoncée par les parties contractantes, avec préavis de deux ans.

François-Joseph et Alexandre signent à leur tour le 6 juin 1873 un texte par lequel ils s'engagent à se consulter en cas d'« agression d'une tierce puissance » ou en cas de divergences entre leurs intérêts. Le 22 octobre 1873, l'empereur d'Allemagne s'associe à cet accord. Tels sont les textes sur lesquels repose l'entente des Trois Empereurs. En 1874, l'Italie y adhère à son tour.

Ainsi Bismarck a-t-il réalisé l'isolement diplomatique de la France. Mais que vaut un système dans lequel deux des principaux partenaires se regardent avec méfiance du fait de leurs ambitions balkaniques.

Au lendemain même des accords, le chancelier russe, Gortchakov, déclarait à l'ambassadeur de France à Berlin Gontaut-Biron, que l'Europe avait « besoin d'une France forte », annonçant ce qu'allait être l'attitude de la Russie dans la crise franco-allemande de 1875. Mais surtout, le déclenchement en août 1875 d'une grave insurrection des populations chrétiennes de l'Empire ottoman, allait rallumer les rivalités austro-russes dans la péninsule balkanique et mettre un terme à l'*entente des Trois Empereurs.*

La crise franco-allemande de 1875

Bismarck avait fort mal accueilli l'éviction de Thiers et l'arrivée au pouvoir des monarchistes, dont les tendances « revanchardes » l'inquiètent. L'avènement en France de la politique cléricale de l'*Ordre moral* suscite d'autre part sa méfiance au moment où il va engager la lutte contre le clergé catholique allemand (*Kulturkampf*). Les protestations des évêques de Nîmes et d'Angers contre les persécutions infligées aux catholiques de l'Empire irritèrent vivement le chancelier qui exigea du gouvernement français des poursuites judiciaires contre les prélats.

• *Mais c'est surtout la reconstitution de l'armée française qui déclenche la crise.* Déjà la loi de 1872 avait établi le service militaire obligatoire et fixé sa durée

– sauf nombreuses exemptions – à cinq ans. Lorsqu'en mars 1875, une nouvelle loi porte de 3 à 4 le nombre des bataillons dans chaque régiment, sans augmenter pour autant les effectifs de l'armée en temps de paix, mais de manière à former davantage d'officiers et de sous-officiers. Bismarck réagit aussitôt. Il y voit l'indice que le gouvernement français prépare la guerre de revanche et exploite les réactions de l'opinion allemande, d'ailleurs savamment entretenues par une violente campagne de presse, pour tenter de briser le redressement militaire français.

Le 21 avril, au cours d'une soirée à l'ambassade d'Angleterre à Berlin, notre ambassadeur, Gontaut-Biron, rencontra un familier de Bismarck, le ministre d'Allemagne à Athènes, Radowitz. La conversation ayant porté sur l'état des relations franco-allemandes, Gontaut-Biron voulut justifier la loi sur les cadres et montrer son caractère inoffensif. C'est alors que Radowitz, mi-plaisant, mi-sérieux, lui répondit en évoquant la possibilité d'une guerre préventive : « ... Si la revanche est la pensée intime de la France – elle ne peut être autre – pourquoi attendre pour l'attaquer qu'elle ait repris des forces et qu'elle ait contracté des alliances ? Convenez en effet que politiquement, philosophiquement, chrétiennement même, ces déductions sont fondées et de semblables préoccupations biens faites pour guider l'Allemagne. »

L'ambassadeur français s'inquiète de cette sortie, venant d'un homme qui a la pleine confiance du chancelier allemand. Il fait part des propos de Radowitz au ministre des Affaires étrangères, Decazes, qui s'émeut à son tour et songe un moment à surseoir à l'application de la loi des cadres. Il pense que les menaces de Radowitz ne sont pas une simple boutade de salon mais traduisent les intentions réelles de Bismarck. Il décide donc de porter l'affaire sur le plan international et sollicite l'appui de la Grande-Bretagne et de la Russie.

Disraeli se contente d'assurer la France de son appui diplomatique et d'inviter courtoisement Berlin à « calmer les inquiétudes de l'Europe ». Mais le tsar, considérant qu'une nouvelle défaite de la France entraînerait en Europe une hégémonie allemande sans contrepoids, décide d'intervenir personnellement. Le 10 mai, il se rend à Berlin en compagnie de son chancelier Gortchakov et rencontre Bismarck. Les documents ne nous permettent pas de savoir ce que fut cet entretien et si Alexandre II eut à faire des remontrances au chancelier allemand. Il ne le semble pas.

Bismarck était trop habile pour ne pas sentir que l'opinion internationale n'aurait pas toléré une guerre d'agression contre la France. Quoi qu'il en soit l'alerte était passée ; Gontaut-Biron reçut de Gortchakov l'assurance que l'Allemagne n'engagerait pas une guerre préventive contre la France. Bismarck n'avait d'ailleurs sans doute jamais envisagé sérieusement cette possibilité : il avait seulement essayé d'intimider le gouvernement français, afin de freiner la reconstitution de la puissance militaire de la République. C'était un échec. Non seulement la France poursuivait son réarmement, mais elle avait montré que l'isolement dans lequel Bismarck entendait la maintenir était loin d'être parfait. Surtout, l'*entente des Trois Empereurs* avait manifesté des faiblesses que la crise balkanique allait aggraver.

La crise balkanique (1875-1878)

Depuis le début du XIXe siècle, l'Empire ottoman connaît un irrémédiable déclin. L'action de quelques ministres de valeur, choisis par le sultan Abdülaziz, ne suffit pas à redresser la situation de l'Empire qui doit sa survie à l'aide franco-anglaise pendant la guerre de Crimée. En 1871, seule l'Angleterre reste profondément attachée au dogme de l'intégrité de l'Empire ottoman, seul moyen pour elle de s'opposer à une hégémonie russe en Méditerranée orientale et de contrôler facilement la route des Indes. Les autres puissances sont soit indifférentes, comme la France et l'Allemagne, surtout sensibles aux conséquences internationales d'une crise balkanique, soit disposées, c'est le cas de la Russie et de l'Autriche-Hongrie, à tirer profit de la faiblesse de l'Empire turc, pour établir leur influence dans les Balkans.

• *Les peuples chrétiens soumis au joug turc* supportent d'autre part de plus en plus mal la domination ottomane. Certains se sont rendus indépendants et appuient les revendications nationales des minorités encore soumises. La Grèce revendique la Crète restée turque. La Roumanie, constituée en 1856 en deux principautés autonomes, a réalisé son unité et est devenue sous l'égide d'un Hohenzollern une monarchie héréditaire, protégée par la Russie. La principauté de Monténégro possède une autonomie de fait. L'élément le plus dynamique est la petite principauté de Serbie qui se voudrait le Piémont des Slaves du Sud et encourage les mouvements autonomistes des empires turc et austro-hongrois. Seule la Bulgarie est encore soumise à l'autorité du sultan ; elle a cependant obtenu de celui-ci, en avril 1870, son autonomie religieuse par rapport au patriarcat orthodoxe de Constantinople. Le chef de l'Église *autocéphale* bulgare, l'*exarque*, est lui-même un Bulgare. Cette autonomie religieuse est un puissant facteur de développement du sentiment national. Déjà, les Bulgares revendiquent du sultan leur autonomie administrative. Plus au Nord, les petits territoires de Bosnie-Herzégovine, convoités par l'Autriche, demeurent également sous le joug ottoman. Dans ces provinces, où la majorité de la population est de langue serbe et de religion orthodoxe, la noblesse locale a accepté, pour conserver ses privilèges et ses terres, de se convertir à l'islam. Elle a imposé à la paysannerie misérable de dures conditions d'existence. Les redevances seigneuriales sont particulièrement lourdes et viennent s'ajouter aux charges fiscales exigées par le gouvernement turc. Cette situation des masses rurales en Bosnie-Herzégovine se trouve brusquement aggravée en 1875 par une mauvaise récolte. Les artisans des villes se trouvent frappés à leur tour par la mévente de leurs produits, d'autant que les corporations ont été abolies en 1851 et qu'ils se trouvent sans défense devant la concurrence des industries étrangères.

Ce contexte économique et social est mis à profit par les agents serbes et autrichiens. La Serbie se montre particulièrement active : elle développe en Bosnie et en Herzégovine une intense propagande en faveur du nationalisme serbe. L'Autriche réplique par un voyage d'un mois de l'empereur François-Joseph le long de la frontière d'Herzégovine. Le but est de montrer aux populations des provinces turques que Vienne est disposé à soutenir leur volonté d'indépendance. Le meurtre par les Turcs d'un moine d'Herzégovine venu saluer l'empereur, fut d'ailleurs le prétexte du soulèvement. L'insurrection éclate le 1er août 1875 dans le Sud de l'Herzégovine. Des bandes de montagnards, renforcées par des volontaires accourus du Monténégro, organisent des raids contre la population ismalisée. Le mouvement, d'essence nationaliste, prend donc aussitôt une teinte sociale. En quelques semaines il s'est étendu à l'ensemble des deux provinces.

En mai 1876, l'insurrection gagne les territoires bulgares ; elle est dans cette région beaucoup moins provoquée par des rivalités socio-économiques. Le mouvement nationaliste bulgare est le fait d'intellectuels et d'ecclésiastiques dont l'audience est limitée mais l'organisation remarquable ; deux cents comités secrets révolutionnaires exécutent les consignes du Comité central mis sur pied en 1873 par le patriote Levski. Pour soulever les masses rurales, les comités promettent aux paysans l'aide de l'étranger et n'hésitent pas à recourir à la violence pour entraîner les éléments les moins actifs. L'activité des agents russes a d'autre part été déterminante dans cette zone de l'Empire ottoman : ils encouragent les Bulgares à la révolte en affirmant que la Russie ne saurait les abandonner s'ils prenaient l'initiative d'un soulèvement.

Les Turcs répliquent par de terribles représailles, exercées en particulier dans les provinces bulgares où le sultan dépêche ses mercenaires, les *bachi-bouzouks*, qui se livrent aux pires atrocités et massacrent plusieurs dizaines de milliers de personnes. L'opinion publique européenne est indignée et presse les gouvernements d'intervenir. En Angleterre, le vieux Gladstone, qui a dû en 1874 céder la place au conservateur Disraeli, dénonce dans une brochure passionnée, les *Bulgarian horrors*, la sauvage répression turque.

Les gouvernements sont moins prompts à réagir. Seuls le Monténégro et la Serbie volent au secours des Slaves opprimés : en juin 1876, les deux principautés autonomes déclarent la guerre à l'Empire ottoman. Combat inégal : les Turcs vont écraser les deux petits États s'ils ne trouvent immédiatement du secours auprès des grandes puissances. Or ces dernières sont hésitantes et animées par des sentiments divergents. Toutes sont d'accord pour exiger du sultan des réformes importantes dans les provinces chrétiennes de son Empire. Mais les opinions varient sur les moyens d'action à mettre en oeuvre.

• *Seule la Russie se montre disposée à intervenir* immédiatement et par la force. Question d'intérêt sans doute : le contrôle des détroits et l'accès à la mer libre dépendent de l'effondrement de l'Empire turc et l'occasion est belle de briser les reins de « l'homme malade ». Mais aussi question de prestige et de solidarité slave. Le mouvement *panslaviste* a en Russie une influence profonde dans les milieux intellectuels et proches du pouvoir. Si le chancelier Gortchakov se refuse à agir sans accord préalable entre les puissances, des hommes comme Danilevsky, Fedaïev, ou comme l'ambassadeur à Constantinople Ignatiev, poussent à l'intervention, au nom de la fraternité slave et du triomphe de l'orthodoxie. En 1887, l'écrivain Dostoïewsky intervient à son tour dans le débat :

« ... Pour le peuple russe, la question d'Orient, c'est l'affranchissement du christianisme orthodoxe et l'unification de l'Église... Ce n'est pas seulement ce port magnifique, cette route vers la mer et les océans ni même l'unification et la régénération des Slaves qui nous attachent à la solution de ce problème : nous sommes, nous les Russes, nécessaires à tout l'Orient chrétien et à l'avenir de l'Orthodoxie... Comment l'Europe comprendrait-elle l'importance vitale que représente pour nous une pareille question ? Quelque tournure que puissent prendre les pourparlers diplomatiques actuels, tôt ou tard Constantinople devra nous appartenir. » (Journal d'un écrivain.)

Finalement le tsar fait connaître son intention de prendre les armes si les puissances ne se mettent pas d'accord pour une action commune et efficace auprès du sultan.

L'Autriche-Hongrie, pour sa part, n'est pas opposée à une intervention qui lui permettrait de contrôler la poussée slave dans les Balkans et d'annexer la Bosnie-Herzégovine. En juillet 1876, le chancelier Andrassy rencontre Gortchakov en Bohême et jette avec lui les bases d'un partage éventuel d'influence dans les Balkans.

Mais le gouvernement britannique est hostile à tout projet de démembrement de l'Empire ottoman. La protestation de Gladstone n'éveille guère d'écho auprès du cabinet conservateur et Disraeli, qui a rapporté de ses séjours en Orient une vision peu idéaliste des Turcs (il les confond d'ailleurs avec les

Arabes), tend à minimiser l'ampleur de la répression et l'importance du mouvement national dans les Balkans. Il s'en tient au principe traditionnel de l'intégrité de l'Empire ottoman et refuse d'exercer sur le sultan une pression qu'il juge nuisible aux intérêts britanniques en Méditerranée orientale.

L'Allemagne n'est pas directement impliquée dans la crise et Bismarck se contente d'éviter les heurts entres des deux alliés continentaux. Son souci premier est d'écarter tout risque de créer des mécontents susceptibles de chercher une consolation dans l'alliance française.

Une conférence réunie à Constantinople en décembre 1876 sous l'égide de l'Angleterre tenta d'obtenir d'Abdülaziz des réformes de fond. Bulgares et Bosniaques recevraient l'autonomie administrative dans le cadre de l'Empire. Mais le sultan se contente d'accorder une vague constitution et de promettre la réunion d'un « Parlement » où les minorités chrétiennes pourraient se faire entendre. Personne n'est dupe de ses intentions et lorsque la conférence se sépare aucune solution n'a été apportée au problème des Balkans.

La Russie décide alors d'intervenir seule ; le tsar commence par prendre des garanties du côté de l'Autriche-Hongrie avec laquelle est signée le 15 janvier 1877 une convention qui promet aux Russes le maintien de la neutralité autrichienne en échange de la Bosnie-Herzégovine. Le 13 avril, la Russie déclare la guerre à l'Empire turc.

Gortchakov avait promis de ne pas s'emparer de Constantinople et de ne pas imposer de façon unilatérale une révision du statut des Détroits, il espérait ainsi désarmer l'hostilité de la Grande-Bretagne. En fait, tant que les armées russes, rejetées au nord du Danube par une contre-offensive turque, piétinent devant la forteresse de Plevna, les chancelleries européennes laissent faire. Mais la place-forte, habilement défendue par Osman-Pacha, capitule fin novembre et les Russes, traversant les Balkans, débouchent dans la pleine d'Andrinople. Une autre armée franchit le Caucase et atteint Trébizonde sur la mer Noire. L'empire turc est envahi de deux côtés et Constantinople directement menacée. Le sultan se hâte de demander un armistice que l'État-Major russe tarde d'ailleurs à lui accorder.

• *Dès lors les puissances s'inquiètent.* L'Autriche-Hongrie, estimant que les Russes vont trop loin, prépare la mobilisation. Disraeli surtout est décidé à donner un coup d'arrêt aux ambitions du tsar. Salisbury remplace au Foreign Office Lord Derby jugé trop accommodant et une note du 29 janvier 1878 fait savoir au gouvernement russe que la Grande-Bretagne n'acceptera pas l'installation d'une puissance étrangère à Constantinople. Pour appuyer son ultimatum, le gouvernement britannique envoie son escadre de Méditerranée croiser dans les parages du Bosphore.

Le tsar, dont l'armée était épuisée par une longue campagne d'hiver et dont les finances se prêtaient mal à une extension du conflit, dut céder. Il donna l'ordre à ses troupes de s'arrêter aux portes de la capitale turque et engagea avec le sultan des négociations de paix. Celles-ci aboutirent, le 5 mars 1878, à la signature du traité de San Stefano dont les conditions étaient particulièrement favorables à la Russie. Celle-ci annexait en effet Kars, Batoum et Bayazid en Turquie d'Asie ; en Europe, elle recevait la Dobroudja, immédiatement échangée avec la Roumanie contre la Bessarabie du Sud. Serbie et Monténégro recevaient quelques avantages territoriaux et l'Autriche-Hongrie se voyait, comme prévu, confier l'administration de la Bosnie-Herzégovine. Mais, le fait essentiel était la création d'une « Grande Bulgarie » indépendante allant de la mer Égée au Danube et d'Andrinople à la frontière serbe, recouvrant par conséquent la circonscription religieuse de l'*exarchat*. Cette principauté autonome sera, selon les termes du traité, « vassale et tributaire de la Porte sous un prince choisi par la Russie ». Elle présente le double avantage pour les Russes de créer une vaste zone où dominera leur influence et de couper en deux les territoires restant en Europe sous la domination turque : Albanie et plaines du Vardar à l'ouest, Thrace orientale avec Constantinople à l'est.

Mis devant le « fait accompli », les gouvernements de Londres et de Vienne n'acceptent pas les clauses du traité de San Stefano et exigent une révision contrôlée par un Congrès international. Le 27 mars, Disraeli fait décider le rappel des réservistes de l'armée anglaise et met la flotte en état d'alerte. Andrassy menace de son côté d'engager les hostilités contre la Russie si celle-ci refuse le principe de la révision. Consciente de son impréparation militaire et financière, la Russie n'insiste pas et accepte la réunion d'un congrès destiné à modifier les clauses du traité de San Stefano.

Le congrès de Berlin (juin-juillet 1878)

La Russie, ayant accepté de négocier, voulut d'abord s'entendre directement avec les deux principaux intéressés. Le 15 avril l'accord se fit avec l'Autriche-Hongrie : la Bulgarie n'atteindrait pas la mer Égée et serait divisée en deux principautés distinctes. Le 1er juin, après une difficile négociation, l'accord se fait d'autre part avec la Grande-Bretagne, la Russie s'engageant à ne pas pousser plus loin ses conquêtes en Asie Mineure. Plus rien ne s'opposait à la réunion du Congrès qui s'ouvrit à Berlin le 13 juin 1878 et dura un mois. Le choix de la capitale allemande illustre bien le rôle d'arbitre joué alors en Europe par la diplomatie bismarckienne. Le chancelier reçut le premier jour la présidence de la conférence et manifesta aussitôt sa volonté de mener celle-ci « tambour battant ». « Ses façons militaires – dit Chouvalov – furent acceptées même des Anglais » et le comte de Mouy, secrétaire français du Congrès, nous a laissé de Bismarck dans ses fonctions présidentielles un remarquable portrait (voir encadré).

L'unique souci de Bismarck est de maintenir la paix et un minimum d'entente entre ses alliés autrichiens et russes. Aussi traite-il avec le plus grand mépris les Turcs – à qui il déclare qu'« on ne vient pas au congrès pour discuter » – et les Balkaniques dont il veut ignorer les aspirations nationales : « Voilà deux jours que la haute assemblée discute sur la question bulgare ; c'est là un honneur auquel les Bulgares ne s'attendaient point. »

L'acte final du Congrès modifie complètement les clauses du traité de San Stefano et est en particulier beaucoup moins favorable aux revendications des Slaves. La Serbie et le Monténégro maintiennent leur indépendance mais voient leurs acquisitions sensiblement réduites et se trouvent séparés par le district musulman de Novibazar. L'Autriche-Hongrie est autorisée à occuper et à administrer la Bosnie-Herzégovine, « à titre provisoire » précise l'acte du Congrès. Quant à la « Grande Bulgarie », elle est divisée en deux principautés : *Bulgarie* proprement dite au Nord des Balkans et *Roumélie* au Sud sous suzeraineté turque. Les grandes puissances ont donc réglé la question balkanique au mieux de leurs intérêts et sans tenir compte des sentiments et des voeux des peuples intéressés. Bismarck a joué dans le règlement de la crise le rôle « d'honnête courtier » qu'il s'était assigné, en s'efforçant de maintenir la balance égale entre les intérêts divergents de ses alliés continentaux. A-t-il réussi et quelles sont en fait les conséquences à long terme du congrès de Berlin ?

PORTRAIT DE BISMARCK

On pouvait se demander si le caractère rude et altier du chancelier de l'Empire s'accomoderait avec la mission délicate et nuancée qu'il avait à remplir... Son masque même, abrupt et tourmenté, son type orageux si bien d'accord avec sa vie, la rectitude militaire de sa tête impérieuse et de son buste athlétique, sa voix pesante et brusque semblaient convenir assez peu aux fonctions présidentielles. Mais on vit bientôt - ce dont ceux qui le connaissaient ne doutaient pas - à quel point il savait adapter aux circonstances son tempérament absolu, et l'expression même de son visage... J'oserais presque dire qu'il n'a jamais été plus complètement lui-même que dans ce fauteuil où il fallait à la fois comprimer avec une ténacité sévère les prétentions impatientes et les discussions agitées, inspirer la confiance par une affabilité prévenante, enfin maintenir ses plans personnels en paraissant seulement interpréter la volonté collective. On sentait, à le voir si ferme et si alerte, le plein développement de ses qualités diverses : l'énergie indomptable et l'adresse savante ; il les combinait supérieurement dans ce poste pacifique dont la majesté couronnait sa belliqueuse existence ; et sa satisfaction intérieure était visible dans son attitude calme et souriante.

Source : comte de MOUY, *Mémoires*.

Les conséquences du congrès de Berlin et la fin du premier « système » de Bismarck

Le congrès de Berlin marque une étape importante dans les relations internationales et sanctionne d'importantes transformations dans le système mis en place par Bismarck quelques années plus tôt.

• *Le dogme de l'intégrité de l'Empire ottoman,* cher à Palmerston, a subi de rudes atteintes, même si les décisions du Congrès sont en retrait sur les clauses du traité de San Stefano. L'Empire turc semble destiné à un démembrement à terme. Mais cette condamnation de l'« homme malade » ne s'est pas faite au profit des minorités nationales soumises au joug du sultan. Les grandes puissances ont remanié la carte des Balkans à leur profit exclusif et sans se soucier du « droit des peuples à disposer d'eux-mêmes ». Les principes sur lesquels avait été fondée l'Europe de 1815 ont une fois encore prévalu à Berlin.

• *Le problème de la rivalité austro-russe* n'a pas été résolu par le Congrès. La multiplication de petites principautés, à l'exclusion d'un grand État unificateur, est favorable aux luttes d'influence entre grandes puissances. La question orientale reste donc pendante : elle le restera jusqu'à la Grande Guerre et provoquera des crises de plus en plus rapprochées et de plus en plus graves, jusqu'à la crise finale de juillet 1914 dont sortira le premier conflit mondial.

• *Au cours du congrès de Berlin* une certaine détente s'est manifestée dans les rapports franco-allemands. Le succès des républicains en 1877 a rassuré Bismarck qui a comblé de prévenances le ministre français des Affaires étrangères Waddington, invité à Berlin malgré le désintéressement de la France pour la crise orientale. A cet égard, le Congrès va montrer que la France a reconquis sa place de grande puissance européenne.

• Mais surtout, *la conséquence essentielle du Congrès* est d'avoir, malgré toute la prudence et les ménagements de Bismarck, provoqué le mécontentement de

BISMARCK SOUHAITE DÉTOURNER LA FRANCE RÉPUBLICAINE DE L'IDÉE DE REVANCHE (1879)

"On a beaucoup dit que j'étais favorable à la République en France parce que j'y voyais une cause de faiblesse pour votre pays... La vérité, c'est que la République, sage et modérée comme vous l'avez en ce moment, est à mes yeux une garantie de paix parce qu'elle n'a pas besoin de "redorer dans le creuset de la victoire" le prestige indispensable aux dynasties sans racines comme la dernière que vous avez eue; voilà pourquoi je souhaite le maintien de la République en France, voilà pourquoi je suis prêt à vous seconder dans vos entreprises non contraires à nos propres intérêts. Mais, je le répète, je crois qu'il faut au peuple français (bien qu'il fasse preuve maintenant d'une grande sagesse) des satisfactions d'amour-propre et je désire sincèrement lui voir obtenir celles qu'il peut rechercher dans les bassins de la Méditerranée, sa sphère d'expansion naturelle; plus il aura de succès de ce côté, moins il sera porté à faire valoir contre nous des griefs et les douleurs dont je ne discute pas la légitimité, mais qu'il n'est pas en notre pouvoir d'apaiser.

Déclaration de Bismarck à l'ambassadeur de France, Saint-Vallier,
le 5 janvier 1879, citée par E. Bourgeois et G. Pages,
"Les Origines et les responsabilités de la Grande Guerre", Paris Hachette, 1921.

la Russie qui a dû se contenter de maigres annexions en Asie (Kars, Batoum) et renoncer à la création d'une « Grande Bulgarie » satellite. Le gouvernement russe ne s'en prend pas seulement à l'Autriche-Hongrie et à l'Angleterre dont l'attitude a été conforme à leurs intérêts, mais aussi à Bismarck, accusé d'avoir favorisé la double monarchie. Ce reproche était-il justifié ? Il semble que si l'empereur Guillaume Ier a été effectivement mieux disposé à l'égard de Vienne que de Saint-Pétersbourg, son chancelier fut en revanche constamment préoccupé de maintenir l'équilibre et la concorde entre ses deux alliés. L'important est que le tsar ait cru à une mauvaise volonté allemande et ait dès lors considéré comme caducs les accords de 1873. Au lendemain du congrès de Berlin il déclare « *morte* » l'*entente des Trois Empereurs*. C'est, déclarera plus tard Bismarck, « la plus grande erreur de ma vie ». La première forme de son *système* s'effondrait avec les espoirs d'Alexandre II. Mais déjà le chancelier avait jeté les bases d'une nouvelle construction diplomatique.

LE SECOND « SYSTÈME BISMARCKIEN »

La crise orientale a montré l'impossibilité de faire coexister officiellement dans le même réseau d'alliances l'Empire russe et la double monarchie. Bismarck va devoir opter au lendemain du congrès de Berlin entre Vienne et Saint-Pétersbourg. Il choisit l'Autriche-Hongrie comme base de son nouveau système diplomatique, tout en parvenant d'ailleurs en 1881 à maintenir un lien avec la Russie et à attirer en 1882 l'Italie dans le camp des puissances centrales. Ainsi l'isolement de la France est-il maintenu et même renforcé, ce qui demeure l'objectif n° 1 de Bismarck.

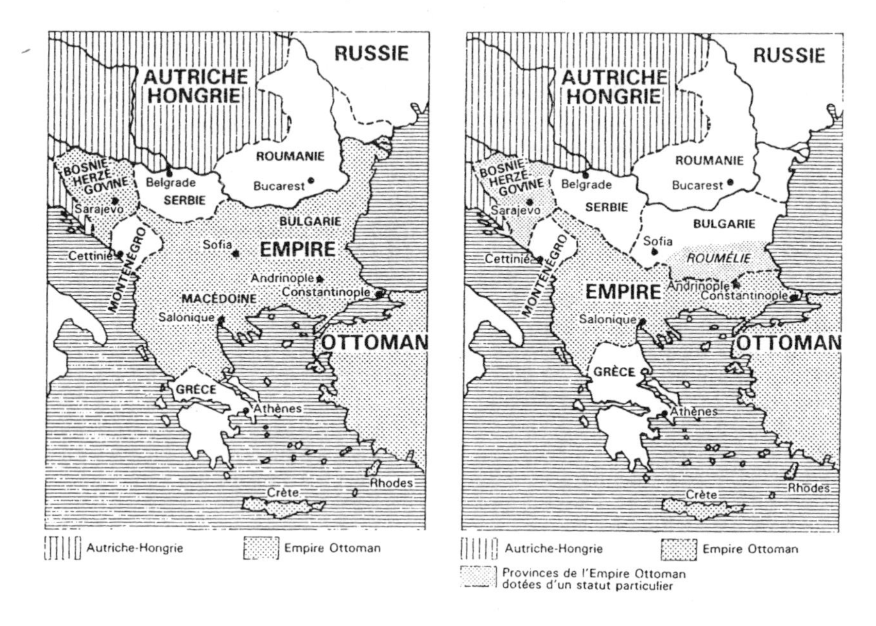

À gauche, avant le congrès de Berlin. À droite, en 1881 après le congrès de Berlin et les anexions grecques

L'alliance austro-allemande

Depuis 1871, le gouvernement de Vienne, qui a abandonné toute velléité de revanche vis-à-vis de l'Allemagne, souhaite au contraire vivement une alliance en forme avec celle-ci. Jusqu'au congrès de Berlin, Bismarck ne tient pas à s'engager trop intimement du côté austro-hongrois, craignant d'avoir à soutenir ensuite les revendications de Vienne dans les Balkans, et dès lors de se brouiller avec la Russie dont l'amitié lui semble indispensable au maintien de son système. Telles sont les raisons qui l'avaient poussé à conclure l'*entente des Trois Empereurs*, difficile compromis entre l'amitié du tsar et l'alliance austro-allemande. Mais la crise de 1878 détruit cette savante combinaison et le chancelier allemand se voit obligé de choisir entre ses deux alliés.

L'empereur Guillaume Ier est de son côté plutôt favorable à l'alliance russe, par tradition et aussi parce qu'il nourrit à l'égard du tsar des sentiments de profonde amitié. Bismarck préfère l'alliance austro-hongroise. Il juge la double monarchie plus sûre, plus efficace et plus proche de l'Allemagne. Il en résulte une grave tension entre l'empereur et son chancelier, surtout après que ce dernier a rencontré Andrassy à Castein en août 1879 et accepté le principe d'une alliance. Une première difficulté se manifeste quand il s'agit de définir contre qui sera tournée cette alliance. Bismarck voudrait que ce fût contre la France, Andrassy contre la Russie. Le chancelier allemand finit par accepter le point de vue autrichien mais l'empereur refuse de donner son accord à une solution dont il réprouve le principe. À deux reprises Bismarck doit menacer de démissionner pour emporter la décision et imposer une alliance dont la pointe est exclusivement tournée contre la Russie. Guillaume Ier a beau s'indigner : « Il m'est impossible – déclare-t-il – de ratifier ce traité : cela irait contre ma conviction, contre mon caractère, contre mon honneur » ; il faut bien finalement céder aux instances de son « indispensable » chancelier.

• *Le 7 octobre 1879, le traité est signé.* Il prévoit une alliance militaire au cas où une des deux puissances serait attaquée par la Russie, la simple neutralité si l'agresseur est une autre puissance, la France par exemple, que le gouvernement de Vienne tenait à ménager. Le traité donnait donc surtout satisfaction à l'Autriche-Hongrie, garantie contre les ambitions russes. Bismarck n'obtenait pas en revanche l'appui autrichien contre la France : l'Allemagne n'était pas garantie à l'Ouest.

Cette faille du traité a-t-elle déterminé Bismarck à tenter un nouveau rapprochement avec la Russie ? Il semble que sa volonté de ramener le tsar dans l'orbite allemande soit en fait antérieure au traité. Écrivant en septembre 1879 à son ambassadeur à Vienne, le chancelier dévoile ses véritables intentions : le traité austro-allemand doit montrer au tsar les inconvénients de l'isolement. C'est d'elle-même, pense Bismarck, que la Russie reviendra à l'*entente des Trois Empereurs* et qu'Alexandre II oubliera ses rancoeurs du congrès de Berlin. L'alliance conclue avec Vienne, le chancelier engage sans plus tarder une habile partie diplomatique pour réaliser ses desseins de rapprochement avec Saint-Pétersbourg.

Le nouveau traité des Trois Empereurs

Bismarck sait que la Russie, dont les intérêts se heurtent en Asie centrale à ceux de la Grande-Bretagne, souhaite avoir les mains libres en Europe. Il se garde cependant d'adresser directement des avances au gouvernement du tsar. Il se tourne au contraire du côté de l'Angleterre : en cas de conflit germano-russe, déclare Disraeli à l'ambassadeur d'Allemagne, la Grande-Bretagne serait disposée à lier son destin à celui du Reich. Cette promesse ne suffit pas à Bismarck. Quelle serait l'attitude du Royaume-Uni, fait-il demander au Premier ministre britannique, en cas d'intervention française dans le conflit? Disraeli s'engage seulement à « surveiller » la France, ce qui est considéré comme très insuffisant par le chancelier allemand. Il est tout à fait probable d'ailleurs qu'en effectuant ces sondages auprès du gouvernement britannique Bismarck ne songeait pas réellement à obtenir l'appui du Royaume-Uni. Il espérait en revanche inquiéter la Russie pour que celle-ci, craignant un isolement complet, tournât à nouveau ses regards vers l'Allemagne. Jeu subtil et périlleux qui peut jeter la Russie dans les bras de la France. Bismarck soupèse les risques, juge improbable que l'autocrate de Saint-Pétersbourg, qui haïssait le régime républicain, se tourne vers Paris, et remporte finalement un total succès.

Fin septembre 1879, le diplomate russe Sabourov se rend à Berlin et demande à rencontrer le chef du gouvernement allemand. Bismarck s'attendait à cette démarche qu'il avait en quelque sorte suscitée en amorçant un rapprochement avec Londres : « Je savais bien – note-il alors – que le Russe nous reviendrait aussitôt que nous serions liés à l'Autrichien ». Et il engage aussitôt la négociation. Celle-ci est favorisée par le départ de Gortchakov dont, déclare Bismarck, « la démission a été acceptée avant d'avoir été offerte » et par son remplacement par Giers, un homme timoré, volontiers germanophile et grand admirateur de la diplomatie bismarckienne. Alexandre se montre favorable au rapprochement. L'alliance française lui semble d'autant plus irréalisable qu'en 1880 le gouvernement de la République a refusé l'extradition du terroriste Hartmann, accusé d'avoir fait sauter un train dans lequel devait prendre place la famille impériale. Il se décide à faire taire ses rancunes de 1878 pour ne pas rester plus longtemps sans alliés en Europe. L'éventualité d'un conflit anglo-russe le pousse à obtenir au moins la neutralité des deux « puissances centrales », à rentrer par conséquent dans le système bismarckien.

L'Autriche-Hongrie, à qui le traité austro-allemand a donné toute satisfaction, est beaucoup moins pressée d'y voir associer la Russie. Elle perdrait ainsi tout le bénéfice de l'alliance allemande et Andrassy proteste contre cette renaissance de l'*entente des Trois Empereurs*. Son successeur, Haymerlé, fait traîner la négociation en longueur mais Bismarck n'est pas disposé à voir au dernier moment ses plans ruinés par l'intransigeance autrichienne. Il impose une sorte d'ultimatum à la double monarchie : « Si l'Autriche refuse un traité avec la Russie, elle le fera à ses risques et périls ». Vienne, qui craint de perdre l'amitié allemande finit par céder et le 18 juin un nouveau traité des *Trois Empereurs* est conclu. Deux mois plut tôt, le 13 mars 1881, Alexandre II a été tué, victime du terrorisme, et c'est son fils, Alexandre III qui a fait hâter la négociation.

• *Le traité, conclu pour trois ans,* ne supprime pas la Duplice (alliance austro-allemande), mais s'efforce d'atténuer la rivalité austro-russe. Il porte essentiellement sur trois points :

- Neutralité bienveillante des deux autres puissances si la troisième se trouve en guerre avec un pays étranger à l'alliance.
- L'Autriche-Hongrie et la Russie s'engagent à ne pas modifier de façon unilatérale le *statu quo* dans les Balkans.
- Un protocole séparé prévoit que la double monarchie pourra annexer la Bosnie-Herzégovine dont le congrès de Berlin lui avait confié l'administration, et que la Russie pourra de son côté réunir en un Etat unique les deux principautés bulgares.

Ainsi établi, le traité favorise l'Allemagne - qui peut compter sur la neutralité russe en cas de guerre contre la France - et la Russie, garantie contre une intervention allemande ou autrichienne à l'occasion d'un conflit anglo-russe. Seule l'Autriche-Hongrie ne tire aucun bénéfice de l'entente, ayant dû accepter de tenir compte des intérêts russes dans les Balkans. *Bismarck* est satisfait. Il va s'efforcer de faire marcher « entre les éléphants apprivoisés l'Allemand et l'Autrichien, l'impétueux éléphant russe ». Il compte pour cela sur son autorité et sa science diplomatique.

La Triple-Alliance (1882)

Le système mis en place par Bismarck en 1881, s'élargit l'année suivante par l'*adhésion de l'Italie.* Celle-ci n'a pas été sollicitée par les puissances centrales ; c'est elle au contraire qui a demandé à entrer dans le système bismarckien, par souci de rompre son isolement et de participer de façon plus active à la vie internationale. Pourquoi ne s'est-elle pas tournée alors vers cette autre isolée qu'était la France pour réaliser avec celle-ci une Alliance latine, conforme aux souvenirs du traité « franco-sarde » de 1859 ? Les Français ont longtemps fait grief à l'Italie d'avoir contracté celle alliance « contre nature » et d'avoir ainsi témoigné bien peu de reconnaissance envers le peuple qui avait le plus concouru à la réalisation de l'unité italienne. En fait, l'intervention française de 1859, d'ailleurs payées par les Italiens du prix de l'abandon de Nice et de la Savoie, avait été suivie d'une politique « anti-italienne » de la part de Napoléon III. L'empereur, pour ménager en France le parti catholique, avait dû se transformer, à son corps défendant, en champion de la cause pontificale et se porter garant du maintien de l'intégrité des territoires de l'Église. La « question romaine » avait été la pierre d'achoppement de l'amitié franco-italienne. En 1867, celle-ci avait reçu un coup mortel lorsque les forces franco-pontificales avaient infligé aux volontaires garibaldiens l'humiliante défaite de Mentana. Les Italiens n'oublieront pas de sitôt la maladroite allusion du général de Failly à la supériorité de nos fusils : « les chassepots ont fait merveille. » Mentana – diront-ils – a tué Magenta. »

• *La chute de l'Empire ne devait pas apporter de modification* appréciable dans la nature des relations franco-italiennes. Dès les premières défaites françaises, les Italiens ont profité du rappel de la garnison impériale pour s'emparer de Rome et y installer leur capitale. Mais Pie IX ne s'est pas incliné devant le fait accompli et a refusé tout accord avec le gouvernement. Il n'a pas perdu tout espoir de récupérer, avec l'aide des nations chrétiennes, une partie au moins de son pouvoir temporel. Aussi, le gouvernement italien voit-il avec méfiance s'installer en France la politique cléricale de l'*Ordre Moral*. Jusqu'en 1877, il craint la pression des catholiques français sur le gouvernement et la reprise d'une action en faveur du pape. Il n'est pas étonnant que l'Italie se tourne alors vers Bismarck qui est lui-même aux prises avec le pontife romain dans le difficile combat qu'il a engagé contre le clergé catholique allemand.

Les intérêts économiques jouent également un rôle dans l'évolution de la politique étrangère de l'Italie. Si les finances italiennes sont assez étroitement liées au marché français, – la France contrôle notamment 80% de la dette publique italienne – les échanges se font de plus en plus avec l'Allemagne fournisseur de charbon et de matières premières, en échange des produits de l'agriculture italienne. Le percement du Gothard opéré de 1872 à 1880 et l'hostilité croissante des producteurs français d'huile, de vin et de soie à la libre entrée des produits italiens, ne feront qu'accentuer cette évolution.

• *Mais c'est surtout le désir de l'Italie de s'élever au rang de grande puissance* qui attire vers l'alliance allemande. Bismarck apparaît alors comme le grand homme de l'Europe, susceptible d'apporter à ses alliés puissance et considération. l'Italie souffre du dédain dans lequel la tiennent la plupart des chancelleries et ses dirigeants pensent que l'appui de l'Allemagne lui apportera un poids suffisant pour s'affirmer sur la scène internationale. Ils espèrent d'autre part que la politique de prestige dans laquelle ils veulent engager l'Italie leur permettra de résoudre les problèmes intérieurs du jeune royaume.

Dans quelles dispositions d'esprit Bismarck accueille-t-il les premières avances de la diplomatie italienne ? Le chancelier n'a que peu de sympathie pour l'Italie dont il méprise la faiblesse militaire et la duplicité. « Les Italiens – déclare-t-il en 1880 – ressemblent à ces corbeaux qui se nourrissent de charogne et attendent autour des champs de bataille qu'on leur laisse quelque chose à manger. » De quel poids serait dans un conflit ce « petit roquet qui aboie aux jambes » ? Nul, pense Bismarck, ce qui n'est pas tout à fait l'avis de son souverain. L'empereur Guillaume Ier, n'a pas oublié l'appui malheureux mais non inutile de l'Italie en 1866 : « Cent trente mille Autrichiens de plus à Königgrätz auraient pu modifier le résultat. » Et le chancelier finit par admettre qu'au fond « ce ne serait pas un avantage à dédaigner » en cas de conflit européen d'avoir l'Italie à ses côtés, ne serait-ce que pour contraindre la France à protéger ses frontières alpestres.

• *L'opposition vient, en Italie* même, de la fraction « irrédentiste » de l'opinion. Une alliance avec l'Allemagne entraînerait inévitablement l'adhésion du royaume à la *Duplice* austro-allemande et condamnerait l'Italie à renoncer pour longtemps aux provinces irrédentes : Trentin, Tyrol et région de Trieste. C'est ce qui fait hésiter les dirigeants italiens à entrer dans le système bismarckien. Le chancelier en a conscience et va s'appliquer à lever cet obstacle. Pour cela, il pousse la France à s'engager en Tunisie, espérant à la fois qu'elle s'y heurtera aux ambitions italiennes et que les entreprises coloniales la détourneront de l'Alsace-Lorraine. Une fois de plus le calcul s'avère juste. Dix mille colons italiens sont installés dans la Régence où depuis 1878 le consul général Maccio mène une active politique de subventions aux écoles italiennes et une violente campagne antifrançaise auprès de la population indigène. En 1880, le consul de France, Roustan, constate que l'influence italienne gagne du terrain sur celle de la France et qu'il est grand temps d'intervenir. En mai 1881, un corps expéditionnaire français impose au gouvernement beylical le traité de protectorat du Bardo sans que l'Italie, dépourvue d'armée et de flotte, ait pu intervenir. Cette humiliation provoque en Italie une profonde vague d'hostilité à l'égard de la France. Le ministère Cairoli, accusé de s'être laissé berner par la « *sorella latina* », est renversé et remplacé par un gouvernement Depretis qui engage aussitôt des négociations avec les puissances centrales. L'Italie fait savoir en septembre 1881 qu'elle est prête à adhérer à la Triple Alliance « sans s'arrêter aux questions de détail », affirmant par là qu'elle est disposée à mettre en sommeil ses revendications irrédentistes.

Le roi Humbert Ier est très favorable au rapprochement avec les puissances centrales, se croyant à tort menacé par la propagande républicaine émanant de Paris. Il y voit un moyen d'affirmer la solidarité monarchique des souverains européens devant la menace révolutionnaire. C'est lui qui accomplit le pas décisif en effectuant une visite à Vienne, reconnaissant ainsi implicitement l'abandon de la politique irrédentiste.

• *Le traité instituant la Triple Alliance fut signé le 20 mai 1882.* Il représente, avec des fortunes diverses, l'élément le plus durable de la politique bismarckienne, puisqu'il devait, avec des modifications, être renouvelé pendant plus de trente ans. Le traité est secret et présente alors un caractère strictement défensif.

Traité avantageux pour l'Italie dont l'isolement est rompu et qui se trouve garantie pour le cas où un retour au pouvoir du parti catholique aurait pour effet la remise en question par la France de l'annexion de Rome. Mais le grand bénéficiaire est Bismarck qui gagne une alliée contre la France et obtient pour l'Autriche-Hongrie l'assurance qu'elle n'aura pas à combattre sur deux fronts en cas de guerre contre la Russie. La signature de la *Triplice* marque l'achèvement du second système bismarckien. Sans doute le chef du gouvernement allemand est-il sceptique quant à l'efficacité et surtout à la fidélité de l'alliance italienne : « les promesses – déclare-t-il – ne signifient rien si elle n'a pas intérêt à les tenir ». Du moins a-t-il réalisé un coup de maître en parvenant à grouper dans le même réseau d'alliances d'une part l'Autriche et la Russie malgré leur rivalité dans les Balkans, d'autre part l'Italie et la double monarchie en dépit d'un irrédentisme que Rome accepte provisoirement de mettre en sommeil. Si l'Angleterre demeure en dehors du système, le but essentiel est atteint : l'isolement de la France est total.

LA TRIPLE-ALLIANCE

Dans le cas où l'Italie, sans provocation directe de sa part, serait provoquée par la France pour quelque motif que ce soit, les deux autres parties contractantes seront tenues de prêter à la partie attaquée secours et assistance avec toutes leurs forces. Cette même obligation incombera à l'Italie dans le cas d'une agression non directement provoquée de la France contre l'Allemagne. Dans le cas où une grande puissance non signataire du traité menacerait la sécurité des États de l'une des autres parties contractantes et la partie menacée se verrait par là forcée de lui faire la guerre, les deux autres s'obligent à observer à l'égard de leur alliée une neutralité bienveillante; chacune se réserve dans ce cas la faculté de prendre part à la guerre si elle le juge à propos, pour faire cause commune avec son alliée.

LA TENSION INTERNATIONALE ET LES AMÉNAGEMENTS DU SYSTÈME BISMARCKIEN

Jusqu'en 1885 le réseau d'alliances tissé par Bismarck semble lui donner entière satisfaction. « La machine – écrit-il en avril 1882 – est si bien montée qu'elle marche toute seule. » Pourtant de nouvelles difficultés n'allaient pas tarder à surgir, obligeant le chancelier allemand à aménager son système : réveil de la rivalité austro-russe dans les Balkans et tension franco-allemande consécutive au moment boulangiste.

La crise balkanique

Le nouveau traité des Trois Empereurs, qui stipulait on s'en souvient un strict maintien du *statu quo* dans les Balkans, n'empêcha pas Russes et Autrichiens de chercher à étendre leur influence respective dans les principautés orientales. À partir de 1881, l'Autriche-Hongrie réalise des progrès spectaculaires et modifie peu à peu à son profit l'équilibre établi par le congrès de Berlin.

• *En Serbie* l'influence austro-hongroise se développe grâce à des circonstances exceptionnelles. Le prince de Serbie, Milan Obrenovitch, professe le plus grand mépris pour son peuple. Pour satisfaire ses passions et se maintenir au pouvoir, il sollicite l'appui et les subsides du gouvernement autrichien. En échange, il accepte de signer avec Vienne le 28 juin 1881 un traité secret par lequel il s'engage à ne pas conclure d'alliances extérieures sans accord de la double monarchie et à ne tolérer sur son territoire aucune menée anti-autrichienne. Pour prix de sa docilité, il obtient l'année suivante, grâce à l'appui de Vienne, le titre de Roi. En fait, le maintien de la vassalité serbe est l'objet, de la part de Milan, d'un chantage continuel. Le nouveau roi admet qu'il est « le seul Serbe favorable à l'Autriche » et entend tirer parti de sa complaisance. Telle qu'elle est cependant, l'alliance de la Serbie est un atout précieux dans le jeu diplomatique autrichien et ne manque pas d'inquiéter la Russie.

• *En Roumanie,* la politique austro-hongroise est appuyée par la diplomatie allemande. Le roi Carol est un Hohenzollern, cousin du roi de Prusse et animé de sentiments amicaux envers l'Allemagne. Il est beaucoup moins favorable à l'Autriche-Hongrie, qui maintient sous son joug les Roumains de Transylvanie et de Bukovine, mais craint davantage encore la Russie qui a imposé en 1878 à son pays la cession de la riche Bessarabie du Sud en échange de la médiocre Dobroudja. Bismarck met à profit cette situation pour ménager un accord entre Vienne et Bucarest. Un traité d'alliance défensive, dirigé contre la Russie, est signé en octobre 1883 entre la Roumaine et l'Autriche-Hongrie. Il demeure secret mais la Russie en connaît l'existence et ne dissimule pas son mécontentement.

• *En Bulgarie,* ce sont les Russes qui, au lendemain du congrès de Berlin, ont tenté d'imposer leur protectorat. Depuis 1881, le prince est un neveu du tsar, Alexandre de Battenberg. Celui-ci confie à des officiers russes les porte-feuilles ministériels de la Guerre et des Affaires étrangères ; il laisse les Russes occuper des postes importants de l'administration et contrôler la vie économique du pays.

Devant la résistance de l'opinion publique bulgare, le prince tend cependant peu à peu à se rapprocher des éléments nationalistes dirigés par le patriote Karavelov. Sous leur influence il congédie en 1883 ses deux ministres russes et proclame en septembre 1885 l'union de la Roumélie et de la Bulgarie, reconstituant ainsi de son propre chef la « Grande Bulgarie » du traité de San Stefano. La Russie accepte mal ces velléités d'indépendance. Elle donne son appui à un complot qui le 21 août 1886 aboutit à l'enlèvement du prince. Soutenu par ses sujets, celui-ci doit cependant abdiquer le 7 septembre. Mais le triomphe russe est de courte durée. Lorsque le Parlement bulgare se réunit en juillet pour élire un nouveau prince, il écarte le candidat du tsar et désigne Ferdinand de Saxe-Cobourg, ancien officier de l'armée hongroise et que soutient le gouvernement de Vienne. L'échec russe est total.

Depuis 1881 la Russie a donc enregistré dans les Balkans de sévères déboires. En 1887 elle ne conserve aucun des avantages acquis au congrès de Berlin et son influence est partout en recul. S'adressant à l'ambassadeur d'Allemagne à Pétersbourg, le tsar déclare que l'Autriche-Hongrie « lui a fait des cochonneries ». Lorsqu'en 1887 le traité des *Trois Empereurs* vient à échéance, le tsar refuse de le renouveler.

La crise franco-allemande

En favorisant l'expansion coloniale de la France, Bismarck avait espéré détourner celle-ci de l'Alsace-Lorraine et nouer avec la République des relations pacifiques. « Renoncez à la question du Rhin, déclare-t-il en 1884 à l'ambassadeur de France, et je vous aiderai à conquérir sur tous les autres points les satisfactions que vous pouvez désirer. » Lorsque Jules Ferry arrive au pouvoir et engage la France dans une grande politique coloniale, Bismarck pense avoir en face de lui un interlocuteur possible, l'homme qui acceptera de détourner ses regards des provinces perdues, pour peu qu'on se prête à sa politique d'expansion outre-mer. Aussi le chancelier s'applique-t-il, dans les questions coloniales, à donner son appui à toutes les entreprises françaises. Envisage-t-il un rapprochement plus étroit ? Il ne manque pas de l'affirmer à plusieurs reprises et va jusqu'à prononcer le mot d'alliance : « Il faut – déclare-t-il – que la Grande-Bretagne s'habitue à l'idée que l'alliance franco-allemande n'est pas impossible. » Et en janvier 1885 il propose à Jules Ferry de le rencontrer en pays neutre ; le chef du gouvernement français ne repousse pas toutes les avances allemandes : il se déclare prêt à discuter avec l'Allemagne le règlement de certains problèmes coloniaux mais refuse d'envisager un accord plus large avec le Reich ; un tel accord entraînerait l'abandon implicite des provinces perdues en 1871 et Ferry n'y songe pas : il sait qu'une telle décision dresserait immédiatement contre lui l'opinion et le Parlement. Il se méfie d'ailleurs des « combinaisons ténébreuses » de Bismarck qu'il soupçonne de vouloir brouiller la France et l'Angleterre. Aussi repousse-t-il les avances allemandes et se dérobe-t-il à la rencontre projetée.

Nous savons aujourd'hui que les craintes de Jules Ferry étaient fondées et que le véritable objectif du chancelier allemand était bien la brouille franco-anglaise. Le 2 août 1882, tandis qu'il multiplie les avances envers le gouvernement français, Bismarck rédige une note – retrouvée par l'historien allemand Windelband dans les papiers du chancelier – dans laquelle il déclare qu'il importe de « soigner les désaccords entre la France et la Grande-Bretagne ».

La chute de Ferry met fin, en mars 1885, à la période de détente dans les relations franco-allemandes. Les questions continentales prennent de nouveau le pas en France sur les problèmes coloniaux et le chancelier, qui déclarait au lendemain de l'échec de rapprochement : « Je continuerai à faire ma cour à cette dame capricieuse », voit croître ses inquiétudes avec le réveil du nationalisme français. L'arrivée au ministère de la Guerre du général Boulanger, les manifestations tapageuses de la *Ligue des Patriotes* animée par Paul Déroulède, l'imprudence de milieux proches de l'État-Major dont les propos hostiles à l'Allemagne sont rapportés outre-Rhin, inquiètent et mécontentent le gouvernement allemand. Le gouvernement français, tout aussi effrayé de l'attitude agressive du « général revanche », s'applique à rassurer Bismarck. Le ministre des Affaires étrangères Flourens, l'ambassadeur à Berlin Herbette, s'efforcent de le convaincre que « le gouvernement saura résister à Boulanger ». Le chancelier préfère prendre des garanties sérieuses. En janvier 1887 il dissout le *Reichstag* qui refusait une augmentation des effectifs de l'armée, fait voter une nouvelle loi militaire, rappelle des réservistes et prend des mesures de rigueur contre les Alsaciens-Lorrains jugés rebelles à la germanisation. Que se passera-t-il si Boulanger, poussé par la coalition nationaliste, prend le pouvoir en France ? Bismarck est formel et déclare : « Ce sera la guerre. »

• *L'affaire Schnaebelé* marque le point culminant de la crise en avril 1887. Schnaebelé, commissaire de police à Pagny-sur-Moselle et agent des services de renseignement français, est attiré dans un guet-apens et arrêté en territoire français par des policiers allemands. Le gouvernement français proteste et réclame la mise en liberté. L'opinion nationaliste s'émeut et exige une action immédiate. Le général Boulanger envisage une mobilisation partielle sur les frontières mais le président de la République Grévy et le ministre des Affaires étrangères Flourens parviennent à faire repousser au Conseil des ministres du 23 avril cette mesure qui pouvait déclencher la guerre. Le 25, l'ambassadeur de France à Berlin parvient à obtenir de Bismarck la libération du commissaire français : l'incident est clos mais l'alerte a été chaude. L'opinion française demeurera longtemps persuadée que l'enlèvement de Schnaebelé était une provocation concertée du gouvernement allemand dans le but de provoquer une guerre préventive. De fait, les nationalistes s'agitent de plus belle et voient dans les déclarations fracassantes de Boulanger la menace qui a fait reculer le « chancelier de fer » : ils pensent tenir un nouveau Bonaparte. Les Républicains s'en inquiètent et en mai 1887 Rouvier parvient à écarter du ministère le « général revanche » et à lui faire assigner un commandement militaire à Clermont-Ferrand. Certes Boulanger va encore faire parler de lui pendant deux ans et menacer un moment le régime ; il n'en demeure pas moins écarté d'un poste où ses rodomontades pouvaient avoir les plus tragiques conséquences. Bismarck se déclare satisfait. Il n'a sans doute jamais eu l'intention d'engager contre la France une guerre préventive. Sans doute a-t-il une fois encore exploité la tension franco-allemande et les menaces de guerre pour obtenir du *Reichstag* un effort militaire accru et pour élargir son système d'alliances.

L'élargissement et l'apogée du « système » bismarckien

Triple-Alliance et traité des Trois Empereurs sont renouvelables en 1887. Depuis la signature de ces accords la situation internationale s'est profondément modifiée. L'Autriche-Hongrie et la Russie ont vu leur rivalité se réveiller dans les Balkans et ne peuvent guère coexister dans le même réseau d'alliances. La France de son côté a montré qu'elle ne souhaite pas un rapprochement avec l'Allemagne et que les entreprises coloniales, favorisées par Bismarck, ne l'avaient nullement détournée de la « ligne bleue des Vosges ». Le vieux chancelier en montrait quelque aigreur : « Quinze années de politique amicale et conciliante – déclarait-t-il – dans tous les domaines, à l'exception de l'Alsace-Lorraine, n'ont pu produire ni changement ni apaisement. »

En 1887 comme en 1871, l'esprit « revanchard » de la France est aux yeux de Bismarck l'obstacle principal à l'établissement d'une paix durable en Europe. Mais la situation lui semble plus dangereuse car le mécontentement russe peut finir par entraîner le tsar à se rapprocher de Paris. Le chancelier envisage très sérieusement cette éventualité. Ainsi serait rompu l'isolement dans lequel la diplomatie allemande est parvenue depuis quinze ans à maintenir la France, tandis que l'Allemagne aurait désormais à se garder sur deux fronts. Bismarck peut-il accepter sans réagir l'anéantissement de tant d'efforts? Il va réussir, dans les premiers mois de 1887, à redresser la situation en renouvelant et en renforçant la Triplice tout en maintenant un lien avec la Russie et en parvenant à faire entrer la Grande-Bretagne dans son système.

• *La Triple-Alliance est renouvelable en mai 1887.* La crise bulgare et la menace de guerre avec la France donnent plus de prix à l'alliance italienne et le comte Robilant, ministre des Affaires étrangères d'Italie, entend exploiter cette situation pour améliorer la position diplomatique de son pays. Il pose comme conditions au renouvellement du traité une garantie du *statu quo* en Méditerranée, dirigée contre une éventuelle expansion de la France en Tripolitaine, et une promesse de compensation pour le cas où l'Autriche-Hongrie réaliserait de nouveaux gains territoriaux dans les Balkans.

Berlin et Vienne s'étaient d'abord montrés réticents à ces revendications italiennes, mais le développement de la crise bulgare et la tension croissante dans les relations franco-allemandes décident Bismarck à négocier. Il s'applique a vaincre les résistances de Vienne, peu disposé à s'engager sur la question de Tripolitaine et finit par imposer sa solution : renouvellement anticipé du traité, accompagné de deux conventions annexes donnant satisfaction aux exigences italiennes.

La première convention était conclue entre l'Italie et la double monarchie. Elle se déclarait favorable au maintien du *statu quo* dans les Balkans. Il était cependant prévu que si l'Autriche-Hongrie se trouvait contrainte d'occuper un territoire, elle consulterait l'Italie et lui réserverait une compensation.

La seconde était signée par l'Allemagne et l'Italie. C'était la solution trouvée par Bismarck pour éviter à Vienne de s'engager dans les affaires africaines. L'Allemagne s'engageait à donner son appui militaire à l'Italie dans le cas où celle-ci, inquiète des empiétements français en Afrique du Nord, engagerait une guerre contre la France.

Les signatures furent échangées en février 1887, avec trois mois d'avance sur l'échéance normale. Ainsi révisée, la *Triplice* prenait un caractère offensif à l'égard de la France.

Si Bismarck s'est ainsi engagé à défendre les intérêts italiens en Afrique du Nord, c'est pour emporter l'adhésion du comte Robilant au moment où le renouvellement de la Triple-Alliance lui semble vital. Les accords conclus et la crise franco-allemande apaisée, il juge ces engagements biens lourds à assumer seul et va s'efforcer de les partager avec une autre puissance. L'Italie, estime-t-il, doit chercher à compléter son accord avec l'Allemagne par une entente avec la Grande-Bretagne sur les questions méditerranéennes. Le moment est favorable, la France et l'Angleterre étant en conflit au sujet de l'Égypte. Il presse donc la diplomatie italienne de faire à Londres les avances nécessaires et favorise les pourparlers entre les deux puissances. Ses efforts sont couronnés de succès et aboutissent en février 1887 à la conclusion d'un accord anglo-italien. L'Italie s'engage à soutenir l'action de la Grande-Bretagne en Égypte. L'Angleterre, de son côté, aidera l'Italie à s'opposer à l'occupation de la Tripolitaine par la France. Les deux puissances affirmaient leur volonté de maintenir le *statu quo* en Méditerranée (mer Égée et mer Noire comprises) et, dans le cas où il ne pourrait pas être maintenu, de se concerter sur les modifications à y apporter.

En fait, les engagements anglais n'avaient rien de déterminé. Il n'était pas précisé si l'aide promise par la Grande-Bretagne en cas d'action française en Tripolitaine comportait un appui militaire. Les Italiens le croyaient. Salisbury était beaucoup plus vague et entendait se réserver « le soin d'apprécier s'il y a lieu ou non de donner à l'Italie une coopération matérielle ». Il reste que le gouvernement britannique acceptait, tout en conservant la faculté de juger la situation, une collaboration avec un membre de la Triplice. L'accord anglo-italien ayant une pointe dirigée contre la Russie – il affirmait une nouvelle fois le principe de la fermeture des Détroits –, l'Autriche-Hongrie s'y associa le 24 mars 1887. En mai, ce fut l'Espagne qui donna son adhésion. Bismarck eut la suprême habileté de ne pas y souscrire pour se conserver une ouverture du côté de la Russie. Il lui suffisait d'avoir indirectement associé à son système la prudente et solidaire diplomatie britannique.

Mais Bismarck juge son oeuvre inachevée tant qu'il n'aura pas écarté tout risque d'une alliance franco-russe tournée contre l'Allemagne. Il lui faut agir vite. L'entente des *Trois Empereurs* vient à expiration en juin 1887 et le tsar, inquiet et mécontent des progrès de l'Autriche-Hongrie dans les Balkans, manifeste son intention de ne pas renouveler un traité le liant à la double monarchie. La France de son côté multiplie ses avances auprès du gouvernement de Pétersbourg. L'affaire est d'autant plus sérieuse que pour la première fois les propositions françaises trouvent en Russie un écho favorable. Le journaliste Katkov, chef du mouvement panslaviste, se déclare favorable à l'alliance française. Il se heurte cependant à l'influence du ministre des Affaires étrangères, Giers, qui s'efforce de communiquer au tsar ses sentiments germanophiles. Alexandre III sent bien que l'alliance allemande ne lui a pas été jusque-là d'un grand secours dans la réalisation de ses desseins balkaniques, mais il éprouve une trop grande méfiance à l'égard du régime républicain pour passer outre aux avis de son chancelier. Lorsque Katkov est disgracié pour avoir révélé dans un article le contenu du traité secret des Trois Empereurs, Giers reçoit carte blanche pour traiter avec Bismarck. Le ministre russe signe en juin 1887 un traité secret avec l'Allemagne dit « traité de réassurance ». Conclu pour trois ans, ce traité assure l'Allemagne de la neutralité russe en cas de guerre défensive contre la France. En échange l'Allemagne promet son appui diplomatique dans la question bulgare et dans celle des Détroits, ce qui n'était guère compatible avec l'alliance austro-allemande.

• *La conclusion du traité de Contre-Assurance* marque l'apogée du système de Bismarck. Liée à l'Autriche-Hongrie et à l'Italie, en contact avec la Grande-Bretagne et avec la Russie par les accords de février et de juin 1887, l'Allemagne se trouve plus que jamais au centre de la vie internationale. À aucun moment la France n'a été plus isolée qu'à la fin de l'été 1887 quand triomphe la diplomatie du chancelier de fer. En fait le système est plus fragile qu'il ne paraît. Il est fondé sur le caractère secret du traité de Contre-Assurance et à la merci d'une indiscrétion. Il importe en effet que ni l'Angleterre ni l'Autriche-Hongrie ne soient au courant des promesses relatives aux Détroits, promesses inconciliables avec les accords antérieurs. Bismarck a conscience des faiblesses de son système. Au début de 1889 il songe à remplacer l'entente avec le tsar par une alliance défensive avec la Grande-Bretagne, dirigée contre la France et la Russie. Il dépêche à Londres son fils Herbert, ministre des Affaires étrangères, lequel ne parvient pas à convaincre Salisbury. Bismarck n'insiste pas. Peut-être cherchait-il simplement par ces avances envers Londres à inquiéter le gouvernement de Pétersbourg.

C'est vers celui-ci en tout cas qu'il se tourne à nouveau en octobre 1889, proposant le renouvellement du traité de Contre-Assurance. Le tsar, qui ne se fait plus guère d'illusions sur la valeur de l'alliance allemande, finit par accepter le principe du renouvellement, par crainte de voir Berlin appuyer sans réserve la politique balkanique de l'Autriche-Hongrie.

Mais déjà Bismarck s'est heurté aux volontés du nouvel empereur Guillaume II et en mars 1890 il donne sa démission de chancelier. Considérant le traité de Contre-Assurance comme « déloyal » parce que contraire à l'esprit de la Triple-Alliance, le Kaiser en refuse le renouvellement, provoquant en peu de temps l'effondrement du système bismarckien. L'Allemagne va à son tour se tourner vers une politique mondiale – la *Weltpolitik* chère au jeune empereur – dont Bismarck avait dénoncé les dangers. Elle allait y perdre de fait son rôle d'arbitre européen.

2 L'hégémonie européenne

Tandis que l'Europe demeure le théâtre d'âpres rivalités, le mouvement d'expansion commencé au XVIe siècle, poursuivi avec un rythme plus lent au XVIIe et au XVIIIe siècle, connaît à partir de 1850 un développement sans précédent. Tandis que s'achève l'exploration du monde, les grandes puissances reprennent une active politique de colonisation, en même temps qu'elles exportent dans toute la planète des hommes, des capitaux et des produits industriels, en nombre croissant. La supériorité technique et militaire de l'Europe lui permet d'imposer partout sa loi et de vaincre facilement les résistances locales. Aucun peuple, aucun empire, n'est en mesure de s'opposer sérieusement à la volonté de puissance des Européens et le seul obstacle à l'expansion d'une nation du vieux continent est celle de la nation voisine et bientôt rivale.

Le choc des impérialismes va devenir ainsi l'une des caractéristiques essentielles de la vie internationale. Jusqu'en 1890, il reste assez limité, de nombreux territoires s'offrant encore aux ambitions européennes et toutes les grandes puissances ne participant pas à la compétition. Les rivalités coloniales se développent tout d'abord dans une relative indépendance à l'égard des questions européennes. Elles peuvent même à l'occasion servir d'exutoire à de trop fortes tensions continentales. Ne voit-on pas la Russie chercher dans une poussée en Asie une compensation à ses mécomptes balkaniques, la France se lancer dans la colonisation africaine, avec la bénédiction de Bismarck, parce que toute initiative européenne lui est alors interdite.

Peu à peu cependant, au fur et à mesure que l'occupation du monde s'achève et que les concurrences se font plus nombreuses, ambitions européennes et rivalités coloniales interfèrent les unes sur les autres et finissent pas se confondre. La politique européenne a pris une dimension mondiale et ceci d'autant plus aisément que jusqu'à l'extrême fin du XIXe siècle les futurs « concurrents de l'Europe », États-Unis et Japon, se maintiennent dans une prudente réserve.

CAUSES DE L'EXPANSION EUROPÉENNE

Les années 1870-1880 marquent la brusque reprise du grand courant de conquête coloniale. Cette période correspondant à une accélération du développement industriel de l'Europe, il est tentant d'associer les deux phénomènes et de voir dans les progrès économiques des grandes puissances, la cause essentielle, sinon unique, de l'expansion impérialiste. En réalité les choses ne sont pas aussi simples. Si les questions économiques jouent effectivement un rôle considérable dans la poussée colonisatrice, elles sont loin d'en être le seul facteur, ni même semble-t-il, dans la période qui s'achève en 1890, l'élément principal. C'est un peu plus tard, à partir de l'extrême fin du XIXe siècle, que les rivalités commerciales entre grandes puissances et la recherche de débouchés pour les produits de leurs industries mettront l'accent sur l'intérêt économique des territoires d'outre-mer. Jusqu'à cette date, les questions de prestige et d'intérêt stratégique, les considérations politiques et psychologiques, l'action personnelle et spontanée de certains hommes jouent dans le fait colonial un rôle au moins égal aux mobiles économiques.

Analysons dans le détail les causes de l'essor impérialiste.

La poussée démographique

La population de l'Europe s'est très sensiblement accrue au cours du XIXe siècle, passant de 260 à plus de 450 millions d'habitants. Cet accroissement n'est pas dû à une augmentation du nombre des naissances, très élevé aux époques précédentes et qui a, au contraire, tendance à diminuer avec les progrès économiques et l'amélioration du niveau de vie. Le mouvement s'explique donc essentiellement par le recul de la mortalité, consécutif aux immenses progrès de la médecine et de l'hygiène, à une meilleure alimentation et à la révolution des transports qui permet d'écarter les risques de famine. La durée moyenne de la vie, qui ne dépassait guère 30 ans au XVIIIe siècle, atteint, à la fin du XIXe, 50 et même 55 ans dans les pays les plus évolués d'Europe occidentale.

Cette poussée démographique n'affecte pas de la même manière tous les pays européens. En France, où la natalité subit une baisse très rapide la population qui était de 35 800 000 habitants en 1851, n'atteint pas les 40 millions en 1911. Or, dans le même temps l'Allemagne passe de 35 à 68 millions d'habitants, la Grande-Bretagne de 21 à 37 millions, l'Italie de 24 à 35 et la Russie de 55 à 140 millions.

Les ressources économiques de l'Europe n'ayant pas toujours progressé dans les mêmes proportions, une partie de cet excédent humain va se déverser sur les continents neufs, constituant la plus forte vague d'émigration que le monde ait sans doute connu. De 1850 à 1914, plus de 50 millions d'Européens vont ainsi quitter le vieux continent pour les terres vierges d'Amérique, d'Asie orientale et d'Océanie, mettant à profit les spectaculaires progrès de la navigation maritime.

Cette « explosion démographique » de l'Europe et les mouvements migratoires qu'elle détermine ont incontestablement favorisé la conquête coloniale. Les futurs « dominions » de l'Empire britannique, Canada, Afrique du Sud et surtout Australie et Nouvelle-Zélande sont, à l'origine, des colonies de peuplement, accueillant à partir de 1850 les forts excédents de population du Royaume-Uni. La Sibérie joue le même rôle à l'égard de l'Empire russe et dans les deux cas la liaison des phénomènes est manifeste. Mais il n'en va pas toujours ainsi et l'on doit se garder de toute interprétation trop rigoureusement « démographique » du fait colonial. La France, qui est avec l'Angleterre le grand pays colonisateur de la seconde moitié du XIXe siècle, ne connaît, nous l'avons vu, qu'un accroissement de population très modeste. L'Allemagne en revanche, dont les effectifs démographiques s'accroissent de façon très sensible de 1850 à 1890, et qui « exporte » pendant cette période d'importants contingents humains – à destination notamment des États-Unis – se détourne presque totalement, jusqu'à la chute de Bismarck, des entreprises coloniales. Et c'est au moment précis où son rapide essor industriel permet à l'Allemagne d'absorber ses excédents démographiques que le Reich s'engage dans la voie de la colonisation.

Il reste que la poussée démographique de l'Europe est une des manifestations les plus spectaculaires de la puissance vitale du vieux continent et de l'emprise qu'il exerce sur le monde. Si elle n'a pas toujours abouti à une conquête territoriale, elle a souvent permis d'établir entre l'Europe et le reste du monde des liens économiques, financiers, humains, susceptibles de favoriser l'action ultérieure des grandes puissances en quête de matières premières et de débouchés industriels.

Les préoccupations économiques

Hommes d'affaires, industriels et financiers manifestèrent de bonne heure leur intérêt pour les questions « impériales » et furent souvent parmi les plus ardents zélateurs du « parti colonial ». Ils faisaient porter leur argumentation sur trois points : facilités plus grandes à trouver des matières premières, débouchés plus nombreux et à l'occasion réservés à la puissance colonisatrice, enfin possibilités nouvelles de placements financiers.

• *La recherche des matières premières* est sans doute l'argument le moins décisif. Si l'Europe est depuis toujours grande consommatrice de *produits tropicaux*, ceux-ci n'intéressent que médiocrement l'industrie, à l'exception du coton qui vient d'ailleurs pour moitié des États-Unis. En 1873 sur 13 millions et demi de tonnes de fer utilisées par les industries européennes, plus de 11 millions venaient d'Europe même. La moitié du cuivre mondial, de grandes quantités de zinc, d'étain, de plomb, etc. étaient fournies par les mines du vieux continent . L'idée de faciliter les approvisionnements européens en matières premières, de parer à un éventuel épuisement des mines, n'est cependant pas étrangère aux partisans de la colonisation économique. Dès le début de ses entreprises coloniales au Congo, le roi des Belges Léopold II a veillé au développement de l'exploitation minière et de la production de caoutchouc. Même préoccupation des milieux d'affaires français lors de l'occupation du Tonkin. Il est d'autre part probable que les industriels de Manchester, fournisseurs du monde entier en cotonnades et que la pénurie de matière première pendant la guerre de Sécession avait vivement affectés, ont pesé sur la décision du gouvernement britannique d'occuper l'Égypte troisième producteur mondial de coton.

• *Plus importante semble-t-il est la question des débouchés.* L'accroissement de la production industrielle depuis le milieu du XIXe siècle a entraîné un besoin d'expansion commerciale, les possibilités d'absorption du marché intérieur progressant partout à un rythme plus lent. Or l'industrie européenne connaît entre 1873 et 1895 une véritable crise des débouchés. Les prix baissent, le commerce extérieur diminue et tous les États européens, à l'exception de la Grande-Bretagne qui reste fidèle au *Libre-échange*, s'entourent de barrières douanières de plus en plus élevées. Cette fermeture des marchés continentaux pousse les producteurs à chercher hors d'Europe une clientèle moins riche sans doute mais infiniment plus nombreuse. « La politique coloniale est fille de la politique industrielle », écrit Jules Ferry en 1890. Seule, elle peut fournir à l'Europe de « nouvelles couches de consommateurs ».

• *La possibilité d'expansion financière* complète cette argumentation. Les progrès de l'industrie ont provoqué en Europe un enrichissement général. Les grandes puissances industrielles disposent de masses de capitaux qui ne trouvent pas toujours à s'investir sur place dans des entreprises rentables. Le taux de l'intérêt tend en Europe à baisser sensiblement et les capitalistes, désireux d'effectuer des placements plus rémunérateurs, vont chercher à

UN PLAIDOYER POUR LA COLONISATION

Paul Leroy-Beaulieu, professeur au Collège de France, fut à la fin du XIXe siècle l'un des grands économistes de l'école libérale. Partisan de l'entreprise coloniale, il possédait lui-même d'importants domaines en Tunisie.

« La colonisation est la force expansive d'un peuple, c'est sa puissance de reproduction, c'est sa dilatation et sa multiplication à travers les espaces ; c'est la soumission de l'univers, ou d'une vaste partie à sa langue, à ses mœurs, à ses idées et à ses lois. Un peuple qui colonise, c'est un peuple qui jette les assises de sa grandeur dans l'avenir et de sa suprématie future... Au point de vue matériel, le nombre des individus qui forment la race s'augmente dans une proportion sans limite ; la quantité des ressources nouvelles, des nouveaux produits, des équivalents en échange jusqu'alors inconnus, qui se trouvent solliciter l'industrie métropolitaine, est incommensurable ; le champ d'emploi des capitaux de la métropole et le domaine exploitable ouvert à l'activité de ses citoyens sont infinis. Au point de vue moral et intellectuel, cet accroissement du nombre des forces et des intelligences humaines, ces conditions diverses où toutes ces intelligences et ces forces se trouvent placées, modifient et diversifient la production intellectuelle. »

Source : P. LEROY-BEAULIEU, *De la colonisation chez les peuples modernes*, Paris, 1874, pp. 605-606.

« exporter » leurs capitaux vers des pays neufs, ne disposant pas encore d'équipement ferroviaire ou industriel et où le taux d'intérêt demeure élevé, même si le risque est plus grand. Ils ne manqueront d'ailleurs pas de faire pression sur leurs gouvernements pour obtenir la protection de leurs intérêts, lorsque ceux-ci se trouveront menacés par les velléités d'indépendance des pays emprunteurs.

Tels sont les arguments économiques des promoteurs de la colonisation. Sans doute l'expansion européenne n'implique-t-elle pas toujours prise de possession territoriale. Cependant, au fur et à mesure que les rivalités se font plus âpres, la concurrence plus sévère entre les puissances industrielles, celles-ci s'appliquent à se réserver des marchés privilégiés. L'Angleterre libre-échangiste elle-même consciente de la fermeture progressive des marchés, entend se réserver l'avenir et se constituer un vaste marché impérial dans l'éventualité d'une concurrence devenue trop redoutable. Mais c'est là un aspect seulement de la politique coloniale britannique. L'Angleterre, et avec elle la plupart des peuples colonisateurs, obéissent à des mobiles parfois très éloignés des préoccupations économiques.

Le développement du sentiment national

Dans tous les pays colonisateurs, l'expansion a été soutenue par de puissants courants d'opinion. Le *nationalisme* domine, on le sait, les courants de pensée du XIXe siècle et la poussée impérialiste en est une des manifestations les plus spectaculaires. Les peuples y ont vu un moyen d'affirmer leur force et leur génie, de justifier leur orgueil national et de donner libre cours à leur volonté de puissance. En France, où l'humiliation de 1871 avait laissé de profondes blessures, ces considérations de prestige devaient très largement peser sur les

JULES FERRY PLAIDE POUR L'ACTION COLONIALE

« Il n'y a pas de compensation [...] pour les désastres que nous avons subis [...]. Est-ce que le recueillement qui s'impose aux nations éprouvées par de grands malheurs doit se résoudre en abdication ? Et parce qu'une politique détestable, visionnaire et aveugle a jeté la France où vous savez, est-ce que les gouvernements qui ont hérité de cette situation malheureuse se condamneront à ne plus avoir aucune politique européenne? Est-ce que, absorbés par la contemplation de cette blessure qui saignera toujours, ils laisseront tout faire autour d'eux, est-ce qu'ils laisseront aller les choses, est-ce qu'ils laisseront d'autres que nous s'établir en Tunisie, d'autres que nous faire la police à l'embouchure du fleuve Rouge [...]. Est-ce qu'ils laisseront d'autres se disputer les régions de l'Afrique équatoriale? Laisseront-ils aussi régler par d'autres les affaires égyptiennes qui, par tant de côtés, sont des affaires vraiment françaises ? [...]

« Les nations ne sont grandes que par l'activité qu'elles développent [...]. Rayonner sans agir, sans se mêler aux affaires du monde, en se tenant à l'écart de toutes les combinaisons européennes, en regardant comme un piège, comme une aventure toute expansion vers l'Afrique ou vers l'Orient, vivre de cette sorte pour une grande nation, croyez-le bien c'est abdiquer, et, dans un temps plus court que vous ne pouvez, le croire, c'est descendre du premier rang au troisième et au quatrième [...].

« Si la France veut rester un grand pays exerçant sur les destinées de l'Europe toute l'influence qui lui appartient, "qu'elle porte" partout où elle le peut sa langue, ses mœurs, son drapeau, ses armes et son génie. »

Source : Discours prononcé par Jules Ferry à la Chambre des députés le 30 mars 1885.

entreprises coloniales. Un homme comme Jules Ferry, dont le rôle fut à cet égard essentiel, se montra particulièrement habile à éveiller la conscience nationale aux problèmes coloniaux, en flattant les tendances « chauvines » de l'opinion.

Mais nulle part comme en Angleterre, l'argument de prestige n'a revêtu l'aspect d'une fervente profession de foi nationaliste. L'expansion coloniale devient le moyen d'expression du génie de la race, une « lutte pour la vie » où doit triompher le peuple le plus fort et le plus entreprenant. Le poète Kipling devient ainsi le « chantre de l'Empire », enseignant aux Anglais « la vraie chanson de leur terre, laquelle est environ la moitié du monde... La plus grande de toutes les chansons, la Saga des Anglo-Saxons autour du monde ». Les hommes politiques ne manifestent guère moins de lyrisme quand ils exaltent l'Empire et la race britannique, tel Joseph Chamberlain invoquant la mission du peuple élu : « Je crois en cette race, la plus grande des races gouvernantes que le monde ait jamais connues ; je crois en cette race anglo-saxonne, fière, tenace, confiante en elle-même, que nul climat, nul changement ne saurait abâtardir ; et je crois en l'avenir de cette empire vaste comme le monde dont un Anglais ne saurait parler sans un frisson d'enthousiasme. »

• *Il faut encore faire la part du désir de répandre la civilisation européenne,* d'éveiller les indigènes à des formes nouvelles de vie politique et sociale, de propager la religion chrétienne. Il ne s'agit pas toujours de justifications après-coup et plus ou moins formelles de la conquête mais parfois de la conscience d'une véritable « mission » de l'homme blanc à l'égard des populations colonisées. Des intentions moins pures surent d'ailleurs fréquemment tirer profit de ces bons sentiments.

Les préoccupations stratégiques

Les mobiles militaires ne manquèrent pas non plus d'être invoqués par les gouvernements. Ceux-ci se montraient particulièrement soucieux d'assurer la sécurité des communications maritimes par une chaîne de solides points d'appui navales destinés à surveiller les grandes routes maritimes et à servir de bases d'action et de ravitaillement pour les flottes de guerre. « Les conditions de la guerre maritime – écrit Jules Ferry dans son grand discours de 1885 – sont profondément modifiées : un navire de guerre ne peut pas porter plus de quatorze jours de charbon, et un navire qui n'a plus de charbon est une épave. » Ce sont évidemment les Anglais qui sont le plus sensibles à cet argument. Leur puissance étant fondée sur le commerce, il est vital pour eux de pouvoir contrôler les grands itinéraires maritimes de la planète et en particulier la route des Indes, coeur de l'Empire. Avec Gibraltar, Malte, les Bermudes, Sainte-Hélène, Singapour et Hong Kong, ils détiennent déjà les clés essentielles. En occuper d'autres et surtout empêcher les puissances rivales de s'y installer, sont parmi les mobiles fondamentaux de la diplomatie anglaise.

Les oppositions

L'expansion coloniale est loin de n'avoir que des partisans. Dans tous les pays, une partie de l'opinion publique, quand ce ne sont pas les hommes d'État les plus influents, se montre franchement hostile aux entreprises lointaines et paralyse l'action des « partis coloniaux ».

• *En Allemagne,* l'opposition vient de Bismarck lui-même. Le chancelier estime que son pays ne peut maintenir sa prépondérance en Europe qu'à la condition expresse de concentrer toutes ses énergies sur le continent, sans se laisser détourner de son but par des considérations de prestige ou d'illusoires intérêts économiques. Aux hommes d'affaires de Hambourg et de Brême qui le pressaient en 1871 d'annexer les Antilles françaises ou la Cochinchine, Bismarck répond : « Je ne veux pas de colonies. Toute cette politique coloniale serait exactement pour nous comme la pelisse de soie d'un noble polonais qui n'a pas de chemise. » Et il maintiendra cette conception jusqu'à sa chute, en 1890, n'acceptant d'entorses légères à sa politique que pour satisfaire épisodiquement les milieux d'affaires ou faire pression sur la Grande-Bretagne.

• *En Angleterre,* les libéraux sont peu favorables à une politique impérialiste. Le vieux Gladstone, dont les sentiments humanitaires s'accordent mal avec les nécessités de la conquête, ne croit pas à l'éternité de l'Empire et voit arriver le temps où les grandes colonies blanches se détacheront de la métropole comme se sont détachées d'elle, à la fin du XVIIIe siècle, les treize colonies d'Amérique du Nord. Une partie de l'opinion dénonce d'autre part le poids fiscal de la colonisation, sans grande virulence toutefois, et à partir de 1880, toutes ces résistances larvées se trouvent balayées par le raz-de-marée impérialiste.

• *En France,* les adversaires de la colonisation se montrent plus actifs et trouvent une audience plus large. La masse le l'opinion est indifférente ou hostile reprochant aux entreprises lointaines de coûter cher en hommes et en argent. Les économistes développent en gros des arguments semblables, considérant que « l'expansion coloniale est un luxe », imposant au pays de très lourds sacrifices en échange d'avantages illusoires. Mais, l'opposition la plus vive vient des partis extrémistes de gauche et de droite. Les milieux nationalistes et « revanchards » reprochent à la colonisation de détourner la France de son but véritable : la récupération des provinces perdues en 1871. « J'ai perdu deux enfants et vous m'offrez vingt domestiques », s'écrie Déroulède, l'animateur de la *ligue des Patriotes*. À gauche, les radicaux ne sont pas moins virulents. Clemenceau et ses amis politiques considèrent Ferry et les chefs du « parti colonial » comme « des accusés de haute trahison ». Quant aux socialistes, ils dénoncent les louches combinaisons financières qui accompagnent généralement les entreprises coloniales. Ils protestent contre l'exploitation des peuples soumis et s'inquiètent des « progrès du militarisme ».

On comprend que les gouvernements se soient aventurés avec prudence dans les entreprises coloniales, il leur faut parfois agir en cachette, laissant les plus larges initiatives à des individus isolés : militaires, marins, hommes d'affaires, fonctionnaires, qu'ils se hâteront de désavouer si les choses tournent mal, et dont l'opinion fera des héros quand la chance leur aura souri. Un Jules Ferry doit constamment ruser avec l'opinion et le Parlement, n'engager que des opérations restreintes puis exploiter le moindre incident, incursion de pillards ou meurtre d'un officier, pour développer son action en mettant les députés devant le fait accompli.

La Grande-Bretagne est donc le seul pays où, à partir de 1880, l'expansion coloniale peut s'appuyer sur un large courant d'opinion. Ailleurs, c'est l'habileté des hommes d'État ou le dynamisme des conquérants qui font les empires.

EFFACEMENT DES CONCURRENTS DE L'EUROPE

L'ampleur et la rapidité du mouvement d'expansion européenne au cours des dernières décennies du XIXe siècle s'explique par la supériorité technique et militaire des grandes puissances sur les peuples qu'elles soumettent. Aucun pays, pas même les vieux empires, chinois ou ottoman, ne sont en mesure d'opposer une résistance sérieuse au conquérant européen.

Un autre facteur favorable est l'absence de toute concurrence aux entreprises des Européens jusqu'aux toutes dernières années du XIXe siècle. Ni les États-Unis, ni le Japon, qui sont appelés à devenir au début du XXe siècle les rivaux de l'Europe, ne songent encore sérieusement à jouer un rôle dans la compétition. Des problèmes intérieurs retiennent leur attention et absorbent leurs énergies : reconstruction et mise en valeur du territoire aux États-Unis, modernisation et équipement pour le Japon. C'est une fois ces problèmes résolus que les deux grands États riverains du Pacifique feront leur entrée – non sans panache – sur la scène internationale.

Les États-Unis

En 1871, la nation américaine sort à peine de la plus grave crise de son histoire. La guerre de Sécession, achevée depuis 1865, a laissé de profondes cicatrices matérielles et morales. Après quelques années de flottement et de difficultés politiques, consécutifs à l'assassinat du président Lincoln, le pays entreprend de panser ses blessures. Rendre au peuple américain sa cohésion nationale, affectée par le conflit récent et permettre à l'économie de reprendre sa rapide progression est l'objectif essentiel du gouvernement fédéral. Pendant vingt-cinq ans les États-Unis vont donc se consacrer entièrement à la mise en valeur du territoire, à son équipement ferroviaire et industriel, à son peuplement.

• Ce dernier problème notamment est fondamental. *La mise en valeur des immenses ressources du sol et du sous-sol* exige une main-d'oeuvre abondante qui fait défaut au jeune État. Celui-ci s'engage dès lors dans une politique d'immigration systématique, ouvrant largement ses portes à des contingents toujours plus nombreux d'Européens. De 1871 à 1893 le chiffre de la population passe de 39 à 62 millions d'habitants, grâce surtout à cet afflux d'éléments allogènes. Cette population, d'abord concentrée dans le Nord-Est du pays, entre les Grands Lacs et la côte Atlantique, à un moindre degré dans le Sud cotonnier et sur la côte Pacifique, tend maintenant, au fur et à mesure que s'étend le réseau ferré, à occuper tout l'espace américain.

• *Dans le même temps, l'économie américaine* effectue un nouveau bond en avant. Les immenses espaces de la « prairie », sillonnés de voies ferrées et peuplés de colons, deviennent en quelques années le grenier à blé et la première région d'élevage du monde. Le Sud fournit les 2/3 du coton mondial et reconquiert sa place dans la nation américaine. Mais c'est dans le domaine industriel que l'essor est le plus rapide et les plus spectaculaire. Mettant en exploitation leurs énormes ressources minières, procédant à une concentration accélérée des entreprises et à une rationalisation du travail, les États-Unis vont en vingt ans se hisser au premier rang des grandes puissances industrielles. En 1890, la production industrielle dépasse en valeur celle de l'agriculture et dès 1894 atteint le premier rang mondial.

Pendant toute cette période de « reconstruction », les Américains, absorbés par l'effort d'équipement et de mise en valeur du pays, se sont assez peu souciés de politique extérieure. La mise en exploitation des terres vierges, la lutte contre les distances et contre une nature souvent ingrate, la volonté de repousser toujours plus loin la « frontière », limite de la « civilisation américaine », suffisent encore à satisfaire la passion d'aventure et de conquête de ce peuple pionnier. L'économie ne connaît pas comme celle de l'Europe de crise de débouchés : les produits agricoles se vendent bien sur les marchés européens et l'immense effort d'équipement intérieur suffit à absorber la production industrielle.

Le besoin d'expansion ne se fait donc nullement sentir. Les Américains vont se contenter, jusqu'à l'extrême fin de XIXe siècle, de veiller à la stricte application de la doctrine exprimée en 1823 par le président Monroe : maintien de leur propre indépendance et hostilité à tout empiétement de l'Europe sur le continent américain. C'est au nom de ce principe qu'ils s'étaient vivement opposés aux ambitions mexicaines de Napoléon III. Cette position défensive leur suffit pour se réserver une éventuelle sphère d'influence dans l'« hémisphère occidental ».

Après 1880, les idées se modifient quelque peu, en même temps que s'achève la mise en valeur du pays et que s'affirment les moyens d'une grande politique extérieure. Des intellectuels comme John Burgess ou des penseurs politiques comme Alfred Manhan, animés du désir d'augmenter le prestige de leur pays et de voir se répandre la « civilisation américaine », se déclarent partisans de l'intervention des États-Unis dans la politique mondiale. Ainsi devait peu à peu se constituer un impérialisme américain. Jusqu'en 1890 cependant, celui-ci ne devait pas dépasser le stade de la théorie ni exercer d'action véritable sur les dirigeants américains, l'opinion publique demeurant pour son compte fidèle à l'« isolationnisme » traditionnel.

Pendant la période « bismarckienne », les puissances européennes n'auront donc pas à craindre de concurrence de la part des États-Unis dans ce « partage du monde » qui suscite leurs mutuelles rivalités.

Le Japon

Depuis le milieu du XIXe siècle le Japon a dû malgré lui s'ouvrir à la pénétration occidentale. Sous la menace d'une intervention armée, les grandes puissances ont obtenu l'ouverture des principaux ports de l'archipel et le droit pour leurs ressortissants de pratiquer de fructueuses activités commerciales. Résigné en apparence à subir cette atteinte à son indépendance, le peuple japonais manifesta rapidement sa volonté d'échapper au destin de la Chine. En 1868 les partisans de la modernisation du Japon profitèrent de l'avènement du jeune empereur Mutsuhito pour mettre fin à la toute puissance du *shogoun*, véritable *maire du Palais* qui exerçait la réalité du pouvoir, et pour supprimer la féodalité. Débarassé de ses structures sociales archaïques, transformé en monarchie absolue, puis à partir de 1889 en monarchie « constitutionnelle » du type prussien, le Japon pouvait désormais s'engager dans une ère de modernisation et de renouveau (*Meiji*). De fait le pays allait en moins de trente ans réaliser la plus extraordinaire transformation de l'histoire, passant de l'âge féodal à celui du rail et de la machine. Les techniques de l'Occident : chemin de fer, télégraphe, armements modernes, furent adoptées avec enthousiasme. On fit appel, pour leur maniement et leur entretien à des spécialistes étrangers, vite relayés par des techniciens japonais. Une industrie commença à se constituer, sous l'égide de quelques grandes familles aristocratiques fondatrices d'importants « groupes » financiers : Mitsui (mines, aciéries, banques), Mitsubishi (mines, métallurgie, constructions navales et banques), etc.

En réalisant de façon aussi spectaculaire son *aggiornamento*, l'État nippon vise avant tout à préserver sa souveraineté et à échapper au « dépècement » dont est victime dans le même temps d'Empire chinois. Pas de visée impérialiste pendant les 20 ou 25 années du Meiji, sauf à longue échéance peut-être, quand le Japon se sera hissé au rang de très grande puissance. Jusque-là, le gouvernement nippon entend seulement donner au pays les moyens militaires qui lui permettront de préserver son indépendance et de résister à de nouvelles exigences de l'Occident. Attitude défensive, comparable en somme à celle des États-Unis.

• Pour atteindre ses objectifs, le Japon doit en premier lieu se constituer *une armée et une marine moderne.* Jusqu'à la Révolution de 1868 seule l'aristocratie des *Samouraïs* avait le droit de porter les armes. Une loi de janvier 1873 établit le service militaire obligatoire. Les cas d'exemption, d'abord nombreux, ne cesseront par la suite de diminuer et le Japon pourra bientôt aligner en temps de paix une armée de près de 250 000 hommes, instruits par des spécialistes étrangers, en majorité des Allemands, et pouvant éventuellement être renforcée par une *milice* nombreuse. Une puissante marine de guerre est également mise en place. Les cadres sont constitués par des officiers britanniques, puis par des Japonais instruits en Angleterre en attendant que le Japon puisse former lui-même ses propres officiers. Les premiers bâtiments viennent aussi de Grande-Bretagne, mais en 1886 le Japon ouvre sous l'égide de l'ingénieur français émile Bertin des chantiers navals dont l'activité ne cessera de croître. En 1894 la marine japonaise comptera 33 grands navires de bataille et 22 torpilleurs.

• *Les hommes.* Pendant que s'effectuait cette transformation économique et militaire, le Japon dont la population avait été jusque-là stationnaire, commençait à connaître un essor démographique remarquable. De 33 millions d'habitants en 1872, la population passait à 42 millions en 1895 pour atteindre en 1914 54 millions d'habitants. À la différence des États-Unis, cette augmentation de la population n'est pas due à l'immigration mais à l'accroissement naturel et notamment à une forte poussée de natalité, fait exceptionnel dans un contexte d'industrialisation.

• *L'expansion territoriale.* Tous ces efforts, entrepris au lendemain de la révolution de 1868, ne pouvaient guère porter leurs fruits avant 1890. C'est à ce moment seulement que, s'appuyant sur des effectifs humains plus nombreux, sur une armée et une marine moderne, sur un sentiment national stimulé par la conscience des progrès accomplis, le Japon va commencer à manifester sa volonté de puissance. Jusqu'à cette date, il se contente de préparer l'avenir en se ménageant quelques positions stratégiques dans le Pacifique occidental et sur le continent. Notons qu'il s'agit exclusivement alors de positions défensives, destinées à protéger l'archipel contre d'éventuelles tentatives d'encerclement des grandes puissances. En 1873 le gouvernement nippon sollicite et obtient des États-Unis la souveraineté sur les îles Bonin, situées à un millier de kilomètres au sud de l'archipel. En 1875 il occupe les îles Riou-Kiou. La même année le Japon négocie avec la Russie la possession des îles Kouriles en échange du sud de l'île de Sakhaline abandonné au gouvernement de Pétersbourg.

Sur le continent, les Japonais s'intéressent au petit royaume de Corée, dont la pointe s'avance dangereusement vers l'archipel nippon et dont ils redoutent l'occupation par une grande puissance. Il est certain que dès 1873 la question coréenne a été évoquée dans les milieux dirigeants japonais. Glacis protecteur contre une éventuelle agression venue du continent, pays riche en riz et en minerai de fer, la Corée présentait bien des séductions pour la jeune puissance japonaise. Aussi pense-t-on à Tokyo dès cette période à une action militaire qui permettrait de prendre de vitesse les Européens. Mais le ministre de l'Intérieur Okubo, l'un des promoteurs du *Meiji*, fait valoir que le Japon risque d'user ses jeunes forces dans l'entreprise au détriment de l'achèvement de sa modernisation, que d'autre part, une action prématurée sur le continent pourrait donner aux grandes puissances, et notamment aux Russes, un prétexte d'intervention contre le Japon et qu'il est dès lors préférable d'attendre pour agir que soit achevé le réarmement du pays. L'Empereur et les militaires s'inclinent devant ces conseils de prudence et le gouvernement nippon se contente de prendre des garanties pour l'avenir. Reprenant à son profit la politique d'intimidation que les « Occidentaux » avaient utilisée contre lui, le Japon se fait ouvrir en 1876 trois ports coréens et obtient la signature d'un traité de commerce. La menace de l'artillerie navale japonaise a fait plier le gouvernement de Séoul, de la même façon qu'en 1853-1854 les canons de l'amiral américain Perry avaient eu raison des résistances japonaises. Est-ce l'amorce d'une « revanche » sur l'Occident ? Pas encore semble-t-il. La signature en 1885 d'une convention sino-japonaise prévoyant l'envoi par les deux gouvernements de troupes en cas de troubles en Corée, indique que la rivalité a commencé entre les deux empires orientaux à propos de la « tête de pont » coréenne. Mais les puissances européennes qui s'observent et cherchent avant tout à se neutraliser, ne se préoccupent pas encore du « péril japonais ». A vrai dire, on ne prend guère au sérieux en Europe la renaissance du Japon. Absorbées par leurs rivalités continentales et coloniales, les grandes puissances ont alors d'autres sujets d'inquiétude.

L'ESSOR ET LE HEURT DES IMPÉRIALISMES

En 1871 comme en 1815, les rapports entre puissances demeurent fondés sur l'idée d'équilibre européen. Le congrès de Vienne, qui consacrait l'effondrement de l'Empire napoléonien, avait établi sur ce principe une carte de l'Europe qui, dans ses grandes lignes, devait demeurer sans changement jusqu'à la guerre de 1914-1918. Lorsque la volonté d'expansion d'une grande puissance imposait à celle-ci d'annexer ou d'amputer de petits États, les autres « grands » dénonçaient aussitôt la violation du *statu quo* et réclamaient des compensations. En 1866 encore, à l'issue de la guerre austro-prussienne, Bismarck ayant prononcé l'annexion à la Prusse de nombreux territoires d'Allemagne occidentale, Napoléon III avait réclamé une contrepartie : Belgique ou Rhénanie. C'est ce que le chancelier allemand avait appelé de façon méprisante « la politique des pourboires ».

Mais cette pratique diplomatique, héritée de l'Europe d'Ancien Régime, se heurte de plus en plus aux revendications des nationalités. Les peuples, éveillés par la Révolution française à la conscience nationale, tolèrent de moins en moins d'être traités en monnaie d'échange et affirment ce que nous appellerions leur « droit à l'autodétermination ». En 1866, Belges, Luxembourgeois et Allemands de Rhénanie ont très mal accepté d'être considérés comme objets de transmission. Les peuples des Balkans ne sont guère mieux disposés à subir la loi des compensations.

L'expansion, en Europe même, des grandes puissances continentales se heurte donc à la montée des nationalismes. Ceux-ci vont rendre difficile l'application des principes de la diplomatie traditionnelle. Bien plus, si la politique des compensations se heurte à des obstacles insurmontables, la simple annexion d'un territoire, sans que soient consultées les populations intéressées, suscite d'importantes difficultés. On le voit bien lorsque l'Allemagne, au mépris des sentiments de la population, prononce en 1871 l'annexion de l'Alsace-Lorraine. Il faudra ensuite plus d'une génération au Reich victorieux pour atténuer l'ampleur des protestations alsaciennes et celles-ci ont trouvé un écho dans toute l'Europe libérale. Le « droit des peuples à disposer d'eux-mêmes » devient un principe avec lequel les gouvernements des pays forts doivent compter.

Aussi, au moment où la politique internationale prend une dimension mondiale, les puissances vont-elles s'efforcer de transposer sur un plan extra-européen le principe des compensations, et d'élargir l'idée d'équilibre européen à l'ensemble de la planète. L'obstacle des nationalités ne risque pas encore de venir bloquer le jeu diplomatique de ces territoires considérés par les juristes occidentaux comme n'appartenant à personne (res nullius) : Afrique Noire, États semi-féodaux du Maghreb, empires et royaumes plus ou moins « décadents » d'Asie.

Bismarck a été l'un des premiers à vouloir appliquer à ces territoires non encore soumis à l'Europe le principe des compensations. Jugeant que l'annexion de l'Alsace-Lorraine portait effectivement atteinte au *statu quo* européen et que la France risquait de ne jamais accepter le fait accompli, Bismarck voulut en effet orienter vers l'Afrique les ambitions françaises. Dès le congrès de Berlin (1878), il n'avait pas ménagé ses encouragements au représentant du gouvernement français en leur faisant connaître en particulier son approbation à l'égard d'une action de la France en Tunisie. Tel était, espérait-il, le seul moyen de détourner la France de ses provinces perdues. Même politique, un peu plus tard, de la part de l'empereur Guillaume II : il poussera le tsar à s'étendre en Extrême-Orient avec l'espoir de détourner la Russie de visées balkaniques qui l'opposent en Europe à l'Autriche-Hongrie, alliée de l'Allemagne. Vue sous cet angle, l'expansion coloniale apparaît comme l'exutoire destiné à apaiser les tensions européennes.

On voit ainsi réapparaître, à l'échelle mondiale, les pratiques traditionnelles de la diplomatie européenne : partage de territoires convoités, échanges, politique des compensations, création d'« États-tampons » limitant les zones d'influence entre grandes puissances. La création d'un « État indépendant du Congo », placé sous la souveraineté personnelle du roi des Belges et destiné à éviter les points de contact entre les différents impérialismes, appartient à cette catégorie.

Mais, en même temps qu'elles étendent à toute la planète les principes de la politique européenne et qu'elles prolongent hors du continent une expansion maintenant bloquée par les revendications nationales, les conquêtes coloniales suscitent inévitablement d'autres rivalités. De 1871 à 1890 les principaux points de friction se situent en Méditerranée – Égypte et Tunisie –, en Afrique et en Asie centrale.

L'affaire tunisienne

• *La maîtrise de la Méditerranée* est un problème important dans les relations internationales au XIXe siècle. Toute la politique balkanique de la Russie, la pression constante qu'elle exerce sur le vieil empire ottoman, ses visées sur Constantinople, n'ont d'autre but que l'ouverture des Détroits et l'accès à la « mer libre ». Nous avons vu que cette politique se heurtait à la volonté de l'Angleterre de maintenir son hégémonie en Méditerranée et que la diplomatie russe avait dû, après le traité de San Stefano, céder aux menaces britanniques et accepter le maintien du statut des Détroits. Victorieuse au congrès de Berlin, la Grande-Bretagne n'allait pas tarder cependant à rencontrer de nouvelles concurrentes en Méditerranée, la France puis l'Italie et ceci en deux points d'un intérêt stratégique fondamental pour la sécurité des routes commerciales britanniques : Suez et le détroit de Sicile. En Égypte, l'Angleterre parviendra, au terme d'une longue lutte d'influence, à évincer les intérêts français, pourtant dominants au début de la période. En Tunisie en revanche, c'est avec l'accord de la Grande-Bretagne, soucieuse de lui accorder une « compensation », que la France prend possession du pays, au détriment des intérêts italiens.

• *La Tunisie* était en principe placée sous la souveraineté du gouvernement ottoman. En réalité le gouverneur ou *bey* avait acquis une indépendance à peu près totale à l'égard de la Porte. Mohammed Saddok, bey de 1859 à 1882, avait tenté de moderniser son pays, allant jusqu'à promulguer une constitution en 1861. Mais ce souci de transformation s'était accompagné de besoins d'argent important, ce qui avait conduit le bey à multiplier les emprunts auprès des puissances européennes, au point qu'en 1869 il s'était trouvé dans l'impossibilité de rembourser les sommes avancées et avait dû accepter la création d'une Commission internationale de la dette.

• Depuis qu'elle avait établi sa souveraineté sur l'Algérie, *la France* avait toujours surveillé de près les événements de Tunisie, toute atteinte portée à l'autorité du bey risquant d'avoir de graves répercussions dans sa colonie. Elle était d'autre part peu disposée à voir une puissance étrangère s'installer dans la Régence et menacer ainsi la prépondérance que la conquête algérienne lui avait assurée dans le Maghreb. Deux pays se montraient particulièrement dangereux pour les intérêts français : la Grande-Bretagne toujours prête à occuper des positions-clés en Méditerranée et l'Italie qui avait toujours considéré la Tunisie comme la « porte ouverte » à son expansion. Les trois puissances rivalisaient pour établir leur influence dans le pays. Leurs consuls respectifs pratiquaient une politique active auprès de l'administration beylicale, usant aisément de l'argument financier. Ils se faisaient accorder des concessions de travaux publics dont bénéficiaient de grandes sociétés de leurs pays ; une compagnie italienne parvint ainsi en 1880 à se faire octroyer, par l'intermédiaire du consul italien Maccio, la concession du chemin de fer Tunis – La Goulette, confiée jusque-là à une compagnie anglaise. L'opération éliminait de la compétition la compagnie française des chemins de fer de Bône-Guelma et le mécontentement fut grand dans les milieux d'affaires qui, en France, s'intéressaient à la Tunisie.

Des trois puissances engagées en Tunisie, l'Italie semble bien avoir les atouts les plus sûrs. À des intérêts économiques non négligeables, elle ajoute le poids de ses 10 000 colons établis dans la Régence et groupés en noyaux homogènes autour de leurs écoles. La France ne compte tout au plus qu'un millier de ressortissants en Tunisie, mais ce sont des colons appartenant aux milieux économiques et dont l'influence est plus grande que celle des nationaux italiens, paysans du *Mezzogiorno*, artisans et petits commerçants venus tenter l'aventure dans la Régence. Il n'en est pas moins vrai que l'influence italienne augmente de façon inquiétante pour la France, au point qu'en 1880, le consul de France Roustan déclare qu'il est temps d'intervenir avant que l'Italie soit venue « couper à la France l'herbe sous le pied ».

Deux éléments vont déterminer l'attitude de la France. Tout d'abord la position de Bismarck, dont nous avons vu qu'il avait au congrès de Berlin donné carte blanche à la France dans le domaine de l'expansion coloniale. En janvier 1879 il l'encourage directement à agir en Tunisie ; il déclare à notre représentant, Saint-Vallier : « Je crois que la poire tunisienne est mûre et qu'il est temps pour vous de la cueillir. Ce fruit africain pourrait bien maintenant se gâter ou être volé par un autre, si vous le laissiez trop longtemps sur l'arbre ». Il est vrai qu'en même temps le chancelier, qui voyait là le moyen le plus sûr de provoquer une brouille durable entre la France et l'Italie, proposait au comte Corti, représentant de l'Italie au congrès de Berlin, ce qu'il avait déjà offert à la France.

L'autre élément est l'attitude de l'Angleterre. Celle-ci se rend compte qu'après son installation à Chypre et l'achat d'une partie des actions du canal de Suez, elle doit à la France une compensation en Méditerranée. Elle préfère d'autre part voir les Français s'installer à Tunis plutôt que les Italiens qui contrôleraient ainsi les deux rives du détroit de Sicile. Sa position étant arrêtée, elle la fait connaître au gouvernement français par l'intermédiaire de son ministre des Affaires étrangères, Salisbury, lequel déclare dans les coulisses du congrès de Berlin à son collègue français, Waddington : « Vous ne pouvez laisser Carthage dans les mains des Barbares. »

Le gouvernement français ne donne pas une suite immédiate à ces avances allemandes et britanniques. Mac-Mahon n'avait pas l'intention de « se jeter dans une nouvelle querelle » avec « l'Italie sur le dos » et l'on se serait volontiers contenté en France du maintien du *statu quo* en Tunisie, pour peu que les intérêts économiques français fussent respectés. Mais en septembre 1880 les Républicains prennent le pouvoir et Jules Ferry devient président du Conseil. Il le restera jusqu'en novembre 1881 et utilisera ce premier passage à la direction des affaires politiques pour donner à la France la Tunisie : avec l'appui de Gambetta, chef de la majorité à la Chambre et qui a été lui-même converti à l'idée de l'intervention par deux petits groupes séparés et influents qui forment le *lobby* tunisien, le premier composé de diplomates (le directeur des affaires politiques, Geoffroy de Courcel, l'ambassadeur à Rome, Noailles, le représentant de la France à Berlin Saint-Vallier, le consul Roustan), l'autre de financiers (Erlanger, directeur du Crédit mobilier, Bichoffeim, son gendre, Lévy-Crémieu, de la Banque franco-égyptienne, etc.). C'est le moment où arrivent à Paris les nouvelles alarmantes mandées de Tunis par le consul de France, Roustan, et faisant connaître au gouvernement de la République les progrès réalisés par l'influence italienne dans la Régence. Les Français d'Algérie manifestaient d'autre part leur volonté d'en finir avec la Tunisie et avec les raids de pillage exercés depuis la frontière de la Régence par des tribus incontrôlées.

Ferry se décide donc à agir. Une incursion de pirates Kroumirs tunisiens en Algérie, au cours de laquelle furent tués 5 soldats français, va servir de prétexte à l'intervention. La nouvelle arriva à Paris le 31 mars 1881 et, habilement exploitée, permit au gouvernement d'obtenir de l'Assemblée les crédits nécessaires à la mise sur pied d'un corps expéditionnaire. Dans l'esprit des parlementaires, celui-ci devait se contenter d'une action de police le long de la frontière et refouler à l'intérieur du territoire tunisien les incursions de pillards. En fait, le gouvernement va profiter de la situation et des crédits qui lui ont été alloués pour pousser l'affaire beaucoup plus loin. Dès le début avril, 30 000 soldats français ont franchi la frontière algérienne tandis qu'une petite armée de 8 000 hommes débarquait à Bizerte. Le 12 mai, le bey devait par le traité du Bardo reconnaître le protectorat de la France. Sa souveraineté était théoriquement maintenue ainsi que les institutions traditionnelles du pays, mais un résident général français exerçait en fait la direction des affaires intérieures et extérieures.

• *L'Europe fut surprise* de la facilité avec laquelle avait été obtenu le succès français. Fidèle à ses engagements, Bismarck manifesta sa bienveillance à l'égard de l'entreprise du gouvernement Ferry. La Grande-Bretagne se montra plus réticente : on déclara à Londres qu'on « manquerait de franchise » si on laissait croire que « les procédés de la France à Tunis ont produit un effet favorable » mais l'on s'en tient sagement à ces représentations de pure forme.

Seule l'Italie, dont les intérêts n'avaient à aucun moment été pris en considération par le gouvernement français, protesta avec véhémence. La publication du traité du Bardo provoqua une très vive réaction de l'opinion publique et le cabinet Cairoli, jugé responsable de ce « désastre », dut se retirer. L'exaspération fut particulièrement forte au Parlement italien où l'on se montra disposé à porter au pouvoir une équipe décidée à contracter une alliance assez solide pour épargner au pays une nouvelle humiliation. Bismarck avait calculé juste : la Triple-Alliance devait sortir tout armée de l'affaire tunisienne, et avec elle une longue brouille entre les deux « soeurs latines ».

La rivalité franco-anglaise en Égypte

Depuis le percement de l'isthme en 1869, Suez était devenu la clé de la route des Indes. Le trafic du canal était à 80% animé par des navires britanniques et le « commerce de Londres » suivait avec beaucoup d'attention l'évolution de la situation dans la « vice-royauté ».

• *Mais les ambitions britanniques* rencontraient en Égypte l'influence de la France. Depuis l'expédition de Bonaparte, celle-ci avait conservé des liens avec cette « province » de l'Empire ottoman. Le Second Empire avait renoué avec la politique égyptienne du Premier Consul et le percement du canal, oeuvre du

Français de Lesseps, avait couronné une longue et fructueuse collaboration entre les deux pays. Les intérêts engagés par la France dans l'entreprise étaient considérables. On conçoit que le gouvernement français ait été très sensible aux intentions britanniques d'établissement en Égypte, telles qu'elles se manifestaient dans la presse londonienne depuis la mise en service du canal.

• *La situation financière du gouvernement égyptien* allait, en déterminant comme en Tunisie l'intervention des puissances européennes, provoquer le heurt des deux impérialismes. Le khédive – sorte de « vice-roi » qui représentait en théorie l'autorité du sultan ottoman – avait entrepris depuis 1864 une politique de rénovation du pays et des grandioses réalisations. Pour faire face à ces dépenses nouvelles, incompatibles avec la situation médiocre de l'économie et avec la vétusté du système fiscal, il avait dû recourir de façon de plus en plus pressante aux emprunts étrangers. En 1878 la dette s'élevait à 2 milliards et demi de francs-or, les deux principales créancières étant, dans l'ordre, la France et l'Angleterre.

En 1875 le khédive ne pouvant payer les intérêts de sa dette – une échéance de 100 millions de francs – songe à négocier les 177 000 actions qu'il possède personnellement dans la Compagnie du canal de Suez. Des pourparlers sont engagés avec le banquier français Dervieu et la Société générale dont les intérêts en Égypte sont assez importants, mais le gouvernement britannique, s'adressant directement au ministre français des Affaires étrangères, fait connaître sa volonté de ne pas tolérer l'établissement d'un monopole français dans une affaire jugée vitale pour le commerce du Royaume-Uni. Le duc Decazes, qui avait eu besoin, quelques mois plus tôt, du concours britannique au moment de la crise franco-allemande, n'insista pas et laissa Disraeli négocier l'achat des actions du khédive pour la somme de 4 millions de livres soit approximativement le montant de l'échéance. La somme était minime et assurait à l'Angleterre dans la Compagnie des droits à peu près analogues à ceux de la France. On comprend le triomphe du Premier ministre britannique, quand il écrit en novembre 1875 : « C'est le secret d'État le plus important de toute l'année, et certainement pas un des moindres événements de notre génération : j'ai acheté pour l'Angleterre les parts du khédive d'Égypte dans le canal de Suez. Tous les joueurs, les capitalistes, les financiers du monde, organisés en bandes de pillards, se sont dressés contre nous, aidés par des émissaires cachés dans tous les coins ; nous les avons tous joués sans jamais être soupçonnés. *Lesseps*, dont la Compagnie possède toutes les autres actions, a fait une offre importante, soutenu par le gouvernement français, dont il est l'agent. S'il avait réussi, le canal de Suez aurait appartenu entièrement à la France qui aurait eu le droit de le fermer... »

Le Conseil d'administration de la Compagnie se trouvait désormais constitué pour un tiers d'Anglais, mais surtout l'achat des actions du khédive ouvrait à l'Angleterre de larges perspectives en Égypte.

Cependant l'état des finances égyptiennes demeurait précaire et la vente des actions n'avait permis que de couvrir les besoins les plus urgents. Le khedive poursuivant ses libéralités, les créanciers s'inquiétaient et réclamaient un contrôle des finances égyptiennes. En 1876, les deux États les plus engagés dans les prêts à l'Égypte, France et Angleterre, décidèrent d'intervenir et d'imposer au khédive la création d'une Caisse de la Dette publique, gérée par des commissaires européens, puis de deux contrôleurs généraux l'un français et l'autre anglais, chargés de la surveillance des recettes et des dépenses. C'était le régime du condominium qui enlevait au khédive une partie de sa souveraineté.

En 1879, le khédive Ismaïl tenta de secouer le joug de ses tuteurs européens et renvoya son ministère. Mais, la pression franco-anglaise le contraignit à céder et en avril 1879 il dut se retirer, la France et la Grande-Bretagne ayant exigé sa destitution et son remplacement par son fils, le timide Tewfik.

• *Cette mise en tutelle croissante de l'Égypte* par les Européens ne tarda pas à susciter un mouvement de protestation nationale, en particulier dans les milieux militaires. Un fils de fellah devenu colonel, Arabi Pacha, en prit la direction et organisa une pétition exigeant la révocation du ministre de la Guerre. Arrêté au début de février 1881, il fut immédiatement libéré par ses troupes et imposé à Tewfik comme ministre de la Guerre. Le système du condominium avait en effet mis en place un gouvernement composé en partie d'étrangers et fort impopulaire dans les milieux nationalistes égyptiens. Arabi réclame son remplacement par un gouvernement national et la suppression de la tutelle financière franco-anglaise. Fondant sa propagande sur le nationalisme « arabe » et la haine de l'étranger, il provoque des désordres dans tout le pays et finalement, en juillet 1882, une émeute à Alexandrie où périssent plus de soixante chrétiens. Émues par cette menace contre la vie et les intérêts des Européens, plus encore semble-t-il par le risque de voir le canal tomber aux mains des nationalistes égyptiens, les deux puissances « protectrices » envisagent une action militaire commune. Deux mois plus tôt, elles avaient envoyé chacune une petite escadre de six navires. Les événements d'Alexandrie déterminent l'amiral anglais à bombarder la ville, non sans avoir invité son collègue français à se joindre à l'opération. Mais en France le gouvernement Freycinet se heurte à une majorité parlementaire qui craint de provoquer par une intervention en Égypte des « complications internationales ». Freycinet a bien essayé d'obtenir de Bismarck une approbation anticipée de l'action franco-anglaise, mais le chancelier répondit évasivement qu'il ne donnerait « ni approbation, ni désapprobation », attendant la nouvelle de la chute du ministère français pour annoncer qu'en fin de compte il ne s'opposerait pas à l'intervention projetée. Aussi Freycinet dut-il s'abstenir de participer à l'action contre Alexandrie. Il dut de la même façon renoncer à une expédition plus importante préparée par les Britanniques et pour laquelle des crédits appréciables avaient été votés à Londres. Quand le président du Conseil français demanda pour sa part à la Chambre des députés un modeste budget de 9 500 000 francs pour pourvoir aux frais de l'expédition, il dressa contre lui non seulement les adversaires du projet mais encore ceux qui, comme Gambetta, jugeaient les crédits insuffisants. Freycinet tomba le 29 juillet devant cette coalition des mécontents dans laquelle s'était illustré le talent oratoire de Clemenceau : « En vérité – avait déclaré le leader radical – il semble qu'il y ait quelque part une main fatale qui prépare une explosion terrible. L'Europe est couverte de soldats ; toutes les puissances réservent leur liberté d'action pour l'avenir ; réservez la liberté de la France. »

L'Angleterre dut agir seule. Elle n'en était pas mécontente, l'abstention de la France lui donnant l'occasion d'imposer sa prépondérance en Égypte. Elle envoya une armée qui, débarquée le 2 août à Suez, écrasa le 13 septembre Arabi Pacha à Tell-el-Kebir et le fit prisonnier. Le parti national était anéanti, l'armée égyptienne dissoute, le pays entièrement occupé.

Totalement maîtresse de l'Égypte, l'Angleterre s'interroge sur le statut à donner à ce territoire. Elle dépêche en mission extraordinaire son ambassadeur à Constantinople, Lord Dufferin, qui conclut après enquête à la possibilité d'une occupation prolongée du pays sans établissement d'un véritable protectorat. C'est donc sans aucun titre que le gouvernement de Sa Majesté assume la protection du territoire égyptien. Il met fin au régime du condominium et au contrôle bilatéral des finances égyptiennes, promulgue une loi organique dotant l'Égypte d'une sorte de constitution et fait solidement occuper la zone du canal. Avec le titre modeste d'agent diplomatique et consul général d'Angleterre, le représentant de la Grande-Bretagne, ce sera Lord Cromer de 1883 à 1907, exerce en fait la totalité du pouvoir.

En France, l'opinion publique est restée à peu près indifférente aux événements égyptiens. Les milieux d'affaires intéressés ont même accueilli favorablement une intervention qui protégeait leurs capitaux. Seuls les parlementaires, après avoir refusé leur soutien à Freycinet, regrettent leur attitude et l'atteinte au prestige et à l'influence de la France. Ils encouragent le nouveau gouvernement à multiplier les protestations auprès du cabinet britannique et à déclarer en janvier 1883 que la France refusait de s'incliner devant le fait accompli et attendait de l'Angleterre qu'elle fixât un terme à son occupation.

Mais les moyens de pression sur la Grande-Bretagne manquaient à la France qui pouvait tout au plus user de l'arme financière, la Caisse de la Dette n'ayant pas été supprimée et l'Angleterre ne pouvant pas, en principe, toucher aux recettes égyptiennes sans l'accord de la France. En fait Londres fait la sourde oreille et ne s'inquiète guère de la « politique des coups d'épingle » menée par le gouvernement français. Encore une fois cependant, Bismarck avait vu juste : l'affaire égyptienne allait pendant quinze ans empoisonner les relations franco-anglaises. Le chancelier allemand ne pouvait que s'en réjouir.

Rivalités coloniales en Afrique Noire

À partir de 1880 les territoires africains deviennent le théâtre d'une compétition serrée entre les nations européennes, non sans retentissement sur le plan des relations internationales. On assiste de 1880 à 1883 à un véritable dépècement du continent noir, chaque puissance s'efforçant d'occuper le plus vite possible les zones côtières pour pousser ensuite sa pénétration vers l'intérieur. Tant que de vastes territoires demeurent ouverts à la colonisation, les rivalités ne se font pas trop dangereusement sentir. L'Angleterre peut ainsi, après un échec en 1877 contre la République boer du Transvaal, s'installer en 1881 dans le Bas Niger et en 1885 en Afrique orientale. La France prend pied à Obock en 1882 et établit en 1885 son protectorat sur Madagascar, tandis que l'Italie crée le long de la mer Rouge sa colonie d'Erythrée. L'Allemagne intervint plus tardivement. On sait que Bismarck manifestait peu d'enthousiasme pour les entreprises coloniales qu'il accusait de détourner l'Allemagne de son véritable but. Il fallut qu'un puissant courant se dessinât dans l'opinion publique allemande, notamment dans les milieux d'affaires de Brême et de Hambourg, pour que le chancelier se résignât à donner son accord à des initiatives le plus souvent privées. En 1884 c'est l'action d'un négociant de Brême, soutenue par le gouvernement du Reich, qui permet à l'Allemagne d'établir son protectorat sur le Sud-Ouest africain. La même année l'explorateur Nachtigal dirige l'occupation du Cameroun et du Togo. Enfin l'initiative d'une Compagnie coloniale est à l'origine de la colonie d'Afrique orientale allemande qui, joignant le Congo belge à l'océan Indien, barre la route aux ambitions britanniques de liaison Le Cap - Alexandrie.

Mais, au fur et à mesure que s'accomplissait la pénétration du continent et que s'agrandissaient les zones respectives d'influence, les risques de conflit entre puissances coloniales augmentaient. Au centre de l'Afrique, les impérialismes devaient ainsi nécessairement se heurter, en particulier dans le vaste bassin du Congo où s'exerçait l'action personnelle du roi des Belges. Léopold II avait en effet chargé le journaliste et explorateur américain Stanley de recon-

LE ROI LÉOPOLD II FAIT L'APOLOGIE DE LA COLONISATION BELGE AU CONGO (1890)

« Plus que nulle autre, une nation manufacturière et commerçante comme la nôtre doit s'efforcer d'assurer les débouchés à tous ses travailleurs, à ceux de la pensée, du capital et des mains. Ces préoccupations patriotiques ont dominé ma vie.
« ... Mes peines n'ont pas été stériles : un jeune et vaste État, dirigé de Bruxelles, a pris pacifiquement place au soleil grâce à l'appui bienveillant des puissances, qui ont applaudi à ses débuts.

Des Belges l'administrent, tandis que d'autres compatriotes, chaque jour plus nombreux, y font déjà fructifier leurs capitaux. L'immense réseau fluvial du Congo supérieur ouvre à nos efforts des voies de communication rapides et économiques qui permettent de pénétrer directement jusqu'au centre du continent africain. La construction du chemin de fer de la région des cataractes, désormais assurée grâce au vote récent de la législature, accroîtra notablement ces facilités d'accès. Dans ces conditions un grand avenir est réservé au Congo. »

Source : Annales parlementaires, Chambre des représentants, 1890.

naître la région au nom de l'« Association internationale africaine » qu'il avait créée et dont il assumait la présidence. Cet organisme dont les mobiles avoués étaient d'ordre scientifique et philanthropique, poursuivait en fait des buts économiques et politiques. De 1879 à 1882 Stanley parcourt tout le bassin intérieur du grand fleuve, établissant des postes de surveillance et prenant possession du pays. Les difficultés commencèrent avec le problème de l'accès à la mer. Depuis 1882 le Français Savorgnan de Brazza avait reconnu la voie de l'Ogoué et atteint en 1884 le Stanley Pool, jetant les bases d'une nouvelle colonie française. De son côté le Portugal, qui possède des territoires de part et d'autre de l'embouchure du Congo prétend avec l'appui de l'Angleterre contrôler toute la côte du Cabinda à l'Angola. Le traité anglo-portugais de février 1884, qui assurait ainsi à la Grande-Bretagne le contrôle indirect sur l'embouchure du Congo, suscita une vive opposition de la part de la France, de l'Association internationale et même de Bismarck qui vit aussitôt dans l'internationalisation de la question congolaise le moyen pour l'Allemagne d'obtenir des avantages sans s'être engagée dans la compétition.

Dans cette perspective, le chancelier allemand cherche à entraîner la France dans une action diplomatique commune. Jules Ferry, qui est de nouveau président du Conseil, est maintenant tout à fait converti à la grande politique impériale et disposé à une entente partielle avec l'Allemagne sur les questions coloniales.

Il répond favorablement aux avances de Bismarck, à condition toutefois que celui-ci attire l'Angleterre dans la négociation. C'est donc une véritable conférence internationale qui se réunit à Berlin de novembre 1884 à février 1885. Les puissances allaient y prendre d'importantes décisions concernant non seulement le statut des territoires de l'Association internationale et l'accès au bassin intérieur du Congo, mais encore les conditions dans lesquelles devrait désormais s'effectuer la prise de possession des territoires non encore colonisés. Ceux-ci devront faire l'objet d'une notification formelle aux autres puissances et être soumis à une occupation effective, la simple signature de « traités » avec les chefs de tribus ne suffisant plus à entraîner la reconnaissance par les autres pays des annexions prononcées. Le principe de la liberté commerciale, défendu par Bismarck, était reconnu dans tout le bassin conventionnel du Congo, de l'Atlantique à l'océan Indien. Navires et marchandises de toutes provenances pouvaient ainsi accéder librement au fleuve et à ses affluents, tandis que les Européens jouissaient tous des mêmes droits économiques, l'Europe étendait ainsi au grand fleuve africain les principes que le congrès de Vienne avait en 1815 établis pour les fleuves internationalisés du vieux continent.

Enfin la Conférence reconnaissait l'existence d'un État international, l'« État indépendant du Congo », dont la souveraineté était assumée à titre personnel par le roi des Belges Léopold II, sans que cette situation comportât une allégeance directe au royaume de Belgique. En 1890, le roi, ne pouvant assurer sur ses fonds personnels l'entretien du « gouffre congolais », dut en échange d'un emprunt de 25 millions aux finances de son royaume européen, léguer à la Belgique l'État indépendant. L'existence de ce dernier a donc été éphémère. Elle n'en constitue pas moins une tentative intéressante d'internationalisation des intérêts africains de l'Europe. L'œuvre économique de la conférence de Berlin fut d'ailleurs beaucoup plus durable et permit d'obtenir dans cette région si convoitée du centre de l'Afrique une sensible atténuation des concurrences internationales.

La rivalité anglo-russe en Asie centrale

• *En Asie, la volonté russe d'expansion vers l'est* se heurte comme à Constantinople aux intérêts britanniques. Il semble d'ailleurs que la poussée russe dans le Turkestan et en direction des frontières de l'Inde ait eu pour but principal d'exercer une pression sur le gouvernement de Londres et de rendre celui-ci moins intransigeant à l'égard de la politique balkanique du tsar. Les intérêts russes dans cette partie du monde sont en effet beaucoup moins important que ceux de la Grande-Bretagne. Celle-ci joint à des préoccupations économiques – s'assurer un accès terrestre au vaste marché chinois – le souci majeur de la protection des frontières de l'Inde. Le gouvernement britannique juge que celles-ci seraient menacées dans le cas d'une installation des Russes sur le plateau afghan. Aussi l'Angleterre est-elle amenée à intervenir dans cette région et à établir, après trois difficiles campagnes son quasi-protectorat sur l'Afghanistan. Elle pense ainsi avoir établi une barrière solide contre d'éventuelles visées russes sur l'Empire des Indes.

Or, depuis les déboires subis au congrès de Berlin, les Russes ont entrepris une action très vigoureuse en Asie centrale. Sans doute n'ont-ils jamais songé à s'emparer de l'Inde. L'entreprise exigerait des moyens militaires et financiers, que l'Empire des Tsars n'est pas en mesure de mettre en œuvre. Tout au plus la Russie veut-elle inquiéter le gouvernement britannique pour le contraindre éventuellement à jeter du lest dans la « question d'Orient ». Elle est encouragée dans cette voie par Bismarck qui, outre l'avantage qu'il pense retirer d'une brouille anglo-russe, voit dans l'expansion de l'Empire des Tsars à l'est le moyen de désarmer les rivalités russo-autrichiennes peu conciliables avec son système. Les progrès russes sont particulièrement importants dans le Caucase et dans le Turkestan peu à peu soumis à leur influence. En 1881 la Chine a dû abandonner à la Russie une partie de la vallée de l'Ili et l'accès aux routes du Nord-Ouest. Mais c'est l'installation des Russes dans l'oasis de Merv, considérée comme la clé de la route de l'Inde, qui suscite en 1884 à Londres les premières inquiétudes graves. Celles-ci vont grandir lorsqu'en mars 1885 le général Komarov franchit le Kouchk et, sans en avoir reçu l'ordre, occupe l'oasis de Pendjeh. Ses troupes se trouvent alors à proximité de la Passe de Zulficar qui donne directement accès au plateau afghan. L'Angleterre déclare aussitôt qu'elle ne tolérera pas une agression contre l'Afghanistan et prépare à la hâte l'envoi d'un corps expéditionnaire. Le conflit semble imminent entre « la baleine et l'éléphant ».

Mais le gouvernement se demande en quel point sensible de l'Empire russe il pourrait faire porter la riposte britannique. En Afghanistan même les conditions ne sont guère favorables à l'armée britannique. On songe à Londres à une action contre Vladivostok : une escadre est envoyée sur la côte de Corée tandis que les Russes mouillent des mines et préparent la défense du port. On envisage un débarquement dans la région du Caucase, mais la Convention de 1841 interdit le passage des Détroits aux navires de guerre. France, Allemagne et Autriche-Hongrie pressent le sultan de rappeler à Londres les clauses du statut. Devant cette impossibilité de frapper efficacement l'adversaire, les membres du cabinet Gladstone doivent songer à négocier. Le tsar n'étant pas non plus disposé à engager une guerre dont le principal résultat serait de renforcer la prépondérance allemande en Europe, accueillit favorablement les avances anglaises et une négociation put s'ouvrir dès la fin d'avril. Elle aboutit en septembre 1885 à un arrangement provisoire qui laissait aux Russes l'oasis de Pendjeh et rendait à l'émir d'Afghanistan la passe de Zulficar. Certes la question n'était pas réglée de manière définitive, mais la guerre avait été évitée.

La rivalité franco-anglaise en Indochine

En 1885 la France se décide, après dix ans d'hésitations, à occuper le Tonkin et à établir son protectorat sur l'Annam. Malgré l'échec de Lang-Son, démesurément grossi par les adversaires de Jules Ferry et qui provoqua d'ailleurs la chute du « Tonkinois », la guerre contre la Chine aboutit en juin 1885 au traité de Tien-Tsin par lequel le gouvernement chinois abandonnait toute prétention sur le Tonkin et l'Annam et ouvrait au commerce français sa frontière méridionale. Les marchandises françaises pourront ainsi, par voie terrestre, pénétrer dans les provinces méridionales de la Chine en acquittant des droits inférieurs à ceux des douanes maritimes.

Soucieuse d'établir devant les frontières orientales de l'Inde un glacis protecteur et de prévenir l'extension de l'influence française en direction du golfe du Bengale, l'Angleterre entreprend à partir de 1885 la conquête de la Birmanie et atteint de son côté les points d'aboutissement des pistes conduisant à la Chine du Sud. Les deux impérialismes se trouvent donc de nouveau face à face, tout juste séparés par le Siam, lequel occupe partiellement depuis 1885 le territoire du Laos convoité par la France.

L'intervention française au Laos en 1893 va provoquer une nouvelle tension franco-anglaise. Des canonnières françaises ayant opéré une « démonstration navale » contre Bangkok, capitale du Siam, le gouvernement britannique s'émeut, parle d'« agression » et de « trahison » et envisage même d'intervenir pour préserver l'indépendance du Siam, considéré à Londres comme un « État-tampon » nécessaire entre les zones d'influence des deux puissances. Mais la fièvre retombe vite quand, le gouvernement siamois ayant accepté d'abandonner le Laos à la France, celle-ci manifeste aussitôt son intention de ne pas porter atteinte à l'intégrité du Siam.

Un tournant de la vie internationale.

• *En 1890, bien que le partage du monde soit fortement avancé* et que les grandes puissances aient élargi aux dimensions de la planète le champ de leurs concurrences, l'Europe reste le centre de la vie internationale. Et, dans cette Europe qui domine le monde par le haut niveau de ses techniques et par sa puissance militaire l'Allemagne de Bismarck exerce une indiscutable suprématie. Elle le doit à ses jeunes forces industrielles, à son essor démographique et à sa supériorité militaire, incontestablement. Mais aussi, et surtout, au génie politique de l'homme qui, après avoir créé l'Empire allemand, a su lui donner les moyens de tenir son rang et tisser autour de lui un remarquable réseau d'alliances.

Quand, en 1890, Bismarck se heurte au jeune empereur Guillaume II, ce dernier reproche au vieux chancelier d'être trop « européen » et de méconnaître les intérêts nouveaux de l'Allemagne. Sans doute, marqué par ses origines « terriennes », et devenu prisonnier de son système, Bismarck montre-t-il quelque difficulté à saisir l'évolution profonde de l'Allemagne, dont le centre de gravité passe alors des vieilles provinces rurales de l'Est au sillon industriel du Rhin. Il n'en reste pas moins vrai qu'en inaugurant la Weltpolitik et en provoquant l'effondrement du système bismarckien, Guillaume II allait priver son pays de son principal instrument de domination en Europe. La chute de Bismarck marque bien à cet égard la fin d'une période caractérisée par la primauté des préoccupations européennes dans les relations internationales et par la prépondérance absolue de l'Allemagne sur le continent.

DEUXIÈME PARTIE

La fin de l'Europe bismarckienne et l'avènement de la « politique mondiale » (1890-1907)

3 Conditions nouvelles de la vie politique internationale

La dernière décennie du XIXe siècle et les toutes premières années du XXe siècle sont marquées par de profondes transformations dans le domaine économique et démographique. Tandis que la population européenne connaît un accroissement accéléré et fournit à l'émigration des contingents de plus en plus nombreux, la longue période de dépression économique fait place en Europe à une phase d'expansion particulièrement spectaculaire. Ces phénomènes exercent sur les relations entre puissances une très sensible influence.

UNE NOUVELLE CONJONCTURE ÉCONOMIQUE

La période 1873-1895 avait été caractérisée, particulièrement en Europe, par une longue et profonde stagnation économique. Une baisse à peu près continue des prix, consécutive à la raréfaction des espèces métalliques et entraînant un ralentissement de la production et des échanges, a pendant vingt ans affecté la puissance matérielle. Cette conjoncture défavorable prend fin en 1895. De cette date jusqu'à la veille de la Première Guerre mondiale, le vieux continent connaît au contraire une période de développement et d'« euphorie » économiques. Les prix subissent une hausse régulière, à peine ralentie par les deux courtes dépressions de 1900-1901 et de 1907-1908. L'exploitation intensive des mines d'or d'Afrique du Sud, la découverte en 1897 de celles du Klondyke, l'augmentation du stock métallique de l'Europe qui en résulte aussitôt, semblent être à l'origine de ce renversement de la conjoncture.

• *L'augmentation des prix stimule bientôt la production industrielle,* les chefs d'entreprise ayant intérêt à vendre davantage. On cherche le moyen d'accroître la production en réduisant au maximum les prix de revient, d'où un effort de concentration des entreprises et de modernisation de l'outillage. Les sources d'énergie sont sollicitées de façon de plus en plus intense. Le charbon, tout d'abord, qui reste la base de la puissance industrielle et dont la production globale passe de 500 millions de tonnes en 1890 à plus de 1 300 millions en 1913. En même temps apparaissent de nouvelles sources d'énergie : le pétrole dont la production est stimulée par l'application de plus en plus générale du moteur à explosion et l'électricité qui connaît après 1900 un véritable triomphe.

La mise en œuvre de ces ressources énergétiques entraîne l'essor des grandes industries. La métallurgie, stimulée par le développement des chemins de fer et des constructions navales fait un formidable bond en avant. La production mondiale de fonte, qui était de 18 millions de tonnes passe en 1913 à près de 80 millions de tonnes. Elle est dépassée à la même date par celle de l'acier qui avait été jusque-là relativement modeste. Les industries métallurgiques différenciées et les industries mécaniques connaissent un développement identique tandis que les textiles continuent de progresser régulièrement et que de nouvelles branches d'activité, industries chimiques et électriques, démarrent de façon foudroyante.

Cet essor affecte en premier lieu les pays déjà industrialisés : États-Unis et Europe du Nord-Ouest, non sans modifications d'ailleurs dans le classement des grandes puissances industrielles. Vers 1890 les États-Unis et l'Angleterre contrôlent chacune 27 ou 28% de la production mondiale. En 1913 la part des premiers dépasse 35%, celle de la seconde est tombée à 14% et se trouve dépassée par celle de l'Allemagne (15% environ). On assiste donc à un véritable bouleversement dans la répartition de la puissance matérielle, ce qui ne manque pas d'avoir de profondes répercussions dans le domaine de la politique internationale. D'autre part, des pays jusque-là presque exclusivement ruraux commencent à développer, non sans difficultés parfois, leurs activités industrielles. C'est le cas de l'Italie, de la Russie et du Japon. En vingt-ans la carte industrielle du monde connaît ainsi de très importantes retouches.

• *La production agricole,* sans connaître des progrès aussi rapides que ceux de l'industrie, tire un large profit, dans les pays économiquement évolués, du développement des industries chimiques et de la mécanisation. Les agriculteurs peuvent disposer d'un outillage beaucoup plus moderne : charrues à soc d'acier, faucheuses, moissonneuses-lieuses et à partir des toutes premières années du XXe siècle, tracteurs, qui, joints à l'emploi judicieux des engrais, permettent une utilisation plus intensive du sol. La production augmente de façon sensible de même que les rendements de la terre.

• *Enfin l'extraordinaire développement des moyens de communication* permet de multiplier les échanges et d'écouler rapidement une production qui ne cesse de croître. De 1875 à 1913 le réseau ferroviaire de l'Europe passe de 140 000 à 340 000 km, celui des États-Unis de 120 000 à plus de 400 000 km et en 1914 la longueur du réseau mondial dépasse le million de kilomètres. Dans le même temps le tonnage global des marines marchandes double et le pourcentage des navires à vapeur passe de 50 à 96%. Ces navires étant à la fois plus rapides et de plus grande capacité, il en résulte un effrondrement des tarifs de transport, en particulier pour les marchandises. Le blé américain voit en moins de 30 ans son prix de transport tomber de 0,60 à 0,05 franc le boisseau, ce qui ne manque pas de provoquer de vives réactions de la part des agriculteurs européens et un renforcement des tarifs protecteurs.

• *Les incidences sur la vie internationale* et sur les rapports entre puissances sont nombreuses et importantes. La première réside dans l'aggravation du problème des débouchés. En cette période d'euphorie économique, la production croît beaucoup plus vite que les possibilités d'absorption des marchés intérieurs, d'autant que le libéralisme économique, dont c'est l'âge d'or, oppose le dogme du « laisser faire » à toute tentative de dirigisme et de contrôle de la part de l'État. Il se pose donc pour toutes les puissances un problème d'écoulement des surplus industriels et agricoles sur les marchés extérieurs. Ce problème, la Grande Bretagne le connaissait depuis longtemps, mais jusqu'en 1880-1890 ses prix de revient particulièrement bas et la qualité de sa production lui ont permis d'écarter toute concurrence sérieuse. Il n'en est pas de même après 1890. Les États-Unis et l'Allemagne se posent en rivaux résolus et d'autant mieux armés pour la lutte économique que leur industrialisation est plus récente, leur équipement plus moderne et la concentration de leurs entreprises plus poussée. Ces deux États se heurtent d'ailleurs à leur tour, dans la dernière décennie du siècle, aux problèmes de débouchés. Jusque-là, la plus grande partie de leur production se trouvait absorbée par les besoins d'équipement. Après 1890, celui-ci est pratiquement achevé et la nécessité d'écouler une part grandissante de la production se fait sentir. Il va de soi que cette situation provoque d'âpres concurrences entre puissances exportatrices, chacune d'entre elles ayant le souci de se réserver des marchés privilégiés d'où seront exclues les rivales les plus dangereuses. Ainsi déclenchés, les impérialismes économiques constituent de puissants moteurs de l'histoire des relations internationales.

Un autre aspect de la compétition économique entre puissances réside dans la volonté de contrôler dans le monde d'importantes sources de matières premières. Seuls les États-Unis peuvent en effet pourvoir à la quasi-totalité de leurs besoins en énergie et matières premières. Les puissances européennes doivent au contraire chercher hors du vieux continent une part croissante de celles-ci : coton, laine et soie nécessaires aux industries textiles, minerais de fer de forte teneur et métaux rares pour les alliages, pétrole et caoutchouc dont les besoins se sont accrus de façon considérable avec l'essor de l'industrie automobile. La part des produits bruts d'origine extra-européenne tend donc à augmenter, ce qui incite la plupart des grandes puissances à exercer un contrôle direct ou indirect sur les zones productrices.

• *La conquête des marchés extérieurs* et la recherche des matières premières nécessaires aux nouvelles industries conduisent ainsi les principaux pays européens, puis les États-Unis et le Japon, à établir leur influence sur des territoires de plus en plus nombreux, partant à entrer en concurrence les uns avec les autres.

Jusqu'en 1890, la conquête des marchés extérieurs demeure inachevée. Des places sont encore à prendre, notamment en Afrique et en Asie. Toutes n'ont pas la même valeur économique certes et certaines zones sont particulièrement convoitées. Les impérialismes se tirent d'affaire, nous l'avons vu, en procédant à des partages d'influence ou en internationalisant les régions les plus âprement disputées. Mais à partir de 1890 les possibilités de colonisation se font beaucoup plus rares. La plupart des territoires non dépendants d'un État organisé sont maintenant occupés par les Européens. Les nouveaux venus dans le conquête coloniale – c'est en particulier le cas de l'Allemagne – voient leurs ambitions limitées à des zones de médiocre valeur économique au moment précis où l'essor de leur production industrielle leur impose de trouver de nouveaux débouchés. Sans doute de riches régions peuvent-elles encore être occupées, mais elles dépendent la plupart du temps d'États indigènes fortement organisés et leur conquête implique dès lors des opérations militaires coûteuses en hommes et en argent, ce que les opinions publiques européennes admettent généralement fort mal. Il reste aux grandes puissances, non encore « nanties », à profiter d'un moment de tension dans les relations internationales pour se faire octroyer des territoires appartenant aux grands pays colonisateurs, en échange par exemple de droits de pure forme. Tel est le sens de l'intervention allemande dans l'affaire marocaine. La même opération peut encore se faire aux dépens d'un petit État colonisateur comme le Portugal, dont l'Allemagne et l'Angleterre se partagent, sans fixer d'échéance, les territoires africains, condition mise par le Reich à son désintéressement en Afrique du Sud.

Pourtant l'expansion va prendre, dans la plupart des cas, un aspect nouveau. L'existence de grands États non industrialisés mais fortement structurés et de vieille civilisation, constituant d'autre part, du fait de leur forte population, des vastes marchés, ne peut manquer d'attirer les convoitises des grandes puissances. Il ne peut être question cependant de procéder avec les empires chinois ou ottoman, ou avec les États latino-américains, à une occupation pure et simple. On inaugure donc de nouvelles méthodes consistant à assurer aux intérêts économiques des grands États industrialisés des secteurs d'influence privilégiée. De grandes sociétés européennes, des groupes bancaires ou industriels, cherchent ainsi à obtenir des gouvernements « indigènes » un droit de priorité pour la mise en valeur des richesses du sous-sol ou l'autorisation de construire des routes, des voies ferrées, des ports, nécessaires à l'ouverture économique de ces pays economiquement retardés. Les mêmes groupes capitalistes font pression sur leurs propres gouvernements pour que ceux-ci négocient avec les États intéressés des traités de commerce favorisant l'entrée de leur produits. Les contrats de concession, les commandes d'armement ou de fournitures d'équipement sont d'autre part l'objet de puissantes rivalités entre groupes industriels et financiers. Ceux-ci font tout naturellement appel à l'État dont ils dépendent pour que ce dernier facilite leur tâche en mettant à leur service son prestige, sa force de persuasion et son personnel diplomatique. Toute concession de mine, de chemin de fer ou de base commerciale dans l'Empire ottoman ou en Chine implique ainsi une intervention diplomatique en faveur du groupe financier intéressé.

Or cette action gouvernementale, rendue nécessaire par l'âpreté des rivalités économiques, a pour effet d'aggraver les rivalités politiques, les États se trouvant impliqués dans le jeu des concurrences. Elle augmente d'autant les causes de tension entre grandes puissances.

LES TRANSFORMATIONS DÉMOGRAPHIQUES

• *L'essor démographique* qui est un fait permanent au XIXᵉ siècle, connaît dans les deux ou trois décennies précédant la guerre de 1914 une très sensible accélération. La population du monde, dans la mesure où on peut l'évaluer avec précision, augmente en vingt ans d'environ 200 millions d'individus, celle de l'Europe de plus de 50 millions. La part relative de l'Europe dans la population mondiale a même légèrement augmenté depuis le milieu du XIXᵉ siècle. Le vieux continent conserve donc toute sa puissance d'expansion et, de fait, les dernières années du XIXᵉ siècle voient le mouvement d'émigration à destination des nouveaux mondes prendre un essor sans précédent. Ce sont, à partir des 1890, les États d'Europe méditerranéenne, et plus particulièrement l'Italie, ceux d'Europe centrale et orientale, qui fournissent les contingents les plus nombreux. Le résultat le plus spectaculaire de ce vaste mouvement de migration humaine est l'augmentation rapide de la population des États-Unis qui passe de 50 millions d'habitants en 1880 à près de 100 millions en 1914. Le grand État de l'hémisphère occidental devient ainsi l'un des plus peuplés du globe et cette puissance démographique que lui apporte l'immigration européenne n'est pas l'une des moindres raisons de ses progrès et de la concurrence que vont commencer à exercer les États-Unis vis-à-vis de l'Europe.

Au Japon, où les rapides progrès économiques ont fait reculer et même disparaître la menace des disettes, la population double presque en un quart de siècle, passant de 1880 à 1914 de 30 à 55 millions d'habitants. L'Empire nippon trouve dans cette explosion démographique – ici c'est l'accroissement naturel et non l'immigration qui est déterminant – le moteur et le support d'une politique d'expansion qui va s'affirmer de plus en plus nettement au cours de la première moitié du XXᵉ siècle.

Quant à l'accroissement de la population européenne, il est loin d'être uniformément réparti. Tandis qu'en France, où le taux de natalité est particulièrement bas, le chiffre de la population augmente tout juste de 1 300 000 individus, ceux de la Grande-Bretagne et de l'Allemagne s'accroissent respectivement de 7 et 15 millions de personnes. Il en résulte de sensibles modifications dans le rapport des forces entre puissances. Le déséquilibre tend en particulier à s'accentuer entre l'Allemagne, dont le puissant essor démographique ne manifeste aucun signe d'essoufflement et la France dont la population demeure pratiquement stationnaire pendant toute la période. Cette situation a bien entendu des incidences économiques et militaires dont ont parfaitement conscience les gouvernements. Le prince von Bülow, chancelier du Reich de 1900 à 1909, fait de fréquentes allusions dans ses Mémoires à cette supériorité croissante de la population allemande sur celle de la France, tout en soulignant le danger qu'il y a pour son pays à laisser la République occuper de trop nombreux territoires africains, susceptibles de lui fournir en cas de guerre les effectifs militaires qu'elle ne saurait tirer de ses seules ressources démographiques.

L'EXASPÉRATION DU SENTIMENT NATIONAL

Si le XIXe siècle est incontestablement l'ère des nationalismes, c'est dans les toutes dernières années du siècle et dans les premières années du XXe que ceux-ci s'affirment avec le plus de force.

• *Dans les grands états multinationaux, les minorités manifestent* de plus en plus ouvertement et de façon de plus en plus virulente leur attachement aux traditions linguistiques religieuses et historiques qui constituent le substrat des nationalités. Leur protestation contre la politique d'assimilation pratiquée par les États centralisateurs prend alors une ampleur nouvelle. Celle-ci s'explique en grande partie par le développement de l'enseignement primaire dans la plupart des pays et par l'opposition qui en résulte entre langues « nationales », dont les minorités souhaitent maintenir et même approfondir l'étude, et langues « administratives », qui sont celles des puissances dominantes. La germanisation dans les territoires soumis à l'Autriche-Hongrie et au Reich, la russification dans ceux que domine l'empire des Tsars, se heurtent à de vives résistances de la part de groupes ethniques et linguistiques qui entendent demeurer fidèles à leurs traditions historiques.

Ces revendications nationales ont une incidence incontestable sur les relations internationales. Elles ne peuvent manquer d'affaiblir les États où des minorités actives refusent l'assimilation et réclament un statut particulier. Dans l'empire allemand les résistances viennent de la Pologne « prussienne » et des populations d'Alsace-Lorraine. Dans cette dernière province cependant, une politique relativement souple de la part de l'administration allemande, l'arrivée d'autre part à l'âge adulte de génération n'ayant pas connu la présence française, atténuent sensiblement l'hostilité à la « nouvelle patrie ». En 1911 le gouverneur allemand (*Staathalter*) Wedel croit même pouvoir accorder au pays un Parlement élu en partie au suffrage universel et chargé d'établir la législation locale. Or les résultats sont décevants pour l'Allemagne. Le Landtag d'Alsace-Lorraine manifeste très vivement son opposition à une politique de germanisation voulue par l'empereur et déclare en 1913 son hostilité à l'augmentation des armements allemands. A la veille de la guerre on assiste donc à un réveil du sentiment national dans les pro-

LA VIEILLE MONARCHIE DUALISTE

« ... J'étais persuadé que cet état devait réduire et entraver tout Allemand véritablement grand, tandis qu'au contraire il devait favoriser toute activité non allemande.
Le conglomérat de races que montrait la capitale de la monarchie, tout ce mélange ethnique de Tchèques, de Polonais, de Hongrois, de Ruthènes, de Serbes et de Croates, etc. me paraîssait répugnant, sans oublier le bacille dissolvant de l'humanité, des Juifs et encore des Juifs...
Plus je vivais dans cette ville, plus ma haine devenait vive contre ce mélange de peuples étrangers qui commençait à entamer ce vieux centre de culture allemande.
L'idée qu'on dût prolonger encore les jours de cet état me paraissait franchement ridicule.
L'Autriche, à cette époque, était comme une vieille mosaïque dont le ciment qui tient les pièces ensemble est devenu vieux et fragile ; aussi longtemps que l'on ne touche pas à ce chef-d'oeuvre il vous leurre encore d'un semblant d'existence ; mais aussitôt qu'on lui porte un coup, il se brise en mille morceaux. Il ne s'agissait plus que du moment où le coup serait porté. L'heure de la dissolution de cet état me paraissait toujours le début de la libération de la race allemande. »

Source : A. Hitler, *Mein Kampf.*

vinces perdues par la France en 1871. Pas plus qu'en Pologne cependant, ce mouvement, qui intéresse une zone marginale de l'Empire, ne semble devoir affecter profondément sa cohésion et sa puissance. Il en est de même dans l'Empire russe où les résistances à la russification, en Pologne, dans les pays Baltes et en Finlande, intéressent des provinces « extérieures » à la Russie traditionnelle.

En Autriche-Hongrie le problème est beaucoup plus grave et menace l'existence même de la double monarchie. De 1879 à 1893 le ministère Taaffe s'efforça de désarmer les résistances nationales en accordant une satisfaction partielle aux revendications des Tchèques et des Polonais, en admettant par exemple l'usage de la langue tchèque – à côté de l'allemand – à l'université de Prague et dans l'administration. Mais ces concessions ne firent que renforcer des sentiments nationaux et après 1893 l'agitation des minorités allait reprendre de plus belle. Si les Tchèques se contentent de réclamer une large autonomie administrative, les Slaves du Sud s'orientent vers la sécession pure et simple et regardent de plus en plus attentivement du côté du petit royaume de Serbie dont l'objectif premier demeure la constitution autour de lui d'un État yougoslave. Enfin l'irrédentisme italien retrouve, derrière des hommes comme le député de Trente Cesare Battisti, une vigueur nouvelle. Aussi dès la fin du XIXe siècle, l'Empire autrichien apparaît-il à beaucoup comme condamné. C'est l'opinion d'Adolf Hitler qui a vécu à Vienne avant la Première Guerre mondiale et qui proclamera plus tard dans *Mein Kampf* son mépris rétrospectif pour la vieille monarchie dualiste.

Non seulement cette « mosaïque » de nationalités ne devait pas résister à la guerre, mais elle devait être encore, par le mélange explosif qu'elle constituait, la source même du conflit.

Le nationalisme n'affecte pas seulement la mentalité collective des peuples soumis à une domination étrangère. Il continue de jouer, dans les États de peuplement homogène, un rôle déterminant. Ses principales manifestations demeurant la volonté d'affirmer la puissance de l'État d'augmenter son prestige

LE NATIONALISME AMÉRICAIN

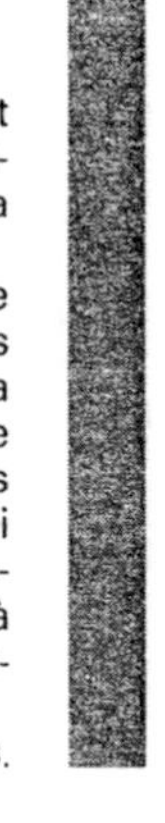

« Les usines américaines produisent plus que le peuple américain ne peut utiliser ; le sol américain produit plus qu'il ne peut consommer. La destinée nous a tracé notre politique ; le commerce mondial doit être et sera nôtre...

... Nous établirons des comptoirs commerciaux à la surface du monde comme centres de distribution des produits américains. Nous couvrirons les océans de nos vaisseaux de commerce. Nous bâtirons une marine à la mesure de notre grandeur. De nos comptoirs de commerce sortiront de grandes colonies déployant notre drapeau et trafiquant avec nous. Nos institutions suivront notre drapeau sur les ailes du commerce. Et la loi américaine, l'ordre américain, la civilisation américaine et le drapeau américain seront plantés sur des rivages jusqu'ici en proie à la violence et à l'obscurantisme, et ces auxiliaires de Dieu les feront dorénavant magnifiques et éclatants. »

Source : Discours du sénateur Beveridge, Boston, avril 1898.

et son influence dans le monde, l'orgueil d'appartenir à un peuple particulièrement actif, le sentiment que les succès obtenus sont le signe de la protection divine, l'indice qu'on appartient au « peuple élu ».

Depuis le milieu du XIXe siècle, le triomphe matériel de la Grande-Bretagne a, nous l'avons vu, servi de support à un nationalisme britannique particulièrement vif et où se mêlent l'orgueil racial et l'idée d'une vocation historique. Le sentiment national, qui est un fait de psychologie collective trouve ici, son assise économique. Il n'est pas étonnant dès lors de voir, à partir de 1890, le nationalisme le plus virulent se développer dans les pays où s'affirment les plus éclatantes réussites matérielles : Allemagne et États-Unis.

• Le fait nouveau, au cours des dernières années du XIXe siècle, *est le rôle grandissant joué par l'opinion publique,* dont des couches de plus en plus larges affirment leur intérêt pour les questions politiques et en particulier pour les problèmes internationaux. Le nationalisme, sous son aspect le plus agressif, trouve dans les classes populaires son appui le plus sûr. Cet état de l'opinion publique est lié au développement des institutions parlementaires, lesquelles pèsent sur les décisions des gouvernements même dans les États autoritaires, mais surtout à la diffusion de l'enseignement primaire – une des caractéristiques de l'époque – et à l'essor de la grande presse quotidienne. Celle-ci soucieuse d'augmenter ses tirages, est amenée à flatter les passions populaires et trouve dans le chauvinisme une des plus faciles à allumer.

Tous les gouvernements se préoccupent, dans la direction des affaires internationales, des réactions de l'opinion publique parlementaire et journalistique. C'est vrai, bien entendu pour les pays de démocratie libérale où le Parlement exerce sur les Affaires étrangères un contrôle plus ou moins rigoureux et où toute manifestation de l'opinion publique a nécessairement des incidences parlementaires. On le voit lorsque après la retraite de Crispi, en 1896, la France et l'Italie s'efforcent de normaliser leurs relations, après la brouille consécutive à l'affaire tunisienne et la guerre douanière déclenchée en 1887. Les deux gouvernements semblent disposés à aboutir à un accord politique et économique, à une rapide liquidation du contentieux franco-italien, mais ils se gardent de brusquer les choses, par crainte d'une réaction défavorable de l'opinion publique dans les deux pays, « montée » depuis dix ans contre la soeur latine.

Mais cette préoccupation n'est pas non plus étrangère aux gouvernements autoritaires d'Europe centrale et orientale. Le prince de Bülow témoigne, au cours de ses dix années passées à la Chancellerie du Reich, d'une grande attention à l'égard de l'opinion publique et en particulier des écrits de presse. Il évoque fréquemment dans ses Mémoires les efforts qu'il a parfois dû fournir auprès des journalistes pour atténuer certaines déclarations retentissantes de son impérial souverain, déclarations susceptibles de provoquer des réactions défavorables du Parlement ou au contraire de déchaîner une vague inopportune d'agressivité chauvine.

Le fait « national », porté et amplifié par une opinion publique dont le rôle ne cesse de croître à la fin du XIXe siècle, pèse donc de plus en plus lourdement semble-t-il sur les relations internationales, renforçant les rivalités politiques et économiques.

4 La liquidation de la Politique Bismarckienne

En juin 1888, Guillaume II, un jeune homme de 27 ans, devient empereur d'Allemagne. Désireux d'assumer seul les responsabilités du pouvoir et en désaccord sur la plupart des points avec la politique du vieux chancelier, il ne tarde pas à entrer en conflit avec lui et en mars 1890 Bismarck doit quitter le pouvoir.

L'empereur inaugure aussitôt une nouvelle politique étrangère, abandonnant le système patiemment mis en place par Bismarck et tout entier fondé sur l'hégémonie européenne de l'Allemagne. Celle-ci doit avoir désormais une politique mondiale – *Weltpolitik* – et de fait le jeune empereur lance son pays dans des entreprises coloniales et maritimes d'envergure. Mais l'Allemagne arrive tard dans la compétition impérialiste et ses interventions, souvent maladroites, ne peuvent qu'aggraver la tension internationale. Le « partage du monde » étant fort avancé, les avantages obtenus par le Reich sont hors de proportion avec les risques encourus. En même temps, l'abandon du « système bismarckien » permet à la France de rompre enfin l'isolement dans lequel la politique du chancelier de fer l'avait maintenue pendant vingt ans. La Russie, dédaignée par Guillaume II a tôt fait de se rapprocher de la République avec laquelle elle passe d'importants accords en 1891-1892. La Grande-Bretagne de son côté, fidèle jusqu'alors à la politique du « splendide isolement », s'inquiète des progrès spectaculaires du Reich dans le domaine des armements navals et signe en avril 1904 avec la France le traité d'Entente cordiale. L'Italie elle-même, sans rompre ses engagements à l'égard de la Triple-Alliance, amorce à partir de 1896 un rapprochement avec la France. En 1902 elle promet secrètement de conserver sa neutralité en cas de conflit franco-allemand. C'est bien la ruine de la politique bismarckienne visant à l'isolement diplomatique de la France et à partir de 1905 c'est Guillaume II qui se plaint d'être « encerclé » par les puissances de la Triple-Entente.

L'adoption par l'Allemagne d'une politique mondiale était sans doute inévitable. Elle correspondait au niveau de développement de l'économie allemande et répondait à un souci nouveau de conquête des marchés extérieurs. Elle donnait enfin satisfaction à l'appétit de grandeur et de prestige du peuple allemand et de son jeune souverain. Mais en rompant trop vite avec la politique du vieux chancelier, en abandonnant des positions solides sur le continent pour des avantages souvent illusoires hors d'Europe, en multipliant les maladresses vis-à-vis de l'Angleterre et de la Russie, Guillaume II n'a pas su remplacer le « système » sans doute un peu sclérosé mais encore cohérent de son « vieux Mentor ». L'isolement européen de l'Allemagne devait être la conséquence de cette politique.

LA CHUTE DE BISMARCK

« Ah! les choses ont été plus vite que je ne le croyais... J'avais d'abord pensé que l'Empereur me serait reconnaissant si je restais encore quelques années près de lui, mais je me suis aperçu, au contraire, qu'il n'avait plus qu'une idée, c'était de se débarrasser de moi pour pouvoir gouverner seul, avec son propre génie, dans sa seule gloire... Il en a assez du vieux mentor : il lui faut maintenant des agents plus dociles. Mais moi, je ne puis me résoudre à plier le genou devant lui, je ne puis me résoudre à coucher sous la table, comme un chien !... Je ne veux pas prendre à mon compte, comme couronnement de ma carrière, les bévues d'un esprit présomptueux et inexpérimenté !... »

Ainsi s'exprime Bismarck en mars 1890, au moment où il va remettre sa démission à l'empereur Guillaume. Comment le « chancelier de fer », héros de l'Unité et maître quasi absolu de la politique allemande depuis plus de 30 ans, en est-il venu à cette extrémité ? En fait, un profond désaccord oppose le souverain et son chef de gouvernement. Si les caractères se heurtent, ce sont des oppositions plus profondes qui déclenchent le conflit et provoquent véritablement la chute du chancelier.

• *Sur le plan intérieur* l'empereur reproche au chancelier son échec dans la lutte entreprise contre les socialistes. Ni les mesures répressives ni la législation sociale n'ont pu endiguer les progrès de l'extrême gauche et en 1890 les socialistes ont obtenu un million et demi de voix aux élections, arrivant pour la première fois en tête des partis. D'autre part les organisations clandestines de gauche se sont maintenues et les syndicats, dissous depuis 1878, se sont reformés sous le nom de sociétés de secours mutuel. Bismarck songe alors à frapper un grand coup et prépare une sorte de coup d'État devant aboutir à une modification de la constitution. Il escompte bien que les socialistes réagiront par des émeutes, ce qui lui permettrait, pense-t-il, d'écraser définitivement leurs organisations. Mais Guillaume II n'entend pas commencer son règne par des fusillades et le chancelier doit bientôt renoncer à son aventureux projet.

• *C'est cependant dans le domaine de la politique extérieure* que s'opposent le plus radicalement les idées des deux hommes. Pour important que soit, aux yeux de Bismarck, le développement économique de l'Allemagne, le vieux chancelier poméranien demeure un « rural », un grand seigneur terrien pour qui l'essentiel de la puissance allemande continue de résider dans les provinces rurales et aristocratiques de l'Est : Prusse, Poméranie, Brandebourg, berceaux de l'unité. Le système diplomatique qu'il a créé est, au moins dans sa forme, un système « d'Ancien Régime », fondé sur le principe de l'union des souverains légitimes et de la solidarité des puissances « aristocratiques », contre la France « révolutionnaire ». Sans doute Bismarck n'est-il pas dupe de cette distinction, mais elle sert ses desseins et satisfait d'autre part ses sentiments de grands seigneur prussien.

• *Or, l'Allemagne de 1890 ne répond plus à l'idée que le chancelier se fait de son pays.* Depuis 1871, le rapide essor industriel a profondément modifié les structures économiques et sociales du Reich. Le centre de gravité de la puissance allemande a cessé d'être les provinces orientales où domine toujours l'économie rurale, pour se fixer autour de l'axe rhénan, dans les régions qui, de la Forêt-Noire à la mer du Nord, possèdent avec la plus belle voie fluviale d'Europe, les hommes, les sources d'énergie et les matières premières nécessaires à la mise en place de puissantes industries. La région rhénowestphalienne et ses débouchés portuaires du Nord, sont en train de devenir le centre vital de l'Allemagne nouvelle et les puissances industrielles et financières qui y ont prospéré tendent à peser de plus en plus fort sur les orientations de la politique allemande. Nous avons vu que Bismarck lui-même avait dû tenir comptes des vœux de la bourgeoisie d'affaires des grands ports septentrionaux, en accordant finalement son soutien aux initiatives coloniales des marchands de Brême et de Hambourg. Il n'en était pas moins demeuré hostile au principe de l'expansion outre-mer et méconnaissait en fait assez largement les besoins nouveaux de l'économie allemande. Celle-ci commence à se heurter au problème des débouchés commerciaux et les milieux d'affaires ne tardent pas à se sentir gênés dans leur action de conquête des marchés extérieurs par la politique trop étroitement « européenne » du chancellier. Aussi les partis commencent-ils à « lâcher » le chef du gouvernement et ceci, d'autant plus aisément que le nouvel empereur semble proposer au pays une solution de rechange, plus conforme aux intérêts de la bourgeoisie d'affaires. Guillaume II se déclare en effet partisan d'une politique étrangère non plus limitée à l'hégémonie continentale, mais élargie à l'ensemble de la planète, la *Weltpolitik*, qui doit donner à l'Allemagne une place parmi les grandes nations conforme à sa puissance économique et militaire.

Pour commencer, le souverain s'attaque à ce qui dans le « système » de Bismarck lui semble incompatible avec l'honneur et les « alliances de nature » contractées par l'Allemagne. Le traité de contre-assurance avec la Russie, qui est en contradiction sur certains points avec les engagements vis-à-vis de l'Autriche-Hongrie, lui apparaît comme une malhonnêteté dont il ne veut pas assumer plus longtemps la responsabilité. L'empereur se méfie d'ailleurs de l'empire des Tsars, peut-être tout simplement parce que la Russie était l'objet d'attentions particulières de la part de Bismarck qui considérait de bonnes relations avec Saint-Pétersbourg comme une des clés de son système. Sous l'influence des milieux militaires, en particulier du général von Waldersee, chef d'état-Major général, Guillaume va donc s'engager dans une politique anti-russe. « Plus de politesse avec les Russes – déclare Waldersee – qui les prennent pour des marques de peur! Les Slaves embrassent la botte qui les écrase ». Début mars, des déplacements d'infanterie et de cavalerie ayant été signalés à l'empereur, celui-ci envoie à Bismarck un billet affolé : « Les rapports font connaître de toute évidence que les Russes sont en pleine concentration stratégique pour procéder à la guerre. Vous auriez dû depuis longtemps attirer mon attention sur ce terrible danger. Il est grand temps d'avertir les Autrichiens pour des contre-mesures. »

Guillaume II, bien décidé à mettre fin à la « dictature » de son chancelier, afin d'exercer lui-même la réalité du pouvoir, a donc cessé de manifester à l'égard de Bismarck « la politesse et les égards extérieurs » qui avaient longtemps contrasté, nous dit Waldersee, avec « les reproches et les moqueries dès qu'il a tourné le dos ». Ainsi accusé, le chancelier répond d'ailleurs sur le même ton : « Nos relations avec la Russie sont si bonnes et si claires qu'elles ne justifient pas la méfiance dans les intentions du Tsar ».

Le 15 mars, l'empereur mit Bismarck en demeure de se soumettre. Outre la direction effective de la politique extérieure qu'il entendait assumer personnellement, Guillaume II voulait pouvoir communiquer directement avec les ministres prussiens sans passer par le chef du gouvernement comme le prescrivait un règlement de 1852 qu'il se propose d'abolir. Invité à capituler sur les deux plans, Bismarck ne peut évidemment s'y résoudre. Mais il tarde à envoyer la lettre de démission que l'Empereur et la coterie de cour hostile au chancelier attendent avec impatience. On craint même un moment que le « vieux », dont l'impératrice Frédérique disait qu'il avait « l'étoffe d'un Cromwell », n'engage contre la Cour une action de force. Ce n'était nullement l'intention de Bismarck dont la fidélité à la dynastie demeurait intacte. Mais, au moment de quitter le pouvoir, il avait essayé de s'y accrocher désespérément, multipliant des démarches indignes de lui. Finalement la lettre de démission arriva le 18 mars, au grand soulagement de l'empereur. Sous une forme respectueuse, le chancelier démissionnaire déclinait avec hauteur et insolence le titre de duc de Lauenburg que le souverain lui avait offert « sans doute pour lui permettre de voyager incognito ».

Ainsi s'achevait le « règne » du grand chancelier. Si à la Cour et dans certains bureaux de la Guerre et des Affaires étrangères le soulagement était grand, si l'extrême-droite et les socialistes se félicitaient de cette retraite inespérée, le petit peuple berlinois manifesta son attachement au vieux champion de l'unité et à son départ de la capitale, la foule l'acclama. Surtout, on s'interrogeait dans les chancelleries sur la portée de l'événement et l'on s'inquiétait des tendances belliqueuses du jeune empereur. Nulle part ces inquiétudes n'étaient plus vivement ressenties qu'à Saint-Pétersbourg où Bismarck était considéré comme un obstacle à l'agressivité allemande. Cet obstacle étant levé, la Russie se trouvait isolée en face des « puissances centrales ». Allait-elle dans cette situation maintenir sa réserve à l'égard des avances du gouvernement français ?

L'ALLIANCE FRANCO-RUSSE

Le renvoi de Bismarck permet à l'empereur et aux hommes du « nouveau cours » de donner une nouvelle orientation à la politique allemande vis-à-vis de la Russie. Celle-ci, privée des garanties que lui apportait le traité de Contre-Assurance, et malgré les répugnances du tsar à traiter avec la République, se rapproche alors de la France et, deux ans après le départ du chancelier allemand, signe avec elle un traité d'alliance qui rétablit en Europe un équilibre entre les puissances.

L'abandon du traité de Contre-Assurance

Au lendemain même du départ de Bismarck, le 19 mars 1890, l'ambassadeur de Russie fait savoir à Herbert de Bismarck, secrétaire d'État aux Affaires étrangères et fils du chancelier démissionnaire, que son gouvernement est disposé à prolonger pour six années le traité de Contre-Assurance, lequel expirait en juin 1890. Mais le successeur de Bismarck, le général Caprivi, est un honnête administrateur peu au courant des questions extérieures. Il se laisse diriger dans ce domaine par ses collaborateurs des Affaires étrangères parmi lesquels émerge bientôt la personnalité du baron Fritz von Holstein. Celui-ci, pourvu du titre modeste de « conseiller référendaire » des Affaires étrangères, commence en fait à exercer un rôle de premier plan, avant de devenir « l'éminence grise » de la Wilhelmstrasse. Il a été pendant de nombreuses années l'un des collaborateurs les plus fidèles de Bismarck, puis à partir de 1888 l'un de ceux qui ont secrètement préparé la chute du vieux chancelier. Il dirige aux Affaires étrangères une coterie de hauts fonctionnaires auxquels pesait la dictature de Bismarck et qui vont systématiquement soutenir, par haine du chancelier, une politique contraire à celle qu'il avait menée à l'égard de la Russie. Marshall,

Kiderlen Waechter et le sous-secrétaire d'état Berchem, partagent l'opinion du baron Holstein quand il juge que le traité de Contre-Assurance est « en contradiction directe avec l'esprit de la Triple-Alliance ». C'est l'argument qu'ils développent auprès de l'empereur et de Caprivi. Guillaume II, très soucieux de préserver l'honneur mode l'Allemagne, admet facilement que le maintien d'un engagement secret avec l'empire des Tsars « pose sous la Triple-Alliance une mine que la Russie peut allumer chaque jour » et se montre disposé à adopter à l'égard de ses alliés une politique « claire et loyale ». Il décide donc, ne pouvant comme Bismarck « jouer en même temps avec cinq boules », de ne pas renouveler le traité de Contre-Assurance. Le gouvernement russe insiste pourtant pour obtenir la reconduction de l'accord. Giers multiplie les démarches pour arracher à l'empereur d'Allemagne au moins un engagement limité : « Il n'y a même pas besoin d'un traité, déclare-t-il, un échange de notes suffirait, peut-être même un échange de lettres entre les monarques, un écrit quelconque, fût-ce dans les termes les plus généraux. Rien ne peut fléchir Guillaume II, pas même les avertissements de l'ambassadeur du Reich à Saint-Pétersbourg, Schweinitz, qui engageait le gouvernement de Berlin à ne pas « repousser la main que le Tsar tend encore une fois ». Et il ajoutait : « Si nous rejetons les importantes avances du ministre russe, lui ou son successeur se verrait forcé de chercher ailleurs l'appui qu'il ne trouverait pas auprès de nous. »

Mais Holstein démontrait en même temps à l'empereur que la Russie ne pouvait trouver cet appui ni auprès de l'Angleterre, avec laquelle elle était en litige en Asie centrale, ni du côté de la France qui n'avait pas les moyens d'aider la Russie à régler à son profit la question des Détroits. Pour la Russie, estime la Wilhelmstrasse, « l'alliance française est sans valeur » et il n'y a aucun inconvénient à rompre les engagements secrets avec Saint-Pétersbourg. En août, les dernières propositions du gouvernement russe sont écartées. La politique de Contre-Assurance a irrémédiablement vécu.

La conclusion de l'Alliance franco-russe

Les fonctionnaires de la Wilhelmstrasse avaient fait un mauvais calcul en croyant impossible une entente franco-russe. Si Pétersbourg n'a pas abandonné ses ambitions à l'égard des Détroits, il a conscience de ne rien pouvoir faire de ce côté, tant qu'il n'aura pas obtenu un appui en Europe. La Russie d'autre part commence à regarder vers l'Extrême-Orient. Elle éprouve donc le besoin de se protéger contre une action éventuelle de l'Autriche-Hongrie ou de l'Allemagne pendant qu'elle serait engagée à l'est et la France semble tout à fait à même de jouer le rôle d'alliance de revers.

Il restait à vaincre les répugnances du tsar pour le régime républicain. En fait le terrain a été préparé depuis 1887 par un rapprochement économique. Lors de l'élection de Ferdinand de Saxe-Cobourg au trône de Bulgarie, la Russie a tenté de réagir en faisant pression sur le sultan. Bismarck ayant choisi de soutenir l'Autriche-Hongrie fit alors interdire à la Reichsbank de pratiquer des avances sur les valeurs russes. Il mettait ainsi les finances du tsar en difficulté et risquait de paralyser l'effort d'équipement ferroviaire du pays. Mais il laissait en même temps à la France le moyen de rendre un précieux service à la Russie en lui proposant sa collaboration financière. De fait, des négociations s'engagèrent entre le ministre russe des Finances et de grandes banques françaises ; elles aboutirent à la signature d'un accord en novembre 1888 et au lancement d'un emprunt de 125 millions de roubles couvert par les groupes financiers français. D'autres suivirent avec l'approbation du gouvernement de la République qui comptait bien tirer un profit politique de l'opération et arguer de l'aide financière de la France pour attirer la Russie dans son camp. Mais jusqu'en 1890, le gouvernement de Pétersbourg avait fait la sourde oreille, préférant à une hypothétique alliance avec un « gouvernement bête » les garanties même limitées du traité de Contre-Assurance.

L'abandon de celui-ci par l'Allemagne détermina finalement le tsar à répondre aux avances françaises. Le gouvernement de Paris avait avec beaucoup d'à-propos fait arrêter en mai des anarchistes russes. En août, le général de Boisdeffre, sous-chef de l'État-Major français, assiste aux grandes manœuvres de l'armée russe et profite de la circonstance pour s'entretenir à plusieurs reprises avec les généraux russes. Ceux-ci admettent « le principe que les deux armées auront à agir simultanément dans le cas d'une attaque dont elle auraient toutes deux à redouter les effets » et pour la première fois il est fait allusion à la possibilité d'une convention militaire. Au début de l'année 1891 la Russie passe en France une commande d'armements et quelques semaines plus tard le tsar confère au président Carnot l'ordre de Saint-André, une des plus hautes décorations russes. En mars 1891, s'il a ainsi fait taire une partie de ses préjugés antirépublicains, le tsar ne semble pas encore disposé à la signature d'une alliance. Aussi le gouvernement français s'emploie-t-il à hâter le mouvement en agissant auprès de la banque Rothschild pour empêcher le placement d'un emprunt russe, tant qu'un accord politique ne serait pas intervenu entre les deux pays.

• Mais ce qui va emporter la décision d'Alexandre III, c'est *en mai 1891 le renouvellement anticipé et bruyant de la Triple-Alliance.* La Grande-Bretagne ayant manifesté sa satisfaction et les premières allusions du Parlement italien à l'accord méditerranéen, liant l'Angleterre à une puissance de la Triplice, étant connues du gouvernement russe, celui-ci craint de voir la Triple-Alliance se transformer en quadruplice et pense qu'il est temps de rompre son isolement. Dès lors le tsar va ostensiblement manifester son rapprochement avec la République. En juillet 1891 la flotte française de l'amiral Gervais est reçue avec enthousiasme à Cronstadt. Au cours de la soirée donnée en l'honneur des officiers français, la musique russe joue la Marseillaise, et le tsar, debout et tête nue, écoute sans sourciller l'hymne de la révolution. Quelques jours avant l'arrivée de l'escadre française le ministre russe Giers avait invité l'ambassadeur de France Laboulaye à préparer avec lui la négociation d'une entente. Quand les navires français quittent les eaux russes rien n'est encore signé entre les deux pays mais l'alliance de fait est universellement admise.

Pourtant l'alliance franco-russe devait mettre plus de deux ans à se faire. Le 27 août 1891 un premier accord politique était conclu. Ce n'était pas une alliance mais un simple accord de principe, très vague dans ses termes et dans son esprit. La Russie aurait voulu un accord général, prévoyant l'éventualité d'un conflit anglo-russe en Asie centrale, mais elle s'était refusée à signer une convention qui aurait pu encourager les visées de revanche de la France en Alsace-Lorraine. On s'était mis d'accord finalement sur une convention de politique générale : les deux pays proclamaient leur amitié et promettaient de se consulter dans le cas où l'un des deux se sentirait menacé. Ce n'était donc pas une alliance défensive. L'accord était secret mais dès septembre 1891 le président du Conseil Freycinet et le ministre des Affaires étrangères Ribot parlèrent d'une « situation nouvelle » très favorablement accueillie par l'opinion publique.

• *L'accord de 1891* ne donnait donc pas à la France l'assurance formelle d'un appui armé. Tel qu'il était, il représentait cependant pour la République la fin de l'isolement diplomatique. « L'arbre est planté » déclara le ministre Ribot et il s'employa aussitôt à compléter l'accord politique par une convention militaire comportant des engagements plus précis. Le tsar et Giers demeuraient réticents : en décembre 1891, le ministre russe écrivait à Alexandre III : « Il me semble tout à fait indésirable de nous lier prématurément par des engagements positifs quelconques en matière militaire et d'entraver ainsi notre, liberté d'action ». Sans doute la diplomatie russe n'a-t-elle pas perdu tout espoir de renouer avec l'Allemagne. Il fallut attendre l'entrevue de Kiel entre Alexandre et Guillaume II, pour que le Tsar se rendît enfin compte que tout rapprochement avec l'Allemagne était devenu impossible. Il fallut d'autre part que la France manifestât son impatience et fit sentir au gouvernement de Saint-Pétersbourg les dangers d'une trop longue attente. C'est un article paru en juillet 1892 dans *Le Figaro* et intitulé *Alliance* ou *Flirt* qui détermina quelques jours plus tard le tsar à ouvrir la négociation.

Paris dépêcha aussitôt en Russie le général de Boisdeffre, officiellement invité aux grandes manoeuvres russes, en fait chargé de négocier avec le général Obroutchev une convention militaire. Mais les difficultés ne manquèrent pas. La France voulait en effet qu'en cas de guerre contre la Triplice, l'Allemagne fût considérée comme l'adversaire principal et que l'armée russe portât contre elle l'essentiel de ses efforts. Elle ne désirait pas d'autre part que l'alliance pût jouer automatiquement en cas de mobilisation de la seule Autriche-Hongrie. La Russie avait un point de vue diamétralement opposé, la double monarchie constituant pour elle l'adversaire principal. Le général de Boisdeffre comprit que pour emporter l'accord, il fallait donner à la Russie au moins une satisfaction partielle et le gouvernement français se résigna à céder. Le 18 août 1892 la convention militaire franco-russe était signée. Elle stipulait que :

— si la France était attaquée par l'Allemagne ou l'Italie soutenue par l'Allemagne, la Russie l'aiderait en mettant en ligne 800 000 hommes contre l'Allemagne ;

— si la Russie était attaquée par l'Allemagne, ou l'Autriche-Hongrie soutenue par l'Allemagne, l'aide française serait automatique et mettrait en jeu des effectifs de 1 300 000 hommes ;

— la mobilisation, même partielle, d'une des forces de la Triplice, entraînerait nécessairement la mobilisation générale en France et en Russie.

Il était entendu que les deux alliés ne feraient pas de paix séparée, que l'alliance aurait la même durée que la Triplice et que la convention demeurerait absolument secrète. Ainsi établi, l'accord fut signé par le général de Boisdeffre pour la France et par le général Obroutchev pour la Russie. Il fallait donc encore obtenir, pour qu'il fût valable les ratifications des deux gouvernements.

La ratification

Il fallut dix-huit mois pour que les deux gouvernements, français et russe, ratifient la convention d'août 1892.

À Paris on critiquait le caractère secret du traité, jugé pour cette raison « anticonstitutionnel ». On s'inquiétait d'autre part de la clause qui imposait à la France de procéder à la mobilisation générale en cas de mobilisation partielle de la part de l'Autriche-Hongrie ; on craignait d'être entraîné dans une guerre européenne pour une simple affaire balkanique.

En Russie, le gouvernement était beaucoup plus hésitant. Le scandale de Panama, qui battait alors son plein, indisposa gravement le tsar à l'égard de la République et retarda la ratification. En janvier 1893, le tsarévitch, le futur

Nicolas II, se rendit à Berlin et parla de la nécessité d'une « coalition contre la France ». En avril, ce fut Giers qui, regrettant « que l'Allemagne eût poussé la Russie dans les bras de la France », renouvela ses avances auprès du gouvernement du Reich. Mais Caprivi et Holstein ne se laissèrent pas fléchir et repoussèrent même des négociations commerciales. Finalement, la décision russe fut entraînée par les besoins d'argent du gouvernement de Saint-Pétersbourg et par l'attitude maladroite des dirigeants allemands. Ceux-ci engagent en effet une « guerre des tarifs » contre les marchandises en provenance de la Russie et font en même temps voter de nouveaux crédits militaires destinés à préparer une guerre « sur deux fronts ». C'est plus qu'il n'en faut pour décider le tsar à ratifier la convention de 1892. En octobre 1893 il envoie à Toulon une escadre qui reçoit un accueil triomphal. Des marins russes venus jusqu'à Paris sont l'objet d'un véritable triomphe de la part de la foule qui, malgré le secret de la convention, en pressent l'existence. Dans ses *Souvenirs parisiens,* F. Bac écrit : « Un spectacle inouï, les fiançailles de la République avec le despote du Nord. »

« La ville entière frémissait d'une joie dont seule les témoins oculaires pouvaient mesurer la qualité. Elle venait d'un sentiment nouveau de sécurité, après une longue période d'isolement... Lorsque le landau de l'amiral parut, nous vîmes des centaines de femmes rompre le cordon des troupes. Prenant d'assaut les Russes « comme à Sébastopol », elles sautèrent sur les marchepieds... Ce fut une ruée vers ces hommes, étouffés sous les baisers patriotiques, étourdis par la violence des cris, de cette houle qui semblait monter le long des maisons. »

Enfin le 27 décembre 1893, Alexandre III décide de ratifier la convention et le 4 janvier 1894 le gouvernement français fait de même. L'alliance franco-russe se trouve scellée et avec elle prend fin le système mis en place plus de vingt ans auparavant par Bismarck. Quels que soient pour la France les inconvénients de la convention militaire – celle-ci risque notamment d'entraîner la République dans un conflit pour les Balkans où ses intérêts sont nuls – l'accord a pour effet de rompre l'isolement de Paris et de rétablir l'équilibre européen, en mettant fin à l'hégémonie que le système bismarckien avait assuré à l'Allemagne. C'est le premier grand succès diplomatique de la IIIe République. En réalisant quelques années plus tard un rapprochement avec l'Italie, en obtenant notamment de celle-ci une promesse de neutralité en cas de guerre franco-allemande, la diplomatie française allait en obtenir un second.

LE RAPPROCHEMENT FRANCO-ITALIEN

En mars 1896 Francesco Crispi quitte le pouvoir à la suite du désastre essuyé par l'armée italienne à Adoua, lequel met un terme aux ambitions éthiopiennes de l'Italie. Crispi « régnait » depuis 1887. Cet ancien garibaldien, ce Sicilien au patriotisme ardent, n'était pas – ce dont l'accusèrent longtemps les journaux français – l'instigateur de la Triplice. Celle-ci avait été cinq ans plus tôt l'œuvre du gouvernement Depretis. Mais l'outil étant forgé, Crispi entendait en tirer le maximum, non par haine de la France, « ce sympathique sourire de la civilisation moderne » comme il disait, mais parce que la Triple-Alliance en rompant la solitude diplomatique de l'Italie et en garantissant les principales conquêtes de l'*Unité*, assurait à son pays, à défaut de finances et d'armée solides, les moyens d'une « grande » politique extérieure.

« Tout ce qui a été fait – déclarait-il au Parlement – au sujet de la position internationale de l'Italie, était nécessaire, moins pour sa grandeur que pour son existence. »... Et il ajoutait : « Nous savions quel sort nous étaient réservé si nous eussions agi autrement. »

Langage de circonstances. Il y a longtemps qu'en Italie on ne se sert plus de la « question romaine » qu'en manière d'épouvantail destiné à mobiliser contre la France le nationalisme des foules. Dans la France de Jules Ferry et de Waldeck-Rousseau, personne ne songe sérieusement – et les hommes d'État italiens le savent parfaitement – à menacer l'Unité de l'Italie pour rendre au Pape sa puissance temporelle. Mais le peuple italien sans son ensemble est dans une ignorance complète des intentions véritables de la République. Il est aisé, en utilisant la presse et la tribune du Parlement, en réveillant les rancunes de Mentana et en grossissant les moindres incidents, de convaincre la population de la péninsule qu'il existe une menace française, que cette menace est dirigée contre l'unité nationale et que seule une puissante alliance continentale saurait préserver l'Italie de l'agression et du démembrement.

Dans quel but ? Parce qu'il existe, de fait, une rivalité franco-italienne, non perceptible aux masses mais sensible à l'équipe dirigée par Crispi. Cette rivalité est africaine et méditerranéenne. En se défendant, dans le discours cité plus haut, de vouloir pratiquer une politique de « grandeur », le président du Conseil italien dévoile involontairement ses véritables objectifs. La Triple-Alliance est née, ne l'oublions pas, de l'humiliation subie par l'Italie en Tunisie. Elle se nourrit encore, cinq et dix ans plus tard, de la concurrence des deux puissances en Méditerranée et elle s'affaiblira en même temps que s'estomperont les rivalités coloniales. Or, Crispi est l'homme qui a fondé toute sa politique sur le prestige extérieur et sur l'expansion impérialiste, c'est-à-dire sur des bases que le jeune royaume n'a pas les moyens d'entretenir. Les succès escomptés doivent permettre un relâchement de la tension intérieure en donnant au peuple des satisfactions d'amour-propre. Mais pour mener cette politique, il faut avoir l'appui des masses et comment obtenir celui-ci sinon en mobilisant l'opinion au nom de l'unité menacée?

• *Le résultat ?* Quinze années de brouille et d'incompréhension réciproque, une alliance « contre nature », une « guerre douanière » déclenchée en 1887 par le ministre italien Ellena et qui affecta profondément l'économie de la péninsule. Crispi sans doute a une large part de responsabilités dans cette dégradation des relations franco-italiennes, non, répétons-le, par haine de la France, mais par réalisme politique. (voir encadré p. suivante)

Mais le gouvernement français de son côté a-t-il fait les efforts nécessaires pour retenir la soeur latine et déjouer les projets machiavéliques de Bismarck ?

Crispi parti, l'Italie semble renoncer aux mirages d'une grandeur peu compatible avec les moyens modestes du pays. La catastrophe éthiopienne va la détourner pour longtemps des entreprises coloniales. Les effets désastreux de la guerre commerciale avec la France engagent les milieux d'affaires de la péninsule à souhaiter un rapprochement économique entre les deux pays et à faire pression en ce sens sur le gouvernement. Surtout les milieux du négoce, soutenus par les agriculteurs du Midi, les industriels du Nord et particulièrement les métallurgistes lombards étaient plus réticents. Enfin l'état lamentable des finances italiennes contraint le gouvernement du Royaume à se tourner vers Paris pour y contracter les emprunts dont il a besoin.

• *A partir de 1896 l'Italie amorce donc un rapprochement avec la France.* Cette amélioration des relations franco-italiennes est favorisée par l'action personnelle de quelques hommes. Du côté italien le marquis Visconti-Venosta, éloigné depuis vingt ans de la vie politique et qui revient en juillet 1896 à la direction des Affaires étrangères. Le choix de ce grand seigneur milanais dont l'autorité

LA « BROUILLE » FRANCO-ITALIENNE

« ... L'Italie est allée à L'Allemagne et rien ne l'a retenue. Rien ne pouvait la retenir puisque le gouvernement français lui-même s'était laissé prendre au piège allemand, puisque après l'antagonisme créé dans la Méditerranée par l'occupation de la Tunisie, il ne fit rien pour donner à l'Italie les assurances qui auraient pu en paralyser les mauvais effets et calmer l'opinion française irritée de la propre irritation des Italiens. Les manifestations de l'esprit français sont souvent irréfléchies et peu mesurées, surtout lorsqu'il s'agit des choses du dehors. Ce n'est pas en lui reprochant son ingratitude sur un ton de colère que la France pouvait rattacher à elle le peuple italien.
« Crispi n'aurait jamais été populaire comme il l'a été sans l'hostilité personnelle qui lui fut témoignée par la presse française. Ne vit-on pas des publicistes obstinés dans leurs rancunes se laisser aller à glorifier l'Autriche pour mieux accabler l'Italie? Et que de railleries la passion politique peut-elle à ce point obscurcir les intérêts qu'elle a la prétention de servir! Ah! on touchait juste en France où l'esprit tue le bon sens.
Piquer les Italiens dans leur amour-propre, c'était les piquer à l'endroit le plus sensible. Jeune, le peuple italien était ombrageux comme on l'est quand on n'est pas formé à l'école de la liberté et qu'on se sent libre tout à coup. »

Source : H. Charriaut et Amici-Grossi, *L'Italie en guerre*, Paris, 1916.

est incontestée et qui passe à l'égard de l'Allemagne pour « froid jusqu'au fond du cœur », à la tête de la *Consulta*, est à lui seul un programme de la part du nouveau gouvernement italien. Sans doute Visconti-Venosta est-il décidé à ne pas abandonner la proie pour l'ombre et à maintenir, aussi longtemps que l'exigeront les intérêts de l'Italie, les engagements de la Triple-Alliance. Mais ces engagements, il ne leur accorde qu'une valeur défensive, non incompatible avec de meilleurs rapports franco-italiens. Ses efforts en vue d'un rapprochement entre les deux *sœurs latines* sont secondés par le représentant de l'Italie à Paris, le comte Tornielli, un ami de la France, un homme de culture français et qui correspond fréquemment en français avec son propre ministre des Affaires étrangères. Enfin, la cause du rapprochement est plaidée à Rome par un autre membre du gouvernement, l'habile ministre des Finances Luzzatti, économiste de renom, porte-parole de nombreux milieux d'affaires et connu pour ses sentiments francophiles. Après 1902, le nouveau roi, Victor-Emmanuel III et le président du Conseil Zanardelli manifesteront à leur tour leur volonté de se rapprocher de la France pour acquérir une plus grande indépendance vis-à-vis des puissances centrales. Enfin le réveil de l'agitation irrédentiste, en particulier dans le Trentin, est un fait avec lequel le gouvernement de Rome devra compter de plus en plus.

• *En France,* les deux grands ministres des Affaires étrangères de la période, Hanotaux et Delcassé, semblent moins pressés de voir aboutir les pourparlers franco-italiens. Non par animosité à l'égard de l'Italie mais parce que leur attention est alors retenue par des questions importantes, en particulier par l'évolution des rapports avec la Grande-Bretagne. Le gouvernement de Rome étant d'autre part demandeur, ils ne jugent pas inutile de le faire attendre un peu. Ils sont cependant poussés à répondre favorablement aux avances italiennes par certains milieux d'affaires, non certes par les viticulteurs du Midi ou par les soyeux de Lyon peu pressés de voir se rétablir des relations-commerciales susceptibles de les concurrencer, mais par les exportateurs de produits industriels, soucieux de regagner les positions prises par l'Allemagne sur le marché italien. L'enquête lancée en 1895 par la Chambre de commerce française de Milan, auprès des chambres de commerce de la métropole, est de ce point de vue tout à fait significative. C'est de l'ambassadeur de France à Rome, Camille Barrère, nommé en 1898 en remplacement du médiocre Billot, et qui avait fait sienne la cause du rapprochement franco-italien, que viennent les initiatives essentielles. La personnalité de l'ambassadeur français, son influence dans les milieux politiques romains, les relations d'amitié qui le lient avec le ministre Delcassé, vont permettre à Barrère de faire aboutir en quelques années la difficile négociation.

De part et d'autre des Alpes, les hommes d'État se montrent en effet soucieux de ne pas brusquer les choses. Quinze ans de malentendus et de méfiance réciproques, savamment entretenus par la presse, ont alimenté les préventions mutuelles. Au lendemain de la chute de Crispi, les opinions publiques française et italienne ne sont pas convaincues de l'utilité du rapprochement et le premier soin des gouvernements est de préparer le terrain en s'efforçant de faire disparaître toutes les causes de tension.

La brouille franco-italienne était née de la question tunisienne. C'est par le règlement du contentieux tunisien que les deux gouvernements inaugurent la nouvelle orientation de leurs rapports. Dès septembre 1896, une convention est signée à propos de la Tunisie, pour remplacer le traité italo-tunisien de 1868 qui arrive à expiration. L'Italie reconnaît le protectorat français sur la « Régence » ; elle reçoit en échange des avantages économiques, la reconnaissance d'un statut privilégié pour ses « nationaux » et en particulier le droit pour ceux-ci de conserver leurs écoles élémentaires.

En novembre 1898, à la suite de négociations rendues difficiles par le désir du gouvernement français d'associer les questions commerciales et politiques, dans le but de détacher l'Italie de la Triple-Alliance, un accord commercial est signé qui met fin à la guerre des tarifs entre les deux pays. La liquidation du contentieux économique et colonial permet ainsi, dès la fin de 1898, de préparer les esprits, de part et d'autre des Alpes, à l'idée d'un rapprochement plus intime entre les deux nations latines.

C'est le moment où Camille Barrère arrive à Rome, tandis que Delcassé prend en France la responsabilité des Affaires étrangères. Barrère s'emploie tout d'abord à régler d'anciennes contestations sur le littoral de la mer Rouge, puis à rassurer le gouvernement italien qui craint depuis longtemps – et Berlin fait tout ce qu'il peut pour accréditer les soupçons italiens – une action de la France contre la Tripolitaine. En décembre 1900, un accord secret donne au gouvernement italien l'assurance que la France ne s'opposera à aucun moment à la réalisation des visées italiennes sur la Tripolitaine. L'Italie donne de son côté « carte blanche » au gouvernement français à propos du Maroc. Ce partage des zones d'influence en Méditerranée occidentale lève tout obstacle au rapprochement des deux soeurs latines, rapprochement qui commence à susciter des inquiétudes dans le camp des puissances centrales.

Lorsqu'en avril 1901 une escadre italienne vient saluer à Toulon le président de la République française, l'orientation nouvelle des relations entre les deux pays devient manifeste. Vienne s'inquiète du réveil irrédentiste que ne saurait manquer de provoquer la réconciliation franco-italienne. A Berlin, derrière une indifférence de façade, on cache mal l'ampleur de la déception. Si le chancelier von Bülow déclare au Reichstag que « dans une union heureuse, le mari ne doit pas se mettre la tête à l'envers si sa femme fait un innocent tour de valse avec

LE RAPPROCHEMENT FRANCO-ITALIEN PRÉSENTÉ AUX DÉPUTÉS PAR LE MINISTRE DES AFFAIRES ÉTRANGÈRES THÉOPHILE DELCASSÉ

(Le 3 juillet 1902, après l'échange de lettres entre les gouvernements français et italien, Delcassé répond à une interpellation du député Chastenet, dans des termes qui ont été auparavant acceptés par son homologue italien, Prinetti)

« Notre politique étrangère qui a pour objet principal, ainsi que le rappelait récemment la déclaration ministérielle, la protection des intérêts supérieurs et permanents de la France, et pour base solide une alliance où la Russie, de son côté, trouve une égale sauvegarde de ses intérêts supérieurs et permanents, notre politique étrangère n'a pas cessé de tendre à l'amélioration de nos relations internationales et notamment de nos rapports avec l'Italie.
« C'est pour cela que nous avons mis fin, il y a quatre ans, à une longue guerre de tarifs, préparant ainsi par un rapprochement commercial, dont devaient bénéficier et dont ont bénéficié également la France et l'Italie, l'opinion publique des deux côtés des Alpes aux explications politiques dont les deux gouvernements en étaient arrivés à reconnaître l'opportunité.
« J'ai déjà eu l'occasion de dire à la Chambre et au Sénat que de ces explications s'était dégagée la constatation que nulle part les intérêts essentiels des deux pays ne sont en opposition nécessaire, et que la Méditerranée, qui les avait éloignés l'un de l'autre, devait les rapprocher et les maintenir unis (*Très bien! Très bien!*).
« Il va de soi qu'un si heureux accord ne peut être sans influence sur la politique générale de la France et de l'Italie. Chacune d'elles, bien entendu, la détermine dans la plénitude de son indépendance : nul ne saurait avoir la prétention de connaître les intérêts de l'Italie mieux que l'Italie elle-même, et moins encore lui tracer la ligne de conduite que ses intérêts, qui sont complexes comme ceux de toute grande puissance, peuvent paraître lui commander (*Très bien! Très bien!*).
« Mais nul non plus ne sera surpris d'apprendre que, lorsque fut annoncé à la tribune de plusieurs parlements le renouvellement de la Triple- Alliance, nous nous sommes préoccupés de la mesure dans laquelle cet acte diplomatique pouvait s'accorder avec les rapports d'intérêts et d'amitié si opportunément renoués entre la France et l'Italie.
« Notre préoccupation était naturelle ; je me hâte d'ajouter qu'elle n'a pas été de longue durée, le gouvernement du Roi ayant pris soin lui-même d'éclaircir et de préciser la situation (*Très bien! Très bien!*).
« Et les déclarations qui nous ont été ainsi faites nous ont permis d'acquérir la certitude que la politique de l'Italie, par suite de ses alliances, n'est dirigée ni directement, ni indirectement contre la France ; qu'elle ne saurait, en aucun cas, comporter une menace pour nous, pas plus sous une forme diplomatique que par des protocoles ou des stipulations militaires internationales ; et qu'en aucun cas, ni sous aucune forme, l'Italie ne peut devenir l'instrument, ni l'auxiliaire d'une agression contre notre pays (*applaudissements*). »

Source : J.O. Débats parlementaires, Chambre, séance du 3-7-1902.

un autre », le chef de l'État-Major allemand, von Schlieffen, est beaucoup moins optimiste : « L'Allemagne – déclare-t-il – aura toute l'armée française sur le dos, sans qu'une partie de cette armée soit retenue sur la frontière des Alpes. »

L'aboutissement de la politique de rapprochement menée par les deux gouvernements est, en juin 1902, l'établissement d'un accord secret liant la France et l'Italie. Pour que celui-ci ne puisse apparaître comme un contre-traité annulant les engagements contractés dans le cadre de la Triplice, les deux ministres des Affaires étrangères se sont mis d'accord pour lui donner la forme d'un échange de lettres. Il est stipulé que l'Italie gardera une stricte neutralité en cas de guerre franco-allemande, non seulement si l'Allemagne est l'agresseur, mais dans le cas où la France, par suite d'une provocation indirecte, prendrait l'initiative de la guerre. Si l'accord demeure secret, l'existence de liens nouveaux rapprochant l'Italie de la France n'est ignorée de personne, surtout après que le roi d'Italie a en octobre 1903 effectué une visite à Paris, rendue en avril 1904 par le président Loubet, au milieu de l'enthousiasme général.

L'Italie ne songe pourtant pas à pousser plus avant la politique de rapprochement et à rompre avec la Triple-Alliance. Elle a même la suprême habileté de profiter de sa position d'intermédiaire entre les deux camps pour tirer de chacun des avantages hors de proportion avec la médiocrité de ses moyens économiques et militaires. Le 28 juin 1902, deux jours avant de se lier à la France par une promesse de neutralité, elle accepte le renouvellement de la Triplice, sans parvenir d'ailleurs à obtenir de ses alliés un allègement de ses obligations lui permettant de concilier les deux accords. Ni l'Autriche-Hongrie cependant, où recommencent les troubles provoqués par l'irrédentisme ni l'Allemagne n'ont plus grande confiance dans leur alliée latine.

« Combien de temps encore – déclare Bülow – va-t-on pouvoir considérer la Triple-Alliance comme quelque chose d'existant en fait, si les sentiments amicaux du gouvernement italien à l'égard de la Triple-Alliance consistent surtout à protéger l'ambassade et les consulats l'Autriche contre les manifestations de rues ? »

Les hommes d'État français ne s'y trompent pas non plus et quelques jours après le renouvellement de la Triple-Alliance, Delcassé peut, avec l'accord du gouvernement de Rome assurer ses collègues de la Chambre des intentions pacifiques de l'Italie.

En somme si la Triplice demeure en 1902 intacte dans sa forme, elle semble déjà condamnée à terme dans les faits. Tandis que se rallume en Italie l'hostilité pour l'Autriche, « ennemie héréditaire », « l'innocent tour de valse » avec la France, dont souriait le chancelier de Bülow, risque bien un jour d'entraîner un divorce.

5 *Le heurt des impérialismes européens et la montée des jeunes puissances.*

De 1890 à 1907 la rivalité entre les grandes puissances se développe davantage sur le plan mondial que sur le plan strictement européen. Les affaires continentales : Balkans, Alsace-Lorraine, etc. se posent de façon moins pressante, sans disparaître pour autant d'ailleurs des préoccupations des peuples. Elles reprendront après 1907 le pas sur les rivalités « impériales » mais jusqu'à cette date c'est hors d'Europe que s'exercent les concurrences économiques et les luttes d'influence les plus vives.

Partout où l'on se dispute ainsi des positions économiques ou stratégiques, se trouvent les grandes puissances européennes : Grande-Bretagne, France, Russie et surtout Allemagne qui, après avoir trop longtemps ignoré la « politique mondiale » se veut maintenant omniprésente. Peu à peu cependant, deux pays dont le rôle international avait été jusque-là assez effacé, les États-Unis et le Japon, font leur apparition sur la scène politique mondiale et affirment à leur tour une nette volonté d'expansion impérialiste. Ces deux puissances nouvelles, dont les progrès particulièrement rapides commencent à inquiéter les Européens, vont même dès les toutes dernières années du siècle, entrer en rivalité avec eux. L'Espagne contre les États-Unis et la Russie devant l'Empire nippon connaissent l'humiliation de la défaite. Cette montée des concurrents de l'Europe n'est pas le moindre événement de cette période où s'achève *le partage du monde.*

LE CHOC DES IMPÉRIALISMES EUROPÉENS

Tandis que l'Empire ottoman, « l'homme malade », continue de se décomposer lentement, sans d'ailleurs éveiller parmi les grandes puissances des réactions aussi vives que par le passé, celles-ci se livrent en Afrique et en Extrême-Orient à des luttes d'influence de plus en plus sévères.

La question d'orient

Depuis 1876 le pouvoir est exercé dans l'Empire ottoman par le sultan Abdülhamid, lequel est peu disposé à adopter les réformes que le congrès de Berlin avait exigé de la *Porte.* Sa seule préoccupation est de faire durer l'Empire aussi longtemps que possible. Lorsque les puissances menacent, il accepte de prendre des mesures destinées à corriger les abus, mais les décrets promulgués par son gouvernement ne sont jamais appliqués. Très attaché à la foi musulmane, Abdülhamid rêve d'autre part d'une vaste entente religieuse entre tous les peuples soumis à la parole du Prophète, entente qui pourrait déboucher un jour sur un rassemblement politique des musulmans, un véritable *panislamisme.* Cet appel à l'unité de l'Islam au moment où celui-ci se trouve menacé par les ambitions européennes ne manque pas de déclencher dans l'Empire ottoman un réveil du fanatisme religieux. Pour échapper à celui-ci, les populations chrétiennes d'Arménie, de Crète et de Macédoine se soulèvent contre la domination turque. Mais ces révoltes, et les massacres qu'elles entraînent parmi les populations chrétiennes, ne suscitent pas en Europe les mêmes élans que par le passé.

• *Les Arméniens* occupent, au Nord-Est de l'Empire ottoman, un petit territoire en proie aux incursions incessantes des pillards kurdes. Beaucoup ont émigré, notamment en Angleterre, où ils constituent pour les grandes firmes de Manchester, d'excellents voyageurs de commerce pour la vente des cotonnades anglaises en Asie centrale. En 1890, ils ont fondé avec l'appui de Gladstone une association anglo-arménienne qui, en relation avec des comités établis dans les principales villes européennes, réclame pour les frères restés sous le joug ottoman d'importantes réformes. Sur place, un mouvement national s'est constitué peu à peu, mais il n'intéresse qu'une élite peu nombreuse et laisse les masses totalement indifférentes. Les Arméniens d'Europe, pressant le sultan d'adopter une politique moins intransigeante, Abdülhamid déclare « qu'il mourrait plutôt que d'introduire des réformes dans le sens de l'autonomie ». Et comme des agitateurs commencent à vouloir soulever le peuple arménien contre sa domination, il se persuade que le meilleur moyen de régler la question arménienne est de se débarrasser de ces sujets récalcitrants. À partir de janvier 1893, et tandis qu'il promet à Gladstone de leur accorder des réformes, le sultan entreprend de massacrer les Arméniens. Trois massacres ont lieu, en août 1894, septembre 1895 et août 1896 ; ils s'étendent à tout l'Empire ottoman, jusque dans les rues de Constantinople où la police laisse faire sans intervenir. On évalue à 250 000 le nombre de victimes arméniennes. Les classes populaires, souvent ruinées par les qualités commerciales des Arméniens, se montrent les plus acharnées. Comme vingt ans plus tôt, au moment des atrocités bulgares, l'Europe est soulevée d'horreur devant ce véritable génocide.

• *En Crète,* le sultan avait, après le congrès de Berlin, étendu les attributions de l'assemblée élective et nommé un gouverneur chrétien. Mais devant l'échec de cet essai de gouvernement parlementaire – une grande partie de la population réclamait son rattachement à la Grèce –, Abdülhamid décide à partir de 1889 de revenir sur les avantages consentis, de restaurer le pouvoir absolu du gouverneur et finalement, en mars 1896, de redonner à l'île un gouverneur musulman. Les Crétois se révoltent aussitôt et les Turcs ripostent par des massacres. La Grèce avant envoyé dans l'île des armes et des munitions, le sultan rappelle un gouverneur chrétien. Mais c'est la population musulmane qui cette fois refuse de lui obéir. Les massacres recommencent et provoquent en février 1897 l'intervention du colonel Vassos qui, à la tête de 2 000 Grecs, prend possession de l'île au nom du roi Georges. Les puissances européennes réagissent par l'envoi d'une escadre et d'un corps international. Français et Italiens y collaborent dans des conditions jugées très satisfaisantes par les deux gouvernements. Ce sera l'une des premières manifestations dans les faits du rapprochement franco-italien chargés de contenir le nationalisme hellénique. Elles ne peuvent empêcher finalement la Grèce d'engager le 17 avril les hostilités contre la Turquie. Mais les Grecs ont trop présumé de leurs forces ; en huit jours l'armée turque a raison de leur résistance et envahit la péninsule hellénique. Le 5 mai ils sont en pleine déroute et doivent faire appel aux puissances dont la médiation permet d'obtenir de la Turquie un armistice signé début juin. La Grèce doit verser à l'Empire ottoman une indemnité de guerre de 100 millions de francs, consentir une rectification de frontières en Thessalie et abandonner toute prétention sur la Crète. Celle-ci n'est cependant pas remise, en dépit de la victoire turque, sous l'autorité du sultan. Elle reçoit, grâce à l'intervention anglaise, soutenue par l'Italie, un statut d'autonomie et c'est le second fils du roi Georges de Grèce qui est nommé, au nom des puissances européennes, haut-commissaire en Crète.

• *Après les Arméniens et les Crétois, c'est au tour des Macédoniens* de se révolter contre la pesante autorité de la *Porte* ottomane. Le congrès de Berlin, en retirant l'administration de la province macédonienne à la Grande-Bulgarie et en la confiant de nouveau à l'Empire ottoman, avait exigé du sultan qu'il promulgât rapidement des réformes. La Macédoine aurait dû notamment recevoir un régime autonome, semblable à celui de la Crète. Or le gouvernement turc ne tient aucune de ses promesses et impose au pays un régime rigoureux. Isolée, sans routes, dépeuplée par la malaria et administrée de façon lamentable par des fonctionnaires avides et tout-puissants, la Macédoine souffre à l'état endémique du brigandage et des violences. Elle est d'autre part un objet de convoitise pour les petits États voisins. Les Bulgares en particulier entretiennent l'agitation contre les Turcs et fondent en 1893 l'Organisation révolutionnaire intérieure macédonienne (ORIM), laquelle entreprend bientôt un soulèvement contre les Turcs. En 1896 le sultan répond par des massacres et des atrocités dénoncés dans toute l'Europe par la presse libérale, mais sans parvenir à provoquer l'intervention des puissances. Il faut attendre 1903 pour que, par l'accord de Mürzteg, l'Autriche et la Russie imposent au sultan un modeste programme de réformes.

De 1893 à 1898, l'Empire ottoman a donc subi, en trois points de son territoire, les assauts des nationalités. Comment « l'homme malade » a-t-il pu résister à cette nouvelle crise et maintenir l'intégrité de ses possessions ? Ce sont les oppositions d'intérêt et les méfiances entre grandes puissances qui ont sauvé l'Empire ottoman. Mettant habilement à profit les rivalités internationales, pratiquant un adroit jeu de bascule, Abdülhamid a su tirer parti de la politique suivie par les puissances et peu conforme à leur attitude traditionnelle.

• *L'attitude des puissances.* Si les massacres et les atrocités ont en effet soulevé une nouvelle fois l'indignation de l'Europe, les gouvernements ont généralement manifesté beaucoup de circonspection au cours de la crise. Seule la Grande-Bretagne, rompant avec une longue tradition, a systématiquement soutenu les peuples révoltés et usé de tout son prestige pour leur faire accorder quelques réformes. Fait tout à fait nouveau, Salisbury, jugeant l'Empire turc trop « pourri » pour se réformer et même pour pouvoir se survivre bien longtemps, envisage de retirer à la Turquie son « bras protecteur » et admet le principe du partage de l'Empire ottoman.

Autre fait paradoxal, c'est la Russie dont le rêve avait toujours été de dépecer l'Empire ottoman, qui pour faire pièce aux projets britanniques se déclare favorable au maintien du *statu quo*. Au moment de la crise arménienne, le ministre russe des Affaires étrangères, le prince Lobanov, a provoqué une vive surprise à Londres en annonçant qu'il « ne comprenait pas quel motif pouvait avoir Lord Salisbury pour attaquer le sultan avec tant d'acharnement ». Sans doute, pense le gouvernement russe, l'Angleterre veut-elle détourner de l'Égypte l'attention du monde et du sultan.

Surtout, on craint que les Britanniques aient jeté leur dévolu sur les Détroits : « L'Angleterre veut toutes les portes du monde, elle n'aura pas celle-là. » Mais si les Russes se font alors les champions du maintien de l'intégrité turque, c'est surtout pour avoir les mains libres en Extrême-Orient. Tout leur intérêt se porte alors dans cette partie du monde où un autre « homme malade », l'Empire chinois, a éveillé à son tour les convoitises européennes. Absorbée par ses entreprises lointaines, la Russie souhaite donc le maintien du *statu quo* dans l'Empire ottoman à seule fin de ne pas avoir à intervenir dans les Balkans.

Ce « désengagement » russe dans les Balkans est favorisé par l'attitude de l'Autriche-Hongrie. À la direction des Affaires extérieures de la Double Monarchie se trouve alors le comte Goluchowsky, lequel entend pratiquer une politique de « réserve et d'effacement », rendue nécessaire à son avis par les difficultés intérieures de l'Autriche. Soucieux de maintenir avec la Russie des relations amicales, il s'entend avec le prince Lobanov sur le principe de la non intervention. En avril 1897, les deux empereurs se rencontrent à Saint-Pétersbourg ; ils se déclarent « fermement décidés à maintenir par tous les moyens la paix générale et le *statu quo* », renoncent à « tout espoir de conquête sur la presqu'île des Balkans » et reconnaissent le caractère européen de la question des Détroits.

Avec des préoccupations diverses, la France et l'Allemagne ont manifesté dans la crise une volonté de conciliation vis-à-vis des puissances et de conservation à l'égard de l'Empire ottoman. Le ministre français des Affaires étrangères, G. Hanotaux, qui a conservé de la légation de Constantinople l'expérience des choses de l'Orient, répudie solennellement « l'esprit d'intervention, de croisade et d'aventures » et refuse de porter atteinte, même pour protéger des minorités persécutées, à l'« édifice lézardé » de l'Empire ottoman. Guillaume II est apparemment moins indifférent. Des massacres arméniens, il déclare : « Cela surpasse tout ce qui a eu lieu, et il faut comme chrétien et Européen assister tranquillement à des massacres et donner encore au sultan de bonnes paroles ! Honte pour nous tous! Mais il se félicite en réalité de voir les Anglais en difficulté et la Wilhelmstrasse se garde bien d'intervenir. Dans l'affaire crétoise, l'Allemagne désavoue la Grèce et prend le contre-pied de l'Angleterre quand celle-ci s'emploie à faire accorder à la Crète un statut d'autonomie. Attitude non désintéressée de la part du gouvernement de Berlin qui depuis la chute de Bismarck veut faire de la pénétration « entièrement pacifique » des influences allemandes en Turquie la plus éclatante manifestation de la *Weltpolitik*.

Les hommes d'affaires et les financiers allemands, attirés par les ressources minières de l'Empire turc, désireux d'autre part de conquérir un vaste marché pour leurs produits industriels pressent depuis longtemps leur gouvernement de favoriser la pénétration économique en Turquie. Après 1890, ils trouvent enfin un écho favorable auprès de Guillaume II. Le Kaiser s'intéresse personnellement aux affaires d'Orient. Dès 1889 il a fait un voyage à Constantinople, couvrant le sultan de prévenances et l'assurant de son indéfectible amitié. Au moment de la crise arménienne, ses déclamations ostentatoires contre les « bourreaux de Constantinople » demeurent sans lendemain et dès 1898, au lendemain de la victoire turque en Thessalie, l'Empereur honore Abdülhamid d'une nouvelle visite. De Constantinople, l'Empereur gagne Jérusalem, manifestant ainsi son intention de jouer au protecteur des chrétiens d'Orient, puis Damas où il se déclare habilement l'ami des musulmans. Le sultan est flatté et ne tarde pas à récompenser Guillaume II de ses témoignages de sympathie. Ayant besoin de l'aide étrangère pour réorganiser son armée et moderniser son pays, Abdülhamid se tourne tout naturellement du côté de l'Allemagne.

Les capitaux britanniques, français et allemands dans le monde en 1914

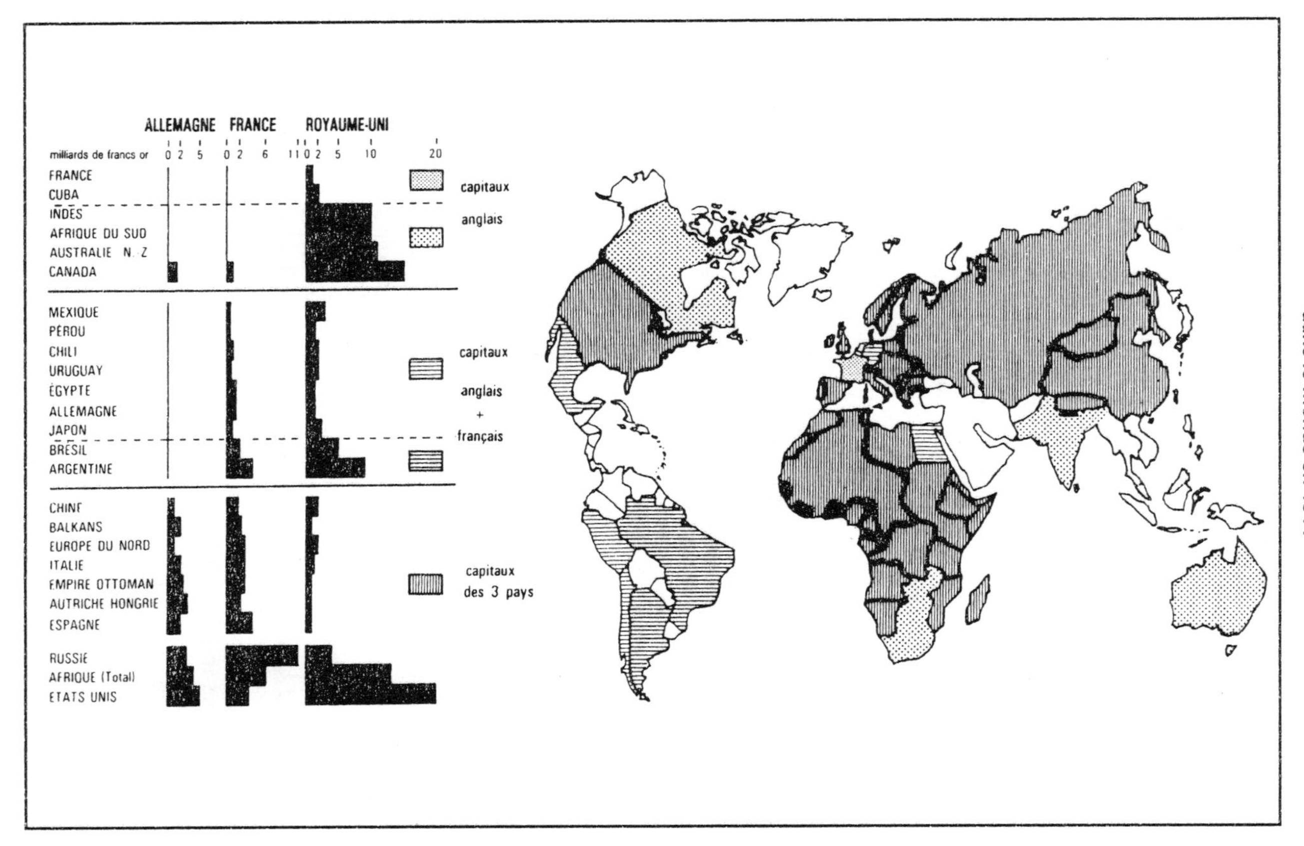

INTÉRÊTS FRANÇAIS ET ALLEMANDS DANS LE CHEMIN DE FER DE BAGDAD

Affaires étrangères à Finances, Paris, 27 juillet 1903.
« ... De la lettre que vous avez bien voulu m'écrire le 20 juillet, il résulte qu'à votre avis nous devons chercher par tous les moyens à réserver à la France une participation à la construction et à l'exploitation du chemin de fer de Bagdad. Je pense comme vous que si cette grande entreprise se réalise, il est très désirable que nous puissions y participer pour la défense et le développement de nos intérêts en Turquie d'Asie, mais le but même de notre participation démontre que nous ne devons la donner que dans des conditions d'égalité absolue avec nos concurrents. Le gouvernement de la République ne saurait admettre un seul instant qu'on entraînât de ce côté les capitaux accumulés par l'épargne française, s'ils devaient servir en première ligne à l'extension des intérêts allemands, et tel serait évidemment le résultat de notre participation, si l'Allemagne prenait dans l'entreprise projetée une situation prépondérante. Nous devons exiger la part, toute la part d'influence à laquelle nous donne droit notre puissance financière qui est cause que l'on sollicite notre concours.
« En me plaçant à ce point de vue j'ai, dès le début, posé le principe de l'égalité, et je l'ai affirmé, l'année dernière, devant la Chambre. J'ai en effet déclaré, dans la séance du 24 mars 1902, que la participation de l'élément français à l'entreprise projetée ne serait désirable que si le contrôle de la ligne à créer était confié à une société internationale "où l'élément français aurait et dans la construction et dans l'exploitation et dans la direction générale de l'entreprise une part absolument égale à l'élement étranger le plus favorisé". Nous sommes liés par cette déclaration qui a été faite conformément à une décision prise en Conseil des ministres. »

Source : Lettre de Th. DELCASSÉ, ministre des Affaires étrangères, au ministre des Finances M. Rouvier, 27-7-1903, citée *in* R. Poidevin, *Finances et relations internationales*, 1887-1914, Paris, A. Colin, 1970, pp. 130-131.

Ce sont des officiers allemands qui jouent auprès de l'État-Major turc le rôle de conseillers techniques et organisent la formation de cadres nationaux. Ce sont les milieux d'affaires allemands qui, pour hâter la mise en valeur du pays et son ouverture économique, conçoivent le projet de prolonger jusqu'au golfe Persique la voie ferrée reliant Berlin à la capitale de l'Empire ottoman. Abdülhamid, conscient de l'utilité des chemins de fer pour acheminer des troupes et maintenir ainsi son autorité chancelante, accueille favorablement l'idée du B.B.B. (Berlin-Byzance-Bagdad). Il y voit en outre le moyen de faire échec à un éventuel projet anglais visant à unir l'Égypte et l'Inde. L'Angleterre étant alors occupée par le règlement de ses difficultés africaines et la Russie étant engagée en Extrême-Orient, l'Allemagne profite de la situation pour pousser ses avantages. A la suite de longues négociations, l'acte définitif de concession est signé le 5 mars 1903. La compagnie allemande se voit concéder pour quatre-vingt-dix-neuf ans un réseau ferroviaire de 300 km avec le droit d'exploiter les mines situées dans une zone de 20 km autour de la voie ferrée. Des marchés pourront être créés dans cette zone par les hommes d'affaires allemands et tout le matériel nécessaire à la construction du chemin de fer de Bagdad pourra être importé en franchise.

La concession du *Bagdadbahn* procure donc à l'Allemagne des avantages de premier ordre et consacre sa suprématie économique dans l'Empire ottoman. Elle devait évidemment susciter l'opposition des puissances, en particulier de la Grande-Bretagne qui entend conserver la maîtrise des voies d'accès à l'Inde et considère la domination du golfe Persique comme une question vitale. Les Britanniques, sollicités de s'associer financièrement à cette « bonne affaire » découragent donc les avances allemandes, de même que les Russes inquiets de la poussée allemande dans une région qu'ils ont toujours convoitée.

Les difficultés financières suscitées par les puissances rivales n'empêchent pas l'Allemagne de poursuivre la construction du chemin de fer de Bagdad. En 1911 elle est sûre de pouvoir mener l'entreprise à terme. Mais l'affaire du *Bagdadbahn* a contribué à envenimer les rapports internationaux et, pour la première fois Grande-Bretagne et Russie ont eu conscience, devant la menace allemande, d'une communauté d'intérêts. C'est le moment où, après de rudes alarmes, la France et l'Angleterre entreprennent de régler pacifiquement leurs différends et signent le traité d'« Entente cordiale ».

La rivalité franco-anglaise

Depuis le règlement de la question siamoise, les différends anglo-français se concentrent sur le continent africain. L'établissement du protectorat français à Madagascar, position remarquable sur la route des Indes par Le Cap, a fortement indisposé les Britanniques. Ceux-ci se sont cependant résignés à accepter le fait accompli en échange de la reconnaissance par la France de leurs droits sur Zanzibar. Un accord est signé entre les deux pays en août 1890 qui règle la question en même temps qu'il définit les zones d'influence respectives dans la région du Niger. Mais le point sensible des relations franco-britanniques en Afrique demeure la vallée du Nil. En France, on n'a pas oublié les conditions dans lesquelles se sont opérés le rachat des actions du Khédive et la mainmise anglaise sur l'Égypte. Le gouvernement de la République, après avoir dû, au temps de Freycinet, céder devant l'indifférence générale et l'hostilité du Parlement, a par la suite multiplié les démarches auprès de Londres pour tenter de mettre un terme à l'action unilatérale de la Grande-Bretagne. Il s'en est suivi une politique de « coups d'épingles » qui, sans modifier d'aucune manière les intentions du cabinet britannique, a dans les deux pays alimenté une profonde irritation. A partir de 1895, celle-ci se trouve brusquement aggravée par la question du Soudan.

• *Le Soudan égyptien* intéresse les Anglais à un double titre. D'une part il commande le régime des eaux du Nil et permet à qui le possède de tenir l'Égypte à sa merci. D'autre part, il est susceptible de servir de voie de passage à une éventuelle ligne de chemin de fer reliant Le Cap au Caire suivant l'idée chère à Cecil Rhodes, le « Napoléon du Cap », grand homme d'affaires et homme politique, devenu le « roi du diamant » depuis la mise en exploitation en 1867 des mines de Kimberley.

En 1885, une révolte des populations musulmanes avait chassé les Anglais du Soudan. Depuis le désastre de Khartoum, l'Angleterre avait minutieusement préparé la reconquête du pays. Pour cela, elle avait commencé par faire reconnaître ses droits sur la région. L'Italie n'avait fait aucune difficulté. Avec l'Allemagne, un accord avait été signé en juillet 1890 : en échange de l'îlot d'Héligoland, proche des côtes allemandes de la mer du Nord, le Reich reconnaissait la vallée du Haut-Nil comme zone d'influence anglaise. Enfin un traité, conclu en mai 1894 avec l'État indépendant du Congo, permettait à celui-ci de s'étendre vers l'est mais laissait à l'Angleterre un corridor de 25 km de large pour le passage de la voie ferrée.

Seule des grandes puissances coloniales la France n'avait pas donné son *blanc-seing* à l'occupation du Soudan par l'Angleterre. À la volonté britannique d'établir du Cap au Caire une bande continue de territoires anglais, la France opposait son projet d'expansion vers l'est, dans le dessein de relier sans interruption Dakar et Djibouti. Les deux impérialismes devaient nécessairement se heurter et c'est au Soudan, dans la zone d'intersection des deux axes de colonisation, que le heurt devait se produire. Le ministre français des Affaires étrangères, G. Hanotaux, avait bien essayé en 1894 de régler avec l'ambassadeur d'Angleterre les questions africaines. Mais l'accord avait achoppé sur le problème du Haut-Nil et depuis lors l'affaire du Soudan demeurait entre les deux pays un sujet de méfiance réciproque.

Dès novembre 1894, le ministre des Colonies, Delcassé, avait donné l'ordre au commissaire français dans le Haut-Oubangui d'organiser une expédition en direction du Haut-Nil. Le but était moins une poussée vers la mer Rouge que d'obliger les Anglais à négocier une modification du statut de l'Égypte. L'expédition n'eut pas lieu, mais Londres avait été mis au courant des intentions françaises et s'en était fortement ému. En mars 1895, Sir Edward Grey, sous-secrétaire d'État dans le cabinet libéral avait déclaré qu'un tel geste de la part de la France serait « non seulement inattendu et inconséquent, mais inamical ». Le secrétaire d'État, Lord Kimberley, avait aussi nettement témoigné son indignation auprès de l'ambassadeur de France, le baron de Courcel. On s'en était tenu là mais la rupture avait été évitée de peu.

• *En mars 1896,* le gouvernement britannique annonce sa décision d'en finir avec la sécession mahdiste du nom donné au chef des fanatiques musulmans qui avaient en 1885 chassé les Anglais du Soudan, le Mahdi ou prophète. Le désastre subi par les Italiens à Adoua risque en effet d'avoir les pires conséquences pour la colonisation européenne en Afrique orientale et Londres entend agir avant qu'il ne soit trop tard. Kitchener reçoit l'ordre de remonter la vallée du Nil avec 3 000 hommes et une trentaine de canonnières, suivis d'une armée plus importante. Après avoir, à Omdourman près de Khartoum, écrasé les hordes mahdistes, Kitchener remonte le Haut-Nil. Le 18 septembre 1898, à Fachoda, il trouve devant lui une poignée de Sénégalais commandés par le capitaine Marchand. L'expédition française avait quitté deux ans plus tôt la colonie du Gabon, avec l'ordre d'arriver sur le Haut-Nil avant l'armée de Kitchener. C'est le ministre des Affaires étrangères Hanotaux qui, las de voir se prolonger depuis dix ans des négociations stériles à propos de l'Égypte, a décidé de recourir à la manière forte. En s'installant sur le Haut-Nil la France disposera, pense-t-il, de gages suffisants pour contraindre l'Angleterre à réviser sa politique égyptienne. C'est donc délibérément, et sans avoir assez pesé les risques d'une telle entreprise, que le gouvernement français a lancé Marchand et ses hommes sur la route du Soudan. Il fallut deux ans à la petite expédition française pour atteindre le Nil, après une marche pénible à travers des pays difficiles et inconnus. Arrivé à Fachoda en juillet 1898, Marchand y construisit aussitôt un fortin et établit le protectorat nominal de la France sur la région. Aussi, lorsque Kitchener atteint à son tour Fachoda, il ne peut que constater la présence du pavillon français sur des territoires appartenant théoriquement au khédive d'Égypte. C'est donc au nom du khédive qu'il exige l'évacuation du pays par le détachement français. Marchand répond qu'il n'a pas d'ordre et les deux hommes décident finalement de s'en remettre à la décision des chancelleries.

À Paris, Delcassé a remplacé Hanotaux aux Affaires étrangères. Il songe d'abord à la résistance. « Nous n'avons pas – déclare-t-il – moins de droits à Fachoda que l'Angleterre à Khartoum... Nous demander d'évacuer Fachoda, préalablement à toute discussion, ce serait nous adresser un ultimatum.

LA RENCONTRE DE FACHODA D'APRÈS LE RAPPORT MARCHAND

« Le major Cecil et le commandant Keppel chef de flottille descendirent aussitôt à terre et, après les présentations de rigueur, me prièrent de vouloir bien faire une visite au général en chef qui m'attendait sur sa canonnière. Ceci n'était que l'exécution d'un devoir auquel j'étais déjà préparé. Accompagné de mon second le capitaine Germain, je me rendis auprès du général Kitchener que je trouvais avec le colonel Wingate chef de l'*Intelligence Department* égyptien.
« Après les présentations réciproques, le sirdar me demanda si je me rendais bien compte de la signification de l'occupation française de Fachoda territoire égyptien ; je ne crois rien exagérer en disant que le haut dignitaire anglais était excessivement embarrassé et trouvait difficilement ses expressions après les avoir longuement cherchées. Je dois dire qu'il parlait en Français et reconnaître que le thème de l'entretien ne prêtait pas précisément à l'abondance oratoire facile. Il finit enfin par arriver au bout d'une phrase assez malheureuse et dont voici littéralement les principaux passages :
« – C'est bien par ordre du gouvernement français que vous occupez Fachoda?
« – Oui, mon général, c'est par ordre de mon gouvernement que Fachoda est aujourd'hui poste français.
« Vous savez que cette terre appartient à Son Altesse le khédive... que... présence... ici... peut... amener... la guerre... entre nos deux pays? »
Je ne pouvais répondre que par une profonde inclinaison de la tête à laquelle je me bornai.
« C'est mon devoir alors de protester au nom de la Sublime Porte et de Son Altesse le khédive que je représente au Soudan contre votre présence à Fachoda. »
Inclinaison de tête.
« Sans doute, votre intention est de maintenir l'occupation de Fachoda
« Oui, mon général ; et j'ajoute qu'au besoin nous nous ferons tous tuer ici avant... ».
Le sirdar me coupe la parole :
« Oh, il n'est pas question de pousser les choses aussi loin. Je comprends et j'admets que chargé d'exécuter les ordres de votre gouvernement, votre devoir vous commande de rester à Fachoda jusqu'à ordre contraire. Moi aussi, commandant, j'ai à exécuter les ordres de la Sublime Porte et de Son Altesse le khédive, et ces ordres sont de planter le pavillon égyptien à Fachoda. J'espère que nous pourrons arriver tous deux à une entente qui me permettra de remplir cette simple formalité après laquelle nous laisserons les choses en l'état jusqu'à la décision de nos gouvernements. »
Cette dernière phrase était escortée de considérations sur les forces "prépondérantes" de l'expédition anglo-égyptienne dont les bâtiments se massaient en ce moment à 80 mètres de notre réduit dominé par l'artillerie des canonnières, ce qui, entre parenthèses, est une singulière façon de visiter une place militaire où l'on est invité amicalement à se présenter. J'eus une forte envie de répondre par un refus à l'expression de ce désir brutalement appuyé. Il était courtoisement présenté. La volonté de ne pas pousser la situation à l'état aigu, état auquel je n'avais qu'à perdre si les deux partis devaient séjourner longtemps côte à côte à Fachoda, et surtout la mise en avant des seuls droits de la *Porte* et de Son Altesse le khédive à l'exclusion de l'Angleterre, me portèrent à user de temporisation... »

Source : texte cité *in* M. MICHEL, *La Mission Marchand*, 1895-1899, Paris, Mouton, 1972, pp 257-258.

Qui donc, connaissant la France, pourrait douter de sa réponse ? » A Londres, la presse et l'opinion publique déchaînées poussent Salisbury à l'intransigeance. A la fin octobre la guerre semble inévitable et l'ambassadeur de France adresse au gouvernement français des télégrammes alarmés.

« La situation – écrit Guillaume II – va devenir intéressante. » Et de fait le gouvernement britannique ordonne des démonstrations navales devant Bizerte et Brest. Cependant à Paris et à Londres on hésite. Salisbury renonce à demander l'évacuation immédiate de Fachoda. Delcassé se rend compte qu'une guerre avec l'Angleterre sans appuis diplomatiques et avec une nette infériorité navale risque d'être désastreuse. On s'accorde donc dans les deux capitales pour attendre l'arrivée à Paris d'officiers de la mission Marchand. Le 3 novembre, après avoir reçu le capitaine Baratier, Delcassé fait accepter par le Conseil des ministres le rappel de Marchand. Au dernier moment la France a donc reculé devant les menaces britanniques. L'opinion publique en conservera pendant longtemps un vif ressentiment à l'égard de l'Angleterre : « l'affront de Fachoda » va pendant quelques années peser sur les relations entre les deux pays. Du moins le pire a-t-il été évité, au grand déplaisir de Guillaume II qui attendait beaucoup d'un affrontement franco-anglais : « Salisbury – dira-t-il – a laissé échapper une situation étonnante qui ne reviendra jamais. ».

• *La défaite diplomatique de la France* est consacrée par une convention signée en mars 1899. Les zones d'influence française et anglaise entre le Congo et le Nil sont délimitées. La France abandonne toutes ses prétentions sur le bassin du Nil et sur la région du Bahr el-Ghazal, ne conservant dans l'aventure que les régions situées à l'est et au nord du lac Tchad.

À Fachoda, la France a donc subi une profonde humiliation. Celle-ci n'était que la conséquence de la légèreté avec laquelle le gouvernement français s'était lancé dans une entreprise qu'il n'avait nullement les moyens de soutenir. En lançant vers la vallée du Nil une poignée d'hommes au moment précis où une armée britannique entreprenait la conquête systématique du pays, G. Hanotaux et le gouvernement de la République n'avaient pas pesé l'ampleur des risques ni même imaginé ce qui se passerait après la rencontre des deux expéditions. Au moment de l'épreuve de force, Delcassé avait d'abord essayé d'impressionner les Anglais par sa volonté de résistance. Londres ayant pris la chose au sérieux, il avait bien fallu reculer. La France, déjà déchirée intérieurement par l'affaire Dreyfus, ne tire de l'aventure qu'amertume et déception. Elle se voit d'autant plus isolée au lendemain de Fachoda que l'alliance russe ne lui a guère servi en la circonstance et qu'elle a probablement eu connaissance du traité « absolument secret » conclu en août 1898 entre l'Allemagne et la Grande-Bretagne. Au moment d'entrer en conflit avec les Républiques boers d'Afrique du Sud, le gouvernement britannique a en effet jugé utile de s'assurer la bienveillante neutralité de l'Allemagne. Malgré les vieux traités la liant au Portugal, l'Angleterre accepte par la convention du 30 août 1898 le principe du partage éventuel des colonies portugaises d'Afrique. Dans le cas où « il ne serait malheureusement pas jugé possible de maintenir l'intégrité des possessions africaines du Portugal », l'Angleterre recevrait le Mozambique, l'Allemagne l'Angola. Est-ce l'annonce d'une intimité anglo-allemande? L'hypothèse est plausible dès lors que l'impérialisme anglais se heurte à la fois aux ambitions africaines de la France et aux visées russes en Extrême-Orient. De fait, en mars 1901, le gouvernement britannique se tourne vers l'Allemagne et lui propose son alliance. Mais la négociation n'aboutit pas. C'est que déjà la concurrence économique et navale entre les deux puissances a rendu très délicat un règlement amical de leurs différends.

La rivalité anglo-allemande

• *En 1890, la puissance de la Grande-Bretagne demeure intacte.* Son industrie reste la première du monde. Les mines britanniques ne cessent d'augmenter leur production et alimentent des industries métallurgiques qui dominent toujours le marché international. Sur le plan commercial, la prépondérance anglaise n'est pas moins manifeste. Les usines du Royaume-Uni fournissent encore au meilleur prix les produits de la meilleure qualité. L'outillage économique, flotte de commerce et système bancaire, est toujours sans rival et le déficit de la balance commerciale aisément comblé par les exportations invisibles (revenus des capitaux placés à l'étranger et bénéfices réalisés par les navires marchands). Il en résulte dans la majorité du peuple anglais l'épanouissement d'une "volonté de puissance" qui se manifeste par un dynamisme croissant dans les entreprises coloniales et s'accompagne d'un profond sentiment de sécurité. Au-delà des divergences de politique intérieure, l'idée impériale rassemble la quasi-unanimité de l'opinion publique.

Or cette situation va peu à peu se modifier au cours de la décennie 1890-1900. Certes l'industrie poursuit ses progrès mais à un rythme moins rapide. Déjà apparaissent certains signes de faiblesse. La production de charbon, qui est de 225 millions de tonnes en 1900 et qui atteindra en 1913 près de 270 millions de tonnes est dépassée dès 1898 par celle des États-Unis ; l'Allemagne n'est pas bien loin derrière. Le minerai de fer se fait de plus en plus rare et doit être importé en quantités croissantes : 4 700 000 tonnes en 1890, plus de 7 millions en 1910. L'industrie métallurgique subit de plus en plus fortement la concurrence étrangère ; en 1890 les États-Unis l'emportent pour la production de fonte et en 1896 c'est l'Allemagne qui pour la première fois dépasse la production métallurgique globale de la Grande-Bretagne. L'industrie textile résiste mieux mais l'on commence à s'inquiéter dans les milieux d'affaires de Manchester des progrès de la jeune industrie américaine qui, disposant de la matière première, commence à se poser en rivale pour la production cotonnière. Dans certains secteurs, l'infériorité britannique devient manifeste ; c'est le cas notamment de l'industrie chimique où l'Allemagne prend une sérieuse avance et des industries électriques. Le Royaume-Uni est d'ailleurs nettement défavorisé en ce qui concerne les nouvelles sources d'énergie : pétrole et hydro-électricité, lesquels commencent à concurrencer le charbon. Au total, si l'Angleterre demeure une très grande puissance industrielle, elle ne possède plus à l'extrême fin du XIXe siècle l'incontestable primauté qu'elle exerçait encore une quinzaine d'années plus tôt.

La prospérité britannique est de plus menacée par l'adoption quasi générale de tarifs protecteurs à l'importation. La plupart des grandes puisances adoptent en effet un système de barrières douanières qui leur permettent de protéger leurs jeunes industries contre la concurrence des marchandises anglaises. À la fin du siècle, le Royaume-Uni demeure la seule puissance industrielle encore attachée au libre-échange et quels que soient les efforts des industriels britanniques pour rogner sur les prix de revient, ils ne peuvent lutter à armes égales avec des pays comme l'Allemagne et les États-Unis dont les industries en expansion rapide sont protégées par des tarifs élevés. Aussi certains milieux d'affaires, en particulier les « métallurgistes », songent-ils avec Joseph Chamberlain, maire de Birmingham, à rompre avec la tradition libre-échangiste. Membre du Cabinet « unioniste », Chamberlain propose un système de « préférence impériale » et le rétablissement des droits de douane à l'importation. Mais il se heurte à l'influence dominante des milieux libre-échangistes et doit démissionner en 1903.

LA RIVALITÉ ANGLO-ALLEMANDE VUE PAR LA *SATURDAY REVIEW*

Il y a en Europe deux grandes forces opposées et irréconciliables, deux grandes nations qui cherchent à étendre leur champ d'action au monde entier et qui veulent lever sur lui un tribut commercial. L'Angleterre, avec son long passé historique d'agressions couronnées de succès, avec sa merveilleuse conviction que, en satisfaisant ses propres intérêts, elle répand la lumière parmi des nations plongées dans les ténèbres, et l'Allemagne, qui est du même sang, qui, avec une force de volonté moindre, mais peut-être avec une intelligence plus vive, se présente en concurrent sur tous les points du globe. Au Transvaal, au Cap, en Afrique centrale, dans l'Inde et en Orient, dans les îles des mers du Sud et dans le lointain Nord-Ouest, partout où le drapeau a suivi la Bible et où le commerce a suivi le drapeau (et où n'ont-ils pas pénétré ?), le commis-voyageur allemand est en lutte avec le colporteur anglais. S'il y a une mine à exploiter un chemin de fer à construire, un indigène à convertir de la tempérance au trafic du gin, l'Allemand et l'Anglais s'efforcent d'arriver le premier. Un million de menues disputes sont en train d'édifier la plus grande cause de guerre que le monde ait jamais vue. Si l'Allemagne disparaissait demain, le surlendemain tout Anglais dans le monde serait plus riche. Les nations ont combattu, pendant des années pour la possession d'une ville ou pour un droit de succession ; ne se battent-elles pas pour les 250 millions de livres du commerce annuel ?

Source : *Saturday Review*, 11 septembre 1897.

Il en résulte une concurrence de plus en plus forte pour les exportations britanniques. Les États-Unis, le Japon, l'Allemagne, commencent à inonder de leurs produits industriels des marchés qui vingt ans plus tôt constituaient un véritable monopole anglais. Parmi ces concurrents, l'Allemagne semble le plus dangereux. Sur le continent européen, la primauté commerciale de la Grande-Bretagne est partout battue en brèche par les progrès des exportations allemandes. Si les deux commerces s'équilibrent encore sur le marché français, le Reich l'emporte de plus en plus nettement en Belgique, en Europe centrale, en Italie et surtout en Russie. Bien plus, le développement de la flotte commerciale allemande, le dynamisme des hommes d'affaires et surtout des commis-voyageurs allemands, l'emploi de méthodes commerciales audacieuses notamment le *dumping* qui consiste à vendre moins cher sur les marchés extérieurs que sur le marché intérieur et les paiements à terme permettent à partir de 1890 aux exportateurs d'Outre-Rhin d'entreprendre la conquête des marchés extra-européens. Les marchandises britanniques se heurtent ainsi, en Extrême-Orient et en Amérique latine, à une concurrence de plus en plus sévère de la part des produits allemands.

Très lentement, l'opinion publique anglaise est amenée à prendre conscience de cette situation. En 1897 l'invasion du marché anglais lui-même par les produits allemands est dénoncée par l'économiste Williams dans un livre intitulé *Made in Germany* et qui connut un grand succès. La presse, mise en mouvement par certains milieux d'affaires, se met à son tour de la partie. Le *Daily Mail* entreprend une vive campagne sur le thème de la concurrence allemande bientôt suivi par la *Saturday Review*.

Quel peut être le retentissement d'une telle argumentation dans la mentalité collective du peuple anglais ? Il est probable que si celui-ci avait eu conscience de l'importance de l'enjeu et pu concevoir ce qu'il y avait de vital pour l'Angleterre dans cette concurrence, il aurait poussé le gouvernement britannique au conflit armé. Sir Edward Grey, sous-secrétaire d'État aux Affaires étrangères, écrira un peu plus tard : « Tout gouvernement, ici, pendant les dix dernières années du siècle, aurait pu avoir la guerre en levant le petit doigt. Le peuple l'aurait acclamé : il avait un besoin d'excitation, un flux de sang à la tête. » Mais les articles du *Daily Mail* et de la *Saturday Review* ne touchaient qu'une minorité de lecteurs. Les faiblesses de l'industrie britannique n'apparaissaient qu'à un petit groupe de spécialistes et la concurrence allemande n'était vraiment sensible que pour certains intérêts, ceux par exemple des exportateurs de produits métallurgiques. Les masses ne percevaient aucun fléchissement de la prospérité générale et se préoccupaient surtout des questions de prestige. La rivalité coloniale avec la France retenait donc davantage leur attention et l'affaire de Fachoda mobilisa plus sûrement leur énergie belliqueuse qu'une rivalité économique dont on n'entrevoyait guère encore les conséquences.

• *La rivalité navale.* Il est par contre un fait qui va dans l'opinion anglaise provoquer des réactions beaucoup plus vives, c'est la décision allemande de créer une grande flotte de guerre. « L'avenir de l'Allemagne est sur les mers », a déclaré Guillaume II en 1896 et c'est à partir de 1898 que, sous l'impulsion de l'amiral von Tirpitz, le Reich commence à développer sa puissance navale. Ainsi s'affirme la volonté allemande de donner à la *Weltpolitik* des moyens d'action efficaces. Les Allemands ont en effet conscience de la fragilité de leurs positions économiques dans le monde. Que l'Angleterre, inquiète des progrès du commerce allemand, décide de reprendre par la force les positions perdues et dépêche dans ce but ses puissantes escadres et c'en est fait de la prospérité économique du Reich. Le gouvernement allemand, et derrière lui tous les milieux d'affaires intéressés au commerce extérieur, entendent écarter ce risque et adoptent dans ce but un programme grandiose d'armement naval.

En 1898, l'Allemagne possédait 22 navires de bataille, cuirassés ou croiseurs lourds. L'Angleterre en a 147. Les deux lois navales d'avril 1898 et juin 1900 prévoient la mise en chantier, dans un délai très court, de 28 navires de bataille modernes. En 1906 et 1907, l'Allemagne décide d'augmenter son effort et de construire 4 cuirassés par an. En 1915 la marine allemande peut, dans la catégorie des bâtiments de ligne, aligner un effectif égal aux deux tiers de la flotte de bataille britannique. Dès 1898 les projets de von Tirpitz et de Guillaume II laissent donc prévoir à longue échéance un danger pour la suprématie navale de la Grande-Bretagne. Sans doute les chantiers britanniques de constructions navales peuvent-ils aisément rivaliser avec ceux du Reich. « Pour chaque navire neuf allemand – dira Edouard VII au chancelier von Bülow – l'amirauté britannique construira deux navires anglais. » Mais cette course aux armements navals coûte cher et gêne la Grande-Bretagne qu'absorbent alors de graves problèmes sociaux. Aussi les Anglais accueillent-ils avec humeur la décision du gouvernement allemand. La grande presse quotidienne entretient l'opinion publique dans l'idée que les Allemands construisent une flotte avec l'intention d'attaquer la Grande-Bretagne dès qu'ils se sentiront assez forts. Le profond sentiment de sécurité qui, depuis les guerres du Premier Empire, anime le peuple anglais, se trouve quelque peu atteint par cette menace à terme contre l'hégémonie navale du Royaume-Uni. On envisage même sérieusement dans certains milieux, et l'intention transparaît parfois dans la presse, une guerre préventive contre l'Allemagne avant que celle-ci ait pu mener à bien son programme naval, voire une attaque-surprise contre la flotte du Reich. Bien entendu la majorité de l'opinion et le gouvernement ne partagent pas ce point de vue extrême mais tout le monde en Angleterre désire ardemment qu'une solution soit donnée à ce problème vital.

C'est donc la course aux armements navals, qui, beaucoup plus que la concurrence commerciale, mobilise à partir de 1898 l'opinion publique anglaise contre l'Allemagne.

• *Le choix de l'Angleterre.* En face de cette montée du péril allemand, le gouvernement britannique a le choix entre deux politiques. Se rapprocher de l'alliance franco-russe et constituer avec celle-ci une Triple-Entente capable de mettre en échec les ambitions de la Triplice. Tenter au contraire de négocier avec l'Allemagne un accord portant en particulier sur la limitation des armements navals. En 1898, au moment où von Tirpitz entreprend de donner à l'Allemagne une puissance navale conforme aux visées de la *Weltpolitik*, la première solution semble tout à fait exclue. La rivalité franco-anglaise au Soudan, culminant avec l'affaire de Fachoda l'opposition de l'Angleterre et de la Russie à propos des Détroits et en Extrême-Orient, ne permettent pas d'envisager une action commune avec la Double-Alliance. Reste la seconde solution : chercher à se rapprocher de l'Allemagne et conclure avec celle-ci une entente qui rendrait inutile la course aux armements navals. C'est la voie dans laquelle s'engage le gouvernement britannique. Elle est facilitée par le fait que les deux pays n'ont entre eux aucune rivalité coloniale, surtout après que l'accord de 1898 a réglé le sort futur des colonies portugaises d'Afrique et donné carte blanche à l'Angleterre pour son action contre les Boers. Autre élément qui milite en faveur d'une entente anglo-allemande : l'action personnelle de Chamberlain qui domine jusqu'en 1906 la vie politique anglaise. Chamberlain a une sympathie particulière pour les peuples germaniques, qu'il juge plus proches du peuple britannique et supérieurs aux Latins. Il estime donc que, pour des raisons raciales et religieuses, l'Angleterre doit se rapprocher de pays comme les États-Unis et l'Allemagne.

• *Dès 1898,* Chamberlain, ministre des Colonies dans le cabinet Salisbury, *engage « à titre personnel » des pourparlers* avec l'ambassadeur d'Allemagne. En fait, il a l'accord du Premier ministre, lequel cherche au moment de la tension française un allié continental. L'ambassadeur Hatzfield rend compte de ces avances britanniques à son gouvernement, où Bülow, qui n'est pas encore chancelier, détient le portefeuille des Affaires étrangères. Le chef de la Wilhelmstrasse montre peu d'empressement à répondre aux sollicitations du maire de Birmingham. Il pense que l'opinion publique anglaise verrait d'un oeil peu favorable un rapprochement avec l'Allemagne et craint un rejet du traité par le Parlement britannique. Il redoute d'autre part qu'une entente avec l'Angleterre provoque par réaction un renforcement de l'alliance franco-russe qu'il s'applique précisément à « désamorcer ». Le tsar ayant par ailleurs révélé à Guillaume II que l'Angleterre lui avait fait trois ans plus tôt des avances pour régler à deux les questions asiatiques, l'empereur d'Allemagne ne voulut pas donner suite aux propositions britanniques. Il fallut donc cette année-là se contenter de l'accord sur les colonies portugaises.

En 1899, des négociations furent reprise à l'occasion du règlement de la question des Samoa. Guillaume II s'étant rendu en Grande-Bretagne, Chamberlain avait parlé d'« alliance naturelle » entre les deux pays, mais pour les mêmes raisons le gouvernement allemand ne jugea pas utile d'engager une négociation.

Il faut ensuite attendre 1901 pour que reprennent les pourparlers, mais il s'agit cette fois, de la part de l'Angleterre, d'une offre officielle, Chamberlain a réussi à convertir Lansdowne, secrétaire d'État aux Affaires étrangères, à ses idées de rapprochement anglo-allemand. Le chef du *Foreign Office* s'adresse donc à l'ambassadeur Hatzfeld à qui il propose une alliance défensive en cas de guerre avec la France et la Russie unies, la neutralité si le conflit était engagé avec une seule de ces deux puissances. L'Allemagne, jugeant cette combinaison peu avantageuse, exige de l'Angleterre qu'elle s'engage non envers l'Allemagne seule mais envers la Triplice. Ce serait, estime Lansdowne, impliquer la Grande-Bretagne dans des questions balkaniques et méditerranéennes qui ne la concernent pas. Berlin insiste malgré les avertissements de l'ambassadeur Hatzfeld, puis de son remplaçant, le comte de Metternich, qui font valoir le risque d'un rapprochement franco-anglais. La Wilhelmstrasse juge celui-ci impossible et entend par conséquent vendre cher une entente avec l'Allemagne. Devant les atermoiements du gouvernement allemand, Lansdowne doit renoncer à son projet d'alliance ; il propose un accord limité à la Méditerranée et au Proche-Orient, mais Berlin refuse net. C'est sur un échec total que s'achève la négociation.

Il semble bien qu'on ait voulu à Berlin cette rupture des pourparlers anglo-allemands. Guillaume II et Tirpitz se rendaient compte que la politique de rapprochement avec la Grande-Bretagne était incompatible avec leur désir de faire de l'Allemagne une grande puissance navale. Une alliance avec Londres rendait inutile le développement d'une puissante marine de guerre et il faudrait nécessairement choisir entre l'amitié de Londres et les escadres de ligne. Parce qu'il persuadé que l'avenir de l'Allemagne était « sur l'eau », Guillaume II opta pour les escadres.

L'échec du rapprochement anglo-allemand provoqua en Grande-Bretagne une vague d'hostilité à l'égard de l'Allemagne. La question du Soudan étant désormais réglée avec la France, la seconde solution devenait possible. Elle allait aboutir deux ans plus tard à l'Entente cordiale.

Les impérialismes en extrême-Orient

Depuis le milieu du XIXe siècle, les deux empires extrême-orientaux se sont, nous l'avons vu « ouverts » aux Européens. Mais tandis que le Japon profitait du contact avec l'Occident pour adopter les techniques les plus modernes et bouleverser complètement ses vieilles structures économiques et sociales, la Chine demeurait attachée à sa civilisation traditionnelle. L'Empire chinois constitue donc après 1890 un terrain particulièrement favorable aux visées impérialistes des grandes puissances. Celles-ci n'ont pas à redouter de réaction bien dangereuse de la part d'un pays privé de flotte et pourvu d'une armée théoriquement nombreuse, mais sans organisation, dépourvue de tout armement moderne. Il n'en est pas de même du Japon où depuis la révolution de 1868 le gouvernement s'est attaché à donner au pays une armée et une marine modernes.

Aussi assiste-t-on dans les dernières années du XIXe siècle au partage de la Chine en zones d'influence économique et stratégique. Les bénéficiaires de ce *break-up of China* sont bien entendu les grandes puissances européennes auxquelles il faut ajouter les États-Unis, mais, fait plus inattendu, le Japon manifeste son intention de participer au démembrement du grand empire voisin. Bien plus, c'est lui qui, par sa victoire éclair sur la Chine, déclenche en 1895 la compétition entre les impérialismes avides.

• *La guerre sino-japonaise* a pour origine la rivalité des deux empires extrême-orientaux en Corée. Depuis 1885 la Chine et le Japon exercent sur le pays, toujours nominalement placé sous la souveraineté de Pékin, une sorte de condominium en fait dominé par le Japon. Mais le gouvernement nippon veut obtenir davantage. En 1894 des troubles, auxquels les Japonais ne sont sans doute pas étrangers, éclatent dans le Sud du pays. Les Japonais décident aussitôt d'envoyer des troupes en Corée et, sans consulter le gouvernement de Pékin, remplacent le roi par un régent octogénaire et inoffensif dont ils entendent faire l'instrument docile de leur domination. Après quelques hésitations, les Chinois interviennent à leur tour en envoyant des troupes dans le Nord. Les Japonais ayant coulé un navire chinois, la guerre éclate le 1er août 1894.

Les Chinois professent un mépris traditionnel pour leurs voisins insulaires. Mal informés des transformations de l'Empire nippon, admettant mal de toute façon la supériorité technique de l'Occident, ils gardent toutes leurs illusions sur une armée nombreuse certes, mais armée de fusils à pierre et de lances, encombrée d'éventails et de parapluies et poussant devant elle des dragons de papier. À cette « armée d'opérette » et à une flotte composée de 18 navires de bois, le Japon oppose une force militaire disposant d'un armement moderne, des soldats animés d'une volonté de vaincre et d'un esprit de sacrifice séculaires et une flotte de 33 navires de bataille.

La victoire japonaise est foudroyante. Dès le début septembre une escadre nippone disperse la flotte chinoise : les Japonais sont maîtres de la mer. Le 16, 15 000 Chinois sont écrasés devant la ville coréenne de Ping-yang. En octobre les Japonais franchissent le Yakou, débouchent en Mandchourie et menacent Moukden tandis que deux autres armées japonaises débarquées sur le continent s'emparent de Port-Arthur et de Weï-Haï-Weï. En mars 1895 la Chine n'a plus ni flotte ni armée sérieuse à opposer aux armées nippones prêtes à marcher sur Pékin. Le gouvernement chinois aux abois fait appel aux grandes puissances pour briser l'offensive japonaise.

Mais celles-ci ont été prises à contre-pied par la rapidité d'action des Japonais. À l'exception des Anglais, mieux informés de l'état réel du Japon pour avoir aidé à sa transformation, les Européens avaient conservé une image idyllique du « Pays du matin calme », une vision d'estampe, popularisée par les écrits de Pierre Loti et de Lafcadio Hearn. La victoire éclair des Japonais avait plongé le monde dans la stupeur sans provoquer pour autant de réaction immédiate, sauf bien entendu de la part des Britanniques qui proposent à l'Allemagne une action commune. Mais Guillaume II déclare que « la question intéresse en première ligne l'Angleterre et la Russie » et refuse d'intervenir. Il se contente de prêcher la modération auprès du gouvernement de Tokyo et d'attendre l'issue de la négociation engagée par celui-ci pour mettre fin au conflit.

La Chine doit en effet se résoudre à la paix. Le 17 avril 1895 le traité de Shimonoseki met un terme aux hostilités sino-japonaises. La Chine doit reconnaître l'« indépendance » de la Corée, c'est-à-dire la suzeraineté de fait du Japon. Elle cède à l'Empire nippon Formose, les Pescadores, la presqu'île du Liao-toung et Port-Arthur, doit en outre payer une lourde indemnité de guerre de 200 millions de taëls en sept ans pendant lesquels les Japonais garderont en gage la base de Weï-Haï-Weï et consentir à ceux-ci des avantages commerciaux.

Triomphe complet pour l'Empire nippon, trop complet même. Le marquis Ito, Premier ministre du Japon, craignant la réaction des puissances, aurait voulu ne pas annexer Port-Arthur, le « Gibraltar » d'Extrême-Orient, mais il a dû s'incliner devant l'insistance des militaires. De fait, les négociations de paix ne sont pas encore achevées que déjà l'Allemagne intervient. Guillaume II prend soudain conscience de l'existence de la puissance japonaise et du danger qu'elle représente pour les intérêts de son pays. Au nom du « péril jaune » suspendu au-dessus de la civilisation occidentale, il bat le rappel des puissances et déclare intolérables les prétentions de Tokyo. Fin mars, le gouvernement allemand avise Saint-Pétersbourg « que l'Allemagne est prête à un échange de vues sur la situation en Asie orientale et éventuellement à une action commune ». Le tsar accueille favorablement ces avances allemandes. La Russie envisage en effet depuis quelque temps de faire de Port-Arthur le terminus du transsibérien et n'est donc pas disposée à laisser les Japonais s'y installer. Elle voudrait d'autre part étendre son influence sur la Mandchourie et éventuellement la Corée ; aussi se montre-t-elle enchantée d'une initiative qui doit permettre de donner un « coup d'arrêt » à l'expansion du Japon. Guillaume voit dans la satisfaction des ambitions russes en Extrême-Orient le moyen de détourner le tsar des Balkans et de rendre moins utile pour Pétersbourg l'alliance de Paris : il pousse donc le gouvernement russe à se montrer intransigeant. Le 8 avril Saint-Pétersbourg se déclare prêt à une action diplomatique commune auprès du gouvernement japonais. Sollicitée de se joindre à l'initiative des deux puissances, la Grande-Bretagne se dérobe parce que, déclare-t-on à Londres, les intérêts britanniques « ne sont pas suffisamment lésés pour justifier une intervention ». Le gouvernement français répugne tout autant à une action en Extrême-Orient. Ses intérêts se situent en Chine méridionale, loin des zones menacées par l'impérialisme japonais. Favoriser une expansion de la Russie en Mandchourie et en Corée lui semble d'autre part comporter un risque ; celui de détourner précisément le tsar des affaires européennes. Mais la stratégie de la diplomatie allemande n'échappe pas aux responsables de la politique étrangère française. Refuser d'intervenir aux côtés de l'allié russe c'est porter un coup mortel à une alliance si difficilement conclue. Il faut bien se résoudre à Paris, malgré la répugnance que l'on a à agir de concert avec l'Allemagne, à participer à l'action commune des puissances.

• *Le 25 avril 1895,* une semaine après la signature du traité de Shimonoseki, les trois puissances entreprennent auprès du gouvernement de Tokyo une démarche commune. Le Japon pressent le « conseil amical » de renoncer à ses conquêtes sur le continent. Devant ce véritable ultimatum des puissances les militaires japonais tentent d'abord de résister. Néanmoins devant la menace d'une intervention armée le gouvernement de Tokyo doit céder en remerciant les puissances européennes pour leur « bienveillant concours ». Le 8 novembre 1895, par la convention de Pékin, il restitue à la Chine, contre une augmentation de l'indemnité de guerre, la presqu'île de Lia-toung. De cette intervention des puissances, le Japon conservera une vive rancune, en particulier à l'égard de la Russie.

La défaite chinoise révéla aux puissances l'existence d'un « homme malade », plus profondément atteint encore que l'Empire ottoman. Le vieil Empire extrême-oriental semblait mûr pour un démembrement dont profiteraient les impérialismes européens avides de nouvelles conquêtes. On ne songe pas sans doute à un partage comparable à celui de l'Afrique, avec annexions pures et simples de vastes territoires : la vénérable dynastie mandchoue ne mérite-t-elle pas plus d'égards qu'un roi nègre ? On se contentera donc d'obtenir du gouvernement de Pékin l'octroi de concessions de voies ferrées ou de territoires à bail pour quatre-vingt-dix-neuf ans. L'Empire chinois se transforme, après 1895, en un nouveau et vaste champ de bataille pour les impérialismes rivaux : pendant vingt ans, hommes d'affaires et diplomates des différentes puissances vont se disputer à coups de milliards, de prestige et de menaces, concessions, zones d'influence et avantages économiques.

• *C'est la Russie qui prend l'initiative de ce démembrement de l'Empire chinois.* Le ministre des Finances Witte, le « père » du Transsibérien, fonde dès décembre 1895 avec l'aide de capitaux français une banque russo-chinoise qui effectue pour la Chine les paiements de l'indemnité de guerre et va exercer sur le gouvernement de Pékin une influence de plus en plus forte. En mai 1896 une alliance défensive dirigée contre le Japon est conclue entre les deux empires, et en septembre de la même année la Russie obtient l'autorisation – après avoir largement « indemnisé » le négociateur chinois Li Hong-tchang – de construire une voie ferrée directe vers Vladivostok à travers la Mandchourie, d'administrer les territoires traversés par cette voie ferrée et d'y envoyer éventuellement des troupes. Enfin un traité est conclu avec le Japon pour le partage de la Corée en zones d'influence.

• *L'Allemagne* de son côté inaugure le système de la cession des territoires à bail. Depuis longtemps Guillaume II envie la position des Anglais à Hong Kong. La situation privilégiée des Français en Chine méridionale, des Russes en Chine du Nord exige, pense-t-il, une compensation au profit de l'Allemagne qui est sur le point d'adopter son programme naval et songe déjà à s'assurer des bases de ravitaillement et de charbonnage. Le meurtre de deux missionnaires allemands fournit à point nommé le prétexte d'une intervention. Le Kaiser exulte : « Maintenant ou jamais. Les Chinois vont trembler quand ils sentiront le point de fer allemand leur peser sur la nuque », et le 14 novembre 1897 un corps de débarquement allemand s'empare sans résistance du port de Kiao-chéou, dans le Chan-toung. Le 6 mars 1898, l'Allemagne se fait céder pour quatre-vingt-dix-neuf ans la baie de Kiao-chéou avec le territoire avoisinant, le droit de construire des voies ferrées dans le Chan-oung et le monopole de l'exploitation des mines dans la zone du chemin de fer. C'est le premier acte du *break-up of China.*

Les Russes ne veulent pas être en reste vis-à-vis de l'Allemagne. Négligeant les avertissements du ministre Witte qui craint les conséquences d'une expansion menée trop hâtivement en Extrême-Orient, le tsar exige en compensation de Kiao-chéou la presqu'île du Lia-oung. Celle-ci lui est concédée à bail pour quatre-vingt-dix-neuf ans en mars 1898 avec la base de Port-Arthur. On conçoit l'amertume des Japonais, contraints trois ans plus tôt par les puissances européennes de rétrocéder Port-Arthur au nom du maintien de l'intégrité de l'Empire chinois et assistant maintenant à l'occupation du même territoire par les Russes. Déjà se dessine le conflit qui six ans plus tard va opposer les deux pays.

• *L'Angleterre est mécontente.* Le système des cessions territoriales à bail lui enlève le monopole de fait qu'elle exerçait à Hong Kong. Pour les mêmes raisons qu'en Turquie, elle a longtemps défendu le dogme de l'intégrité du territoire chinois. Mais l'action concertée des puissances et l'installation des Allemands à Kiao-chéou et surtout des Russes à Port-Arthur l'obligent à réviser sa politique. Elle songe d'abord à un vaste accord avec la Russie qui définirait les zones d'influences respectives des deux impérialismes dans les Empires ottoman et chinois. Mais les Russes ne veulent pas lier les deux questions. Force est donc au gouvernement britannique de reconnaître la situation acquise par ses concurrents européens en Chine et, ne pouvant maintenir l'intégrité du vieil Empire extrême-oriental, de s'associer à son démembrement. En avril 1898 l'Angleterre se fait céder à son tour pour quatre-vingt-dix-neuf ans le mauvais port de Weï-Haï-Weï, simple « compensation cartographique ». Surtout elle fait pression sur le gouvernement de Pékin pour obtenir l'assurance qu'aucune cession de territoire à bail ne viendrait concurrencer l'influence anglaise dans le bassin du Yang-tsé.

CONVOITISES EUROPÉENNES EN CHINE

« De ma vie, je n'oublierai le coup d'œil que présentait à cette époque le modeste immeuble d'architecture chinoise remanié tant bien que mal à l'usage des Européens, et que signalait en lettres d'or aux arrivants l'inscription suivante, inattendue en un pareil lieu : « Hôtel de Pékin. » Ils étaient là quinze ou vingt de toutes nationalités, accourus dans l'espoir de la curée prochaine, le portefeuille bourré d'avant-projets, plans, devis et autres documents non moins persuasifs. Tous, au demeurant, sur la défensive, chacun épiant son voisin avec des yeux de fauve, dans la crainte de se voir arracher le morceau convoité, concession de mines, de voies ferrées, fournitures d'armes ou monopoles quelconques... Jamais découragés, armés d'une confiance tenace et répétant en chœur, dans les causeries de la table d'hôtel, où les convives se communiquent les impressions de la journée : « La Chine va s'ouvrir, la vieille Chine s'en va ! »

Source : *Le Temps*, 5 août 1900, article cité par N. Pirovano-Wang, *in L'Asie orientale de 1840 à nos jours*, p. 34, F. Nathan.

La France, dont les intérêts sont limités en Chine obtient cependant en avril 1898, pour l'île de Haï-an et les provinces limitrophes du Tonkin, une garantie analogue à celle des Britanniques dans la région du Yang-tsé. Elle reçoit à bail la bale de Tchang Tchéou-wan et le droit de construire un chemin de fer dans le Yunnan.
La facilité avec laquelle s'est opéré le démembrement a donné de l'appétit à des puissances plus modestes. En 1899 l'Italie réclame à son tour un territoire à bail mais elle n'est guère soutenue par les « grands » et le gouvernement de Pékin refuse de lui donner satisfaction. Seule de tous les grands pays industriels, les États-Unis refusèrent de s'associer au break-up of China. Washington éleva même une protestation en décembre 1899 contre une politique que le gouvernement américain jugeait contraire à la liberté du commerce : au partage du pays en « sphères d'influence », les Etats-Unis opposent le principe de la « porte ouverte ». Mais leur intervention demeura toute platonique.

• Une nouvelle étape du dépècement de la Chine fut provoquée par *le soulèvement des Boxers*. Cette société secrète, fondée en 1898, s'était donné pour tâche de lutter contre toutes les formes de pénétration étrangère en Chine. Dès le début de 1899 des agressions sont dirigées contre des missionnaires et des commerçants européens, des sabotages sont exécutés contre les voies ferrées construites par les Occidentaux. L'impératrice Tseu-hi, après avoir traité les Boxers en rebelles, semble utiliser leur action pour faire pression sur les Européens. Mais le mouvement prend de l'ampleur. Le 13 juin 1900 des chrétiens chinois et étrangers sont massacrés dans les rues de Pékin. Le 19 juin, c'est le ministre allemand à Pékin qui est assassiné par un soldat mandchou ; le lendemain commence le siège des légations qui durera du 20 juin au 14 août et va provoquer dans le monde une vive émotion : ce sont les « 55 jours de Pékin ».

La réaction des puissances est immédiate. Sommé d'intervenir pour mater la rébellion, le gouvernement chinois se dérobe. Aussi la Russie et le Japon proposèrent-ils leurs services. Finalement ce fut Guillaume II qui, pour venger le meurtre de son représentant, exigea une intervention collective et obtint que le commandement du corps expéditionnaire international fût confié au Feldmarschall Waldersee. Le 27 juin 1900, il prononça à Bremerhaven, devant les troupes désignées pour l'Extrême-Orient, un discours d'une violence telle que le chancelier von Bülow craignant d'indisposer les puissances, dut exiger de la presse allemande la suppression des passages les plus violents de l'allocution impériale: « Pas de grâce, pas de prisonniers - avait proclamé le Kaiser -. Il y a mille ans, les Huns du roi Attila se sont fait un nom encore formidable dans la tradition et dans les légendes ; ainsi puissiez-vous imposer en Chine et pour mille ans le nom allemand de telle façon que jamais plus un Chinois n'ose même regarder un Allemand de travers. »

Mais lorsque Waldersee et son armée internationale arrivèrent en Chine, ils trouvèrent les opérations terminées, les légations délivrées par les Français et les Japonais et l'impératrice Tseu-hi en fuite. Des négociations de paix furent aussitôt entreprises par le gouvernement chinois qui délégua auprès des puissances le vieux Li Hong-tchang. Celui-ci sut jouer habilement des rivalités entre les Européens et obtint un traité relativement modéré pour son pays : le protocole du 7 septembre 1901 imposait à la Chine une indemnité de 1 750 millions payable en trente-neuf ans, l'interdiction des sociétés secrètes et l'installation à Pékin et à Tien-tsin de garnisons européennes.

Mais profitant de la situation, les Russes ont franchi une nouvelle étape dans leur expansion en Chine en faisant pénétrer profondément leurs troupes en Mandchourie. Malgré la protestation de l'Allemagne et de la Grande-Bretagne, l'amiral Alexéiev a obtenu du gouvernement chinois la signature d'une convention secrète qui autorise les Russes à maintenir leurs troupes et place l'administration chinoise de Moukden sous le contrôle d'un commissaire russe. C'est donc vers un véritable régime de protectorat que semble s'orienter la Russie en Mandchourie. L'Angleterre s'inquiète de cette nouvelle poussée de l'impérialisme russe. Le Japon, de son côté, ne peut rester indifférent à cette menace pour ses intérêts en Mandchourie et en Corée. À Londres, l'ambassadeur nippon fait valoir auprès du secrétaire d'État au *Foreign Office*, Lord Lansdowne, la communauté d'intérêts entre son pays et le Royaume-Uni dans la question chinoise. Après avoir quelque temps hésité, le gouvernement britannique se décide à rompre avec ses habitudes isolationnistes pour passer contrat avec Tokyo. Le 30 janvier 1902, le traité anglo-nippon se prononce pour le *statu quo* en Extême-Orient et affirme l'indépendance de la Chine et de la Corée. Chacune des deux puissances conservera une stricte neutralité en cas de guerre avec une tierce puissance, mais dans le cas où l'un des deux contractants serait attaqué par deux puissances réunies, l'autre interviendrait immédiatement aux côtés de son allié.

Le traité anglo-japonais, s'il indispose fortement le gouvernement de Saint-Pétersbourg, ne manque pas par ailleurs de surprendre les puissances européennes. D'une part, il marque l'abandon par l'Angleterre d'un isolement diplomatique dont le maintien avait été élevé à la hauteur d'un dogme ; d'autre part, parce que Londres a traité avec le Japon sur un pied de totale égalité, l'Empire nippon se voit attribuer pour la première fois les droits d'une grande puissance. En Europe, cette alliance avec une puissance « asiatique » fait un peu scandale dans les chancelleries. Les États-Unis y voient au contraire un gage de paix en Extrême-Orient et un barrage à la politique exclusive de la Russie. Ainsi s'affirme à l'aube du XXe siècle une politique extrême-orientale dans laquelle les « concurrents de l'Europe » : États-Unis et Japon, s'appuyant sur l'Angleterre, manifestent leur détermination de partager les marchés commerciaux et les avantages économiques avec les puissances du vieux continent.

L'expansion japonaise

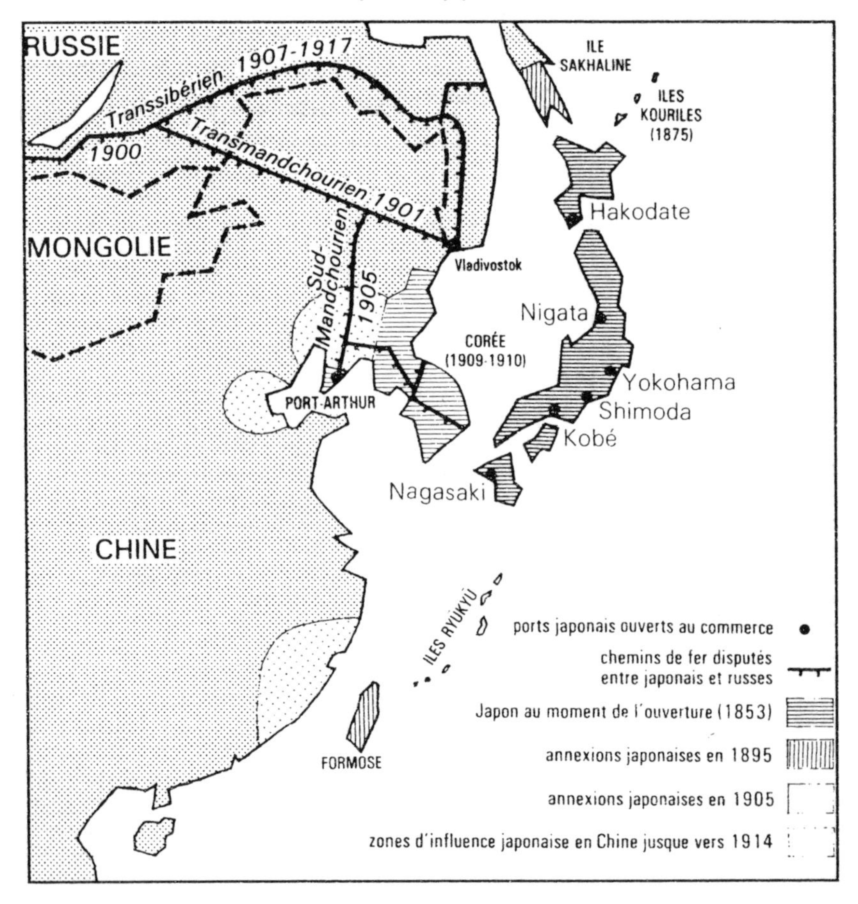

La première crise marocaine

En 1904 la France et l'Angleterre ont mis fin à leurs rivalités coloniales et ont amorcé un rapprochement spectaculaire par le traité de l'Entente cordiale (voir chapitre suivant). L'Allemagne, qui voit déjà se profiler la menace d'une Alliance à trois dirigée contre la Triplice, cherche une occasion favorable pour provoquer une scission entre la France et ses alliées. Cette occasion se présente en 1905 : la Russie, aux prises avec les Japonais puis avec de très graves difficultés sociales, se trouve alors totalement neutralisée et hors d'état de porter assistance à son alliée occidentale. La diplomatie allemande voudrait à la fois séparer les deux protagonistes de l'Entente cordiale, en montrant à l'Angleterre les dangers de l'alliance française et amener une rupture entre la France et la Russie en démontrant à Nicolas II le peu d'appui que son alliée lui apporte. Enfin la Wilhelmstrasse ne serait pas mécontente de voir le ministre français des Affaires étrangères, Delcassé, très hostile à l'Allemagne, contraint de quitter le pouvoir. La question marocaine va fournir à Berlin le moyen de mettre ses desseins à exécution.

• *Maîtresse de l'Algérie et de la Tunisie, la France* se trouvait amenée à s'intéresser de près au débouché atlantique du Maghreb. Or le Maroc, pays mal connu et qui par sa position stratégique ne pouvait manquer de susciter les convoitises des puissances, était un État indépendant, n'ayant pas fait partie comme l'Algérie et la Tunisie de l'Empire ottoman et dont la souveraineté était assumée par un sultan, souverain politique et chef religieux, à l'autorité incertaine. L'ensemble du pays conservait une structure « féodale » et de très nombreuses tribus, arabes ou berbères, demeuraient à peu près indépendantes. Il en résultait pour l'Empire chérifien un état d'anarchie endémique que de 1873 à 1894 un très grand sultan, Moulay Hassan, avait réussi à faire reculer. Mais son successeur, Moulay Abd el-Aziz, est un jeune homme fantasque et inconstant qui s'entoure d'aventuriers européens et manifeste une passion puérile pour les inventions modernes, faisant de la bicyclette dans les jardins du Palais, jouant au billard et photographiant les femmes de son harem au grand scandale des traditionalistes. Aussi l'autorité du nouveau sultan n'avait-elle cessé de diminuer et des troubles avaient éclaté, en particulier dans la région des confins algéro-marocains, provoquant l'intervention de la France.

Jusqu'en 1900 la France se contenta d'exercer « droit de la suite » à l'occasion d'opérations de police sur la frontière algéro-marocaine et d'établir son influence économique dans l'Empire chérifien, sans obtenir d'ailleurs d'avantages particuliers. Une conférence réunie à Madrid en 1880 avait en effet établi que tous les pays intéressés aux affaires marocaines jouiraient d'avantages économiques identiques. Mais à partir de 1900 la situation allait se modifier. Ayant entrepris depuis 1898 la conquête du Sahara, la France songe à occuper la ligne d'oasis du Touat par laquelle les caravanes peuvent gagner le Hoggar et dont la souveraineté appartient au Maroc. Le parti colonial et son chef Eugène Étienne estiment d'autre part que le moment est venu pour la France d'achever son œuvre de colonisation dans le Maghreb en établissant son protectorat sur le pays. C'est aussi l'avis de Delcassé qui dès son arrivée au Quai d'Orsay s'emploie à obtenir l'adhésion des puissances méditerranéennes aux projets d'expansion française dans l'Empire chérifien. Nous avons vu qu'à deux reprises, en décembre 1900 et en juillet 1902, des accords avaient été signés à Rome entre le ministre italien des Affaires étrangères et l'ambassadeur de France Camille Barrère reconnaissant à l'Italie le droit de développer son action en Tripolitaine, carte blanche étant laissée à la France pour agir de son côté au Maroc. En 1904 l'Entente cordiale établit un accord du même genre – Maroc contre Égypte – entre la France et l'Angleterre. Enfin, le 6 octobre 1904, l'Espagne donne son adhésion à la déclaration franco-anglaise contre promesse secrète de cessions territoriales au Nord et à l'extrême Sud de l'Empire chérifien.

Forte de ces appuis diplomatiques, la France se décide à intervenir au Maroc. En juin 1904 elle accorde au gouvernement marocain un emprunt de 62,5 millions de francs-or, mais celui-ci est garanti par le produit des douanes marocaines, ce qui les met pratiquement aux mains de la France. En novembre, une ambassade dirigée par Saint-René Taillandier est envoyée à Fez. Elle reçoit mission de proposer au sultan un programme de réformes financières et militaires, autrement dit le protectorat de la France. Aussitôt Berlin entre en scène.

La France n'avait pas jugé utile de demander au gouvernement allemand son accord pour imposer au Maroc un traité de protectorat. Delcassé estimait que l'Allemagne n'étant pas puissance « méditerranéenne » et n'ayant pas d'intérêts majeurs au Maroc, il n'y avait pas lieu de lui demander son avis. La Wilhelmstrasse était bien entendu d'un avis différent. Holstein considérait pour sa part que l'Allemagne devait protéger ses intérêts commerciaux dans l'Empire chérifien. Surtout, ayant hautement proclamé sa volonté de mener une « politique mondiale », l'Allemagne pouvait-elle accepter que la question marocaine fût réglée sans la consulter ? Ce sont ces considérations de prestige, en même temps que le désir de saisir au vol une occasion de perturber les relations franco-anglaises, qui déterminèrent Berlin à agir. Le souci des intérêts économiques de l'Allemagne servit surtout de prétexte à l'intervention du Reich.

Séparer la France de l'Angleterre, tel est donc le dessein immédiat de la diplomatie allemande, le sens de son intervention dans l'affaire marocaine. Mais au-delà de ce premier objectif, Holstein et Bülow ont élaboré un vaste programme d'action diplomatique comportant une alliance germanorusse à laquelle la France serait invitée à adhérer en échange de l'acceptation par l'Allemagne du protectorat français au Maroc. L'isolement total de la Grande-Bretagne devait être le couronnement de cette savante combinaison.

Pour mettre ses projets à exécution, Bülow va se servir de Guillaume II, d'abord réticent aux idées de la Wilhelmstrasse mais que les arguments du chancelier et de Holstein finissent par convaincre. Profitant d'une croisière de l'empereur en Méditerranée, Bülow obtient de Guillaume II qu'il fasse une escale à Tanger, non en simple touriste comme le Kaiser l'eût souhaité, mais avec un éclat suffisant pour donner à l'événement une signification politique sans équivoque.

De fait le discours prononcé par Guillaume II, s'il ne mentionnait pas la France, constituait pour elle un sérieux avertissement : « Ma visite a pour but – déclara le Kaiser – de faire savoir que je suis décidé à accomplir ce qui est en mon pouvoir pour sauvegarder efficacement les intérêts de l'Allemagne, puisque je considère le sultan comme un souverain absolument libre. »

Encouragé par ces paroles et d'ailleurs poussé par l'Allemagne, le sultan demanda le 1er avril la réunion d'une conférence internationale, solution aussitôt adoptée avec enthousiasme par le gouvernement de Berlin. Aussi, lorsqu'à trois reprises, Delcassé voulut engager la négociation avec Bülow, il se heurta à un refus formel de la part du gouvernement allemand.

À Paris, on s'inquiète de cette fin de non-recevoir. Le gouvernement est d'ailleurs divisé sur l'attitude à adopter en face des exigences allemandes. Le ministre des Affaires étrangères Delcassé est partisan de la résistance et entend obtenir du sultan l'acceptation du programme de réformes présenté à la veille de la crise. Il pense que l'Allemagne « bluffe », que Bülow n'a nullement l'intention de faire la guerre pour le Maroc et que, quand bien même il agiterait la menace d'un conflit armé, il faudrait encore résister puisque l'Angleterre a manifesté son intention de soutenir la politique française. Lord Lansdowne a proposé le 17 mai par l'intermédiaire de notre ambassadeur à Londres des conversations entre les deux pays à propos des « éventualités en face desquelles ils pourraient se trouver » et Delcassé pense que cet échange de vues pourrait bien aboutir à une alliance. Mais le président du Conseil, Rouvier, ne partage pas l'optimisme de son ministre des Affaires étrangères. Il n'a qu'une confiance limitée dans les avances britanniques et craint que l'Angleterre n'abandonne la France une fois celle-ci engagée dans un conflit armé avec l'Allemagne. D'ailleurs, déclare-t-il le 6 juin au cours du dramatique Conseil des ministres qui allait provoquer le départ de Delcassé : « Sommes-nous en état de faire la guerre ? Évidemment non... On conçoit très bien que l'Angle-

LE POINT DE VUE GERMANIQUE

« Ce ne fut pas l'importance de nos intérêts économiques et politiques au Maroc qui me poussa à conseiller la résistance à l'Empereur. J'y fus porté par la conviction que dans l'intérêt même de la paix, nous ne devions pas supporter plus longtemps de telles provocations. La guerre avec la France, je ne l'avais pas voulue. Je ne la voulais pas à ce moment et ne l'ai point voulue davantage plus tard. Tout conflit sérieux en Europe, je le savais, aurait pour conséquence une guerre mondiale ; mais je ne redoutais pas de mettre la France devant la possibilité d'une guerre. Je me fiais à mon adresse et à mon énergie pour empêcher la crise d'éclater, pour faire tomber Delcassé, mettre fin aux desseins agressifs de la politique française, arracher des mains d'Edouard VII et de son groupe belliciste leur épée continentale, conserver avec la paix l'honneur de l'Allemagne et accroître son autorité. »

Source : Chancelier von Bülow, *Mémoires*, T. II, (1902-1909), Paris, Plon, 1930.

À TANGER

« J'envoyai par lettre à l'empereur le conseil de descendre à Tanger. Je lui recommandai en même temps de ne pas prononcer de discours pompeux, mais de dire, le plus simplement possible, n'avoir eu aucune raison de ne pas rendre visite au sultan du Maroc, souverain indépendant. Il exprimerait ensuite l'espoir de voir le Maroc s'en référer au traité et au droit international, s'appuyer sur eux et demeurer ouvert à la concurrence pacifique de toutes les nations. L'empereur se résolut à contre-coeur à cette visite. Il ne s'agissait pas ici, il le sentit et le vit au ton de ma lettre, d'une promenade de touriste (*sight-seeing*), mais d'un acte politique de grande importance. À cela s'ajouta, au moment où Sa Majesté suivait ma suggestion, une tempête, une mer démontée, le débarquement en chaloupe avec risque de prendre un bain froid.
« Ce 31 mars 1905, jour du débarquement à Tanger, l'empereur physiquement se portait bien, mais le risque de toute cette entreprise le surexcitait. De plus le sultan lui avait envoyé au débarcadère des étalons berbères ombrageux. L'empereur, après la crainte du bain froid dans la Méditerranée, avait eu à veiller à ne pas se laisser désarçonner sous les yeux de ces badauds de Maures et d'Arabes. Aussi les deux allocutions de l'empereur à l'oncle du sultan venu pour le saluer et à la colonie allemande furent-elles plus véhémentes et plus énergiques qu'il ne l'avait voulu. »

Source : Chancelier von Bülow, *Mémoires, ibid*, p. 136-196.

terre, qui ne craint pas d'être envahie dans son île, veuille nous jeter en avant avec elle. Nos flottes réunies auraient raison de la flotte allemande, mais la lutte sur terre serait très inégale à notre détriment... Faire la guerre aujourd'hui dans les conditions d'infériorité où nous nous trouvons serait une aventure plus que téméraire et bien coupable. »

La diplomatie d'Outre-Rhin ne manque pas d'exploiter ces divergences. L'ambassadeur à Paris, Radolin, en a été averti par Rouvier lui-même : il prévient Holstein qui saisit aussitôt l'occasion pour obtenir le renvoi de Delcassé. Le 30 mai, sur l'ordre de Bülow, un conseiller d'ambassade se rend auprès de Rouvier et exige le renvoi immédiat du ministre des Affaires étrangères. Le président du Conseil essaie de louvoyer mais le gouvernement allemand a fait savoir qu'il ne souffrirait aucun retard : craignant la rupture, Rouvier se décide finalement à sacrifier aux exigences de Bülow l'homme qui depuis sept ans dirigeait la politique étrangère de la République.

• *Delcassé démissionne.* La mise à mort s'effectue le 6 juin en Conseil des ministres. Delcassé expose son point de vue : il est persuadé que l'Allemagne « bluffe » et n'ira pas jusqu'au bout de ses menaces. Il fait état des ouvertures anglaises en vue d'une action commune et déclare que si la France refuse les offres britanniques elle s'expose à voir la Grande-Bretagne se tourner de nouveau du côté de Berlin. Quand il a terminé son exposé, Rouvier se lève et explique pourquoi il ne peut engager la France dans une épreuve de force que ses moyens militaires ne lui permettent pas. La question est ensuite mise aux voix : tous les ministres se rallient à l'opinion du chef du gouvernement. Abandonné de tous, Delcassé fait savoir à ses collègues qu'il donne sa démission : l'Allemagne vient de marquer un premier point.

• *La réunion d'Algésiras.* Elle en obtient un second en juillet, lorsque Rouvier, qui a pris l'intérim des Affaires étrangères, accepte après quelque hésitation la réunion de la conférence internationale. Celle-ci s'ouvre en janvier 1906 à Algésiras, près de Gibraltar ; y sont représentés tous les signataires de la conférence de Madrid : les principaux pays européens, le Maroc et les États-Unis qui font là leur entrée officielle dans la « politique mondiale ». L'Allemagne fut loin d'y obtenir les résultats que ses premiers succès lui avaient permis d'escompter. Elle se trouva en effet isolée pendant tout le temps de la conférence, ne pouvant tout au plus compter que sur l'appui de l'Autriche-Hongrie. La France fut au contraire constamment soutenue par son alliée russe, par l'Espagne et l'Angleterre avec qui elle avait passé des accords sur le Maroc et par l'Italie qui, prenant ses distances vis-à-vis de la Triple-Alliance, manifesta ainsi sa fidélité aux accords de 1902. L'Italie était représentée par le marquis Visconti-Venosta, grand ami de la France, l'un des artisans du rapprochement franco-italien. L'intervention du président des États-Unis, Théodore Roosevelt, lui permit enfin de faire valoir son point de vue. L'acte d'Algésiras reconnaissait la prépondérance de la France dans les affaires marocaines ; elle obtenait une position privilégiée dans la banque d'État du Maroc dont la conférence avait décidé la création et, contre la volonté de l'Allemagne qui eût désiré un contrôle international, la police des ports marocains conjointement avec l'Espagne.

Au total, si elle n'était pas parvenue à établir encore son protectorat sur le Maroc, la France avait réussi dans des conditions difficiles à faire reconnaître par les puissances sa situation privilégiée dans l'Empire chérifien. Surtout, déjouant les combinaisons savantes de la diplomatie allemande, elle avait évité la dislocation de ses alliances. Elle avait même pu constater avec plaisir que la politique de rapprochement, menée à Rome par notre ambassadeur Camille Barrère, commençait à porter ses fruits et que la Triple Alliance, dont elle avait si longtemps déploré le maintien, donnait enfin des signes d'épuisement.

LA MONTÉE DES CONCURRENTS DE L'EUROPE

L'extrême fin du XIXe siècle et les premières années du XXe voient se développer les ambitions de deux jeunes puissances : le Japon et les États-Unis qui par leurs succès économiques et militaires s'affirment déjà comme des rivaux sérieux pour les pays du vieux continent. Les États-Unis en 1898, le Japon en 1905, remportent respectivement sur l'Espagne et la Russie des victoires dont l'ampleur et la rapidité plongent l'Europe dans la stupeur. Ainsi, bien avant la guerre de 1914-1918 qui précipitera le mouvement, l'hégémonie plusieurs fois séculaire de l'Europe semble-t-elle condamnée à terme.

L'éveil de l'impérialisme américain

Longtemps absorbés par la conquête de l'Ouest et par des problèmes de peuplement et d'équipement, les Américains se sont détournés des affaires internationales, le maintien de la doctrine de Monroe étant le seul point qui pût les faire sortir de leur réserve. Cependant, à partir de 1885, l'idée d'une expansion des États-Unis dans le monde fait son apparition dans des ouvrages tels que *L'Influence de la puissance navale sur l'histoire* d'A. Mahan et *La Science politique* de J. Burgess qui abordent surtout le problème sous son angle politique en proclamant la volonté de puissance et la soif de prestige du peuple américain. Des hommes politiques, en particulier des républicains comme Beveridge et Théodore Roosevelt, professent au Congrès des idées identiques, mais jusqu'en 1890 les milieux d'affaires et la masse de l'opinion publique sont très peu touchés par ce courant de pensée « impérialiste ».

• *A partir de 1890,* les idées impérialistes trouvent une audience beaucoup plus large. La « frontière » disparaît et avec elle la « soupape de sûreté » que constituaient les grands espaces vides du centre des États-Unis. L'esprit pionnier du peuple américain ne pouvant plus s'exercer à l'intérieur des limites de l'Union va chercher en dehors de celles-ci d'autres terrains d'action. L'opinion publique est atteinte à son tour par la vague de nationalisme « chauvin » qui a, dix ou quinze ans plus tôt, déferlé sur l'Europe. Surtout, l'équipement du pays étant pratiquement achevé, les hommes d'affaires commencent à se soucier du problème des débouchés extérieurs. Si le marché américain absorbe encore la quasi-totalité de la production, il peut être utile de se réserver pour l'avenir des zones d'influence d'où seraient écartés les concurrents européens ou japonais. Il s'agit moins d'ailleurs d'annexer des territoires à la manière européenne que de s'assurer des zones réservées par la « diplomatie du dollar ».

Bien entendu c'est sur le continent américain, particulièrement en Amérique centrale, que cet impérialisme naissant trouve son premier champ d'action. Dès 1895, à propos d'un conflit anglo-vénézuélien relatif aux limites de la Guyane britannique, le président Cleveland énonce sa formule du « monroïsme renforcé » : aucune question intéressant le continent américain ne pourra être réglée en dehors des États-Unis. D'abord réticent, le gouvernement britannique avait fini par admettre la thèse américaine et par accepter l'envoi d'une commission d'enquête.

• Mais la première manifestation véritable de l'impérialisme américain *fut la guerre contre l'Espagne*. L'origine en fut la répression exercée par les Espagnols dans l'île de Cuba, une de leurs dernières possessions coloniales, où les indigènes s'étaient révoltés contre leur mauvaise administration. Le général espagnol Weyler ayant ordonné de grouper la population civile dans des camps de concentration, l'opinion américaine s'était vivement émue. Elle y avait été puissamment aidée par la grande presse à sensation qui s'était emparée de l'événement pour agir sur les masses. Dans quel but? Pour augmenter les tirages, sans doute, mais aussi semble-t-il parce que certains milieux d'affaires, liés aux grands journaux d'information, possédaient d'importants intérêts dans les plantations cubaines de canne à sucre, intérêts qui se trouvaient lésés par les troubles dans la grande île antillaise et par les méthodes répressive du commandement espagnol.

Craignant des complications avec les États-Unis, le gouvernement espagnol rappela Weyler. Mais déjà Washington, poussé par l'opinion publique, avait envoyé à La Havane la cuirassé *Maine* avec mission de protéger les nationaux des États-Unis. Or le 15 février 1898 une explosion fit sombrer le cuirassé américain. Washington vit dans cette catastrophe les effets d'un sabotage espagnol. En fait, l'Espagne était tout à fait étrangère à l'affaire. Que s'était-il passé exactement? Explosion accidentelle d'une mine sous-marine, action des rebelles cubains pour entraîner les États-Unis dans la guerre ou – comme il a été suggéré à plusieurs reprises – attentat prémédité par certains milieux d'affaires désireux de provoquer une intervention américaine? Aujourd'hui encore il est impossible de donner à ces questions une réponse satisfaisante.

Quoi qu'il en fût, et malgré la volonté de paix du président McKinley, l'opinion et le Congrès exigèrent une riposte immédiate. Un ultimatum fut envoyé au gouvernement espagnol le sommant d'accorder l'armistice aux rebelles et de supprimer les camps de concentration. Madrid se montra très conciliant, accepta l'ultimatum, prit des mesures immédiates pour faire cesser la répression, mais ce furent les insurgés qui, voulant obtenir l'indépendance, refusèrent l'armistice. Pressé d'intervenir et craignant de ne pas être réélu à la présidence, McKinley dut se résigner, le 21 avril 1898, à déclarer la guerre à l'Espagne.

Les opérations furent menées très rapidement et, bien que les Etats-Unis fussent déjà considérés comme une très grande puissance industrielle, la soudaineté de leur victoire surprit l'Europe. En Allemagne, on avait même cru, dans l'entourage de l'empereur, à une victoire espagnole.

Or, en deux mois, les Américains détruisirent les deux flottes espagnoles, l'une aux Philippines, l'autre aux Antilles et contragnirent l'Espagne à demander l'armistice. Par le traité de Paris, signé le 12 août 1898, elle abandonnait aux États-Unis les Philippines et Porto-Rico et reconnaissait l'indépendance de Cuba qui devenait en fait un protectorat américain. Peu de temps après les États-Unis annexaient les îles Hawaï et l'archipel des Samoa, manifestant leur volonté d'expansion dans le Pacifique. Ainsi, en remportant sur une nation du vieux continent une victoire éclair, les États-Unis effectuaient une spectaculaire entrée sur la scène internationale.

Avec Théodore Roosevelt, qui succède à McKinley assassiné en 1901, l'impérialisme américain s'affirme avec une plus grande netteté. Tandis que la mer des Antilles devient un véritable « lac américain », les États-Unis prennent pied en Amérique centrale et s'efforcent d'attirer dans leur orbite les jeunes républiques d'Amérique latine.

• *En Amérique centrale,* les États-Unis songent toujours, depuis l'échec de Ferdinand de Lesseps, à creuser un grand canal interocéanique entre l'Atlantique et le Pacifique.

Aux avantages économiques qu'ils en attendent, s'ajoutent des motifs stratégiques : s'intéresant à l'Extrême-Orient, les Américains doivent pouvoir faire passer aisément leur flotte des ports de la côte orientale vers ceux de la côte occidentale. Le voyage par le cap Horn est long et difficile, d'où l'idée d'ouvrir l'isthme de Panama aux flottes de commerce et aux escadres militaires. Mais un traité de 1850 oblige les États-Unis à n'entreprendre la construction d'un canal que conjointement avec l'Angleterre : hypothèque qui semble pesante au gouvernement de Washington et dont celui-ci va tenter de se débarrasser à l'occasion de la guerre du Transvaal. Après de difficiles négociations, un traité fut signé en novembre 1901 qui permettait aux États-Unis de construire le canal, de le fortifier et de protéger sa neutralité. En 1903 tout est prêt pour que commencent les travaux, mais la Colombie, dont faisait partie le territoire de Panama, tarde à donner son autorisation. Pressée par le gouvernement américain, elle met à son acquiescement des conditions que Washington juge excessives. Le 3 novembre une « révolution », fomentée et soutenue par les États-Unis, éclate fort opportunément à Panama ; un croiseur américain s'oppose au débarquement des renforts colombiens et les États-Unis reconnaissent aussitôt le gouvernement né du coup d'État, lequel donne immédiatement son accord au percement du canal. Maîtres de Panama, des Hawaï et des Philippines, les Américains dominent le Pacifique.

• *En Amérique latine,* les États-Unis obtinrent des résultats beaucoup plus médiocres. Du « panaméricanisme » prôné par Washington, les républiques américaines ne retinrent guère que le principe des conférences périodiques groupant tous les États de l'« hémisphère occidental » : elles se méfiaient en effet de la « diplomatie du dollar » et de la pénétration économique des États-Unis, préface à leur mise en tutelle par la grande puissance septentrionale.

L'essentiel pour les États-Unis était d'ailleurs de se réserver en Amérique du Sud une « chasse gardée » d'où seraient écartées les ambitions européennes. Pour mener à bien cette entreprise, Théodore Roosevelt substitue à la doctrine de Monroe qui interdisait aux Européens d'exercer un droit de politique en Amérique latine, ce que l'on a appelé le corollaire Roosevelt de la doctrine de Monroe et par lequel les États-Unis se réservaient le droit exclusif de protéger la sécurité et les biens des étrangers dans les pays dont le régime instable pouvait rendre cette intervention nécessaire. Citant un proverbe africain, Roosevelt aimait à dire : « Parlez doucement et prenez un gros bâton avec vous. » La politique du *big stick* allait pour longtemps présider à l'action extérieure des États-Unis. À la veille de la Grande Guerre, celle-ci se caractérise par une volonté croissante d'affirmer le rôle « mondial » des États-unis, de proclamer après Roosevelt que la nation américaine a une mission à remplir dans les affaires internationales et que le leadership du monde lui appartient.

Le Japon

L'intervention des puissances occidentales au lendemain du traité de Shimonoseki et le « coup d'arrêt » donné par celles-ci à l'expansion japonaise ont profondément humilié le peuple et les dirigeants nippons. Après 1895 le Japon, qui n'a pas renoncé à faire valoir ses droits sur les territoires que les Européens l'ont contraint à « rétrocéder » à la Chine, entreprend d'accélérer le rythme de son développement économique et militaire.

• *Une puissance industrielle.* Bien que le pays soit pauvre en ressources minérales et énergétiques, le mineral de fer notamment fait défaut, des industries modernes se sont constituées, contrôlées par des trusts que dirigent quelques grandes familles : Mitsui, Mitsubishi, etc. dont les chefs ont fait fortune, en fournissant au gouvernement du matériel de guerre pendant le conflit sino-japonais. L'industrie textile vient en tête, produisant à bon marché des cotonnades de qualité médiocre mais susceptibles de s'écouler aisément sur les marchés du continent asiatique. L'industrie métallurgique se développe plus lentement, non seulement parce que la matière première est rare et qu'il faut en importer la plus grande partie, mais aussi parce que les capitaux manquent. La sidérurgie, qui achète à un prix élevé le minerai et le charbon étrangers, pour vendre ses produits finis sur le marché intérieur, ne parvient pas à réaliser des bénéfices permettant de faire d'importants investissements. Les aciéries de Yawata, créées en 1895, connaissent depuis cette date un déficit chronique et ne peuvent survivre qu'avec l'aide de l'État. Les constructions navales ne se développement que lentement et de nombreux navires utilisés par la flotte nippone sortent encore des chantiers navals étrangers de même que machines textiles et moteurs viennent pour la plupart des usines européennes et américaines.

Le Japon n'en fait pas moins figure de puissance industrielle. Alors qu'en 1890 il n'exportait guère que des matières premières : soie brute et cuivre, il est devenu dix ans plus tard exportateur de produits fabriqués et importateur de matières premières. Vendre est devenu pour lui une absolue nécessité, alors que l'industrie ne cesse de réclamer davantage de minerai et de houille et que la population dont le rythme d'accroissement augmente exige de plus grandes quantités de produits alimentaires. Or l'industrie japonaise ne peut espérer écouler sa production sur les marchés européen ou américain : la mauvaise qualité des objets *made in Japan*, due au manque d'ouvriers et de techniciens qualifiés, est vite devenue célèbre et ne répond pas aux besoins et aux goûts d'une clientèle difficile. Une seule solution pour les exportateurs japonais : conquérir les marchés du continent asiatique, celui de la Chine en particulier, où le bon marché des produits de l'industrie nippone est susceptible d'attirer une clientèle aux revenus misérables. Encore faut-il en écarter les concurrents européens et américains dont les réseaux de vente sont fortement implantés en Asie orentale.

• *La conquête de débouchés industriels* et de réserves de matières premières est donc pour l'Empire nippon une question vitale. La Corée et la Mandchourie peuvent lui fournir l'un et l'autre à condition d'en déloger les Russes dont l'influence n'a cessé de s'étendre dans ces régions depuis 1895. C'est dans ce but que le Japon entreprend à partir de 1894 un effort militaire particulièrement important, faisant passer en dix ans son armée de 6 à 13 divisions et augmentant sa flotte de guerre d'unités achetées à la Grande-Bretagne et à l'Italie.

Surtout l'Empire nippon parvient à rompre l'isolement diplomatique dans lequel l'avaient maintenu les Européens en signant avec l'Angleterre l'alliance défensive de janvier 1902. En offrant au Japon son alliance, en rompant délibérément avec une longue tradition d'isolement, l'Angleterre pensait exercer sur les Russes une pression suffisante pour qu'ils rappellent leurs troupes de Mandchourie. De fait, l'accord anglo-nippon provoqua tout d'abord le recul de l'impérialisme russe : en avril 1902 le gouvernement de Saint-Pétersbourg accepta de signer avec la Chine une convention qui prévoyait l'évacuation de la Mandchourie par les garnisons russes en trois étapes, tout devant être terminé pour octobre 1903. Un commencement d'exécution fut donné à cet accord, mais au moment de procéder à l'évacuation de la seconde zone, le gouvernement du tsar voulut imposer à Pékin un certain nombre de conditions économiques. L'influence des milieux politiques et diplomatiques, celle en particulier du ministre des Affaires étrangères Lamsdorf et du ministre des Finances Witte, tous deux favorables à une politique de temporisation, avait dû s'effacer au profit de celle des milieux militaires et de certains groupements financiers dominés par le secrétaire d'État Bezobrazov, homme d'affaires propriétaire d'exploitations forestières dans la région du Yalou. En Mandchourie même, l'amiral Alexéiev, qui exerçait le haut-commandement des troupes russes et jouait en Extrême-Orient le rôle d'un vice-roi, était également favorable à une politique d'intimidation et de fermeté à l'égard de la Chine et des ambitions japonaises.

LE CHEMIN DE FER « TRANSSIBÉRIEN », INSTRUMENT DE LA PÉNÉTRATION RUSSE EN ASIE

« Entrant en rapports immédiats avec le réseau des chemins de fer de toute la Russie, passant par des contrées cultivées et industrielles, situées sur une bonne partie de cette immense étendue, et réunissant entre eux les centres de commerce et d'industrie, le chemin de fer ouvre de nouvelles voies et de nouveaux horizons aux relations et au commerce, tant de la Russie que de l'univers entier. Avec cela, il faut prendre en considération que la Chine, le Japon et la Corée, dont les populations réunies s'élèvent à plus de 400 millions d'âmes... sont encore loin d'avoir développé leurs relations commerciales avec l'Europe, en vertu des conditions naturelles dans lesquelles ils se trouvent... Mais lorsque sera terminée la construction de la ligne mandchourienne, on peut être assuré que leur échange commercial s'agrandira de beaucoup sur le marché international, grâce à l'aide de la grande voie à vapeur...

« Toutes les mesures prises... témoignent clairement de l'importance civilisatrice et industrielle de la grande construction, dont le commencement illustre le règne du défunt Tsar-Pacificateur, ainsi que de la grande force du peuple grand-russien slave qui est destiné à servir de guide au christianisme et à la civilisation dans l'Orient asiatique. »

Tract édité par le gouvernement russe à l'occasion de l'Exposition universelle de Paris de 1900.

Le point de vue des militaires et des hommes d'affaires ayant prévalu, l'évacuation fut suspendue. Inquiet, Tokyo proposa une négociation sur la base d'un partage des zones d'influence, la Russie recevant la Mandchourie, le Japon la Corée. Mais chacun voulant empiéter par avance sur la part qu'il acceptait de réserver à l'autre, les pourparlers ne donnèrent en fin de compte aucun résultat.

• *Au Japon comme en Russie,* le parti de la guerre l'emporte, contre les conseils de prudence du prince Ito. L'alliance anglaise a donné confiance aux Japonais qui sont pressés de montrer leur valeur et de venger l'humiliation subie au lendemain de Shimonoseki. La réorganisation de l'armée est maintenant achevée et l'Empire nippon dispose de forces terrestres et navales qui doivent lui permettre d'avoir la supériorité numérique pendant les premiers mois de la guerre, jusqu'à ce que des renforts soient venus d'Europe par le Transsibérien. En face des 80 000 hommes d'Alexéiev, combattant à 7 000 km de leurs bases et des 28 navires de guerre divisés entre Vladivostok et Port-Arthur, le Japon peut aligner 150 000 hommes armés de façon moderne, bien entraînés et prêts à faire le sacrifice de leur vie ; une fois la mobilisation achevée, cet effectif pourra être porté à 300 000 hommes. Sur mer, l'amiral Togo dispose d'une cinquantaine de gros navires de guerre dotés d'une excellente artillerie et remarquablement commandés.

Fort de cette supériorité militaire, le Japon exige le 13 janvier 1904 que la Russie lui fasse savoir de façon définitive si elle est prête à reconnaître l'intégrité de la Mandchourie. Le 5 février, aucune réponse ne lui ayant été donnée, le gouvernement nippon décide de rompre les relations diplomatiques : Vladivostok étant bloqué par les glaces le moment est favorable à une action navale. Celle-ci est engagée le 8 : sans déclaration de guerre, la flotte japonaise attaque l'escadre de Port-Arthur et coule trois cuirassés russes. Avant que Saint-Pétersbourg ait eu connaissance de la rupture des relations diplomatiques, les hostilités sont engagées.

Les Russes n'avaient pas pris au sérieux la menace japonaise et pensaient pouvoir vaincre avec leurs seules forces d'Extrême-Orient. Ils durent vite changer d'avis et se trouvèrent contraints de faire en Mandchourie un effort beaucoup plus important qu'il n'avait été prévu. Il fallait en particulier faire venir d'Europe des troupes de plus en plus nombreuses : voyage difficile car le Transsibérien n'était pas achevé et les renforts devaient accomplir à pied une partie du trajet. Ce n'est qu'en octobre 1904 que les Russes peuvent disposer d'effectifs légèrement supérieurs à ceux de l'armée japonaise.

Or depuis le début des hostilités les Japonais se sont montrés particulièrement actifs. Ils ont commencé par s'assurer la maîtrise de la mer en détruisant le 10 août 1904 la flotte russe de Vladivostok. Ils ont ensuite aisément pris pied sur le continent, investi Port-Arthur et développé leur offensive en Mandchourie méridionale. Lorsque arrive en octobre le gros des renforts russes ils parviennent à enrayer la contre-offensive déclenchée par le général Kouropatkine. Enfin, après quatre mois de guerre de position, le haut-commandement nippon lance à la fin de l'hiver une attaque décisive. Après 15 jours de combat, la bataille de Moukden (février-mars 1905) tourne à l'avantage des Japonais. Les Russes doivent abandonner la Mandchourie méridionale.

Il reste aux Russes un dernier espoir ; regagner la suprématie navale pour couper les lignes de ravitaillement japonaise. La flotte de la Baltique, commandée par l'amiral Rojdestvensky, reçoit en octobre l'ordre d'appareiller pour l'Extrême-Orient. Entreprise homérique ! Au passage du *Dogger Bank*, dans la nuit du 21 au 22 octobre, un commandant de torpilleur ayant fait quelque abus de vodka, croit apercevoir des navires de guerre japonais dont il signale la position à l'amiral. La flotte russe ouvre le feu... sur de paisibles bateaux de pêche britanniques. On conçoit l'émotion du gouvernement de sa Majesté. Lorsque la flotte russe vient mouiller en rade de Vigo, en Espagne, les Britanniques veulent l'y enfermer et il faut une démarche pressante du gouvernement français pour qu'ils acceptent finalement de la laisser poursuivre sa route. Mais l'amiral russe craint de nouvelles difficultés au moment du passage à Suez ; qu'à cela ne tienne, on contournera l'Afrique ! C'est donc après un périple de sept mois que la flotte de la Baltique arrive en mai dans les eaux japonaises. Manquant de charbon, Rojdestvensky décide de gagner Vladivostock en passant par le détroit de Corée. C'est là que l'attend la flotte de l'amiral Togo. Le 27 mai, la bataille s'engage près de îles Tsou-shima : la flotte russe, épuisée par sa longue campagne et dotée d'un armement moins moderne est complètement écrasée ; sur 37 navires, 19 sont coulés et 5 capturés. C'est l'effondrement des derniers espoirs du gouvernement du tsar.

Plus rien ne s'oppose au triomphe des Japonais. Pourtant le gouvernement nippon ne souhaite pas continuer les hostilités en Mandchourie : l'effort de guerre a été intense et pèse lourdement sur les finances japonaises. Tokyo songe dès lors à une paix qui lui garantisse l'essentiel de ses conquêtes. Le président Roosevelt, inquiet des progrès accomplis par le Japon, ayant proposé sa médiation, celle-ci est acceptée par les deux belligérants. En Russie c'est le péril révolutionnaire plus que la situation militaire qui détermine le gouvernement du tsar à mettre fin aux hostilités mais dans les négociations qui s'ouvrent Nicolas II se montre résolu à ne souffrir ni cession de territoires, ni indemnité de guerre. S'il réussit à avoir gain de cause sur le second point – les finances japonaises auraient eu grand besoin de l'or russe –, il doit céder sur le premier et donner satisfaction aux revendications territoriales de l'adversaire.

• *La paix fut signée à Portsmouth, aux États-Unis, le 5 septembre 1905.* La Russie devait céder au Japon la partie méridionale de l'île de Sakhaline, le

Liao-toung avec Port-Arthur qui devenait base japonaise, ses droits sur le chemin de fer sud mandchourien ; elle laissait à Tokyo toute liberté d'action en Corée où le protectorat était aussitôt proclamé en attendant une annexion qui interviendra en 1910.

• *Les conséquences des événements de 1904-1905* furent immenses. En Russie la défaite, qui mettait fin à la poussée en Mandchourie, porta au régime tsariste un coup dont il ne devait pas se relever ; elle diminuait en même temps de façon sensible et durable le potentiel militaire du pays. Seule devait en bénéficier, après une courte éclipse à la fin de 1905, l'alliance franco-russe qu'affaiblissaient les visées extrême-orientales de Saint-Pétersbourg. En donnant un coup d'arrêt à l'expansion russe en Mandchourie et en Corée, la victoire nippone devait en effet ramener le gouvernement du tsar à ses préoccupations européennes.

Pour le Japon, la victoire de 1905 marque au contraire le début d'une spectaculaire expansion. Outre les avantages acquis au traité de Portsmouth, ratifiés quelques mois plus tard par le gouvernement chinois, le Japon se fait octroyer entre 1907 et 1913 de nouvelles concessions qui permettant d'élargir son action à des zones situées en dehors du territoire à bail de la « zone de la voie ferrée ». En dix ans les Japonais parviennent à faire de la Mandchourie méridionale un pays de 25 millions d'habitants auxquels viennent se joindre 50 000 colons nippons, une « chasse réservée » dont ils écartent peu à peu les concurrents européens et américains et qu'ils relient par voie ferrée à la Corée devenue territoire japonais. En Chine même, les capitaux et les hommes d'affaires japonais commencent à jouer un rôle non négligeable dans la vie économique du pays, en particulier dans la région située au nord de Hankéou, où se trouvent de riches gisements de minerai de fer et le principal centre d'industrie métallurgique. Les banques japonaises ont apporté leur soutien financier à la société chinoise qui exploite ces ressources, en échange de quoi le Japon a obtenu une participation à la gestion des hauts fourneaux et aciéries et des livraisons de minerai à un prix réduit. Enfin, lorsqu'à l'issue de la révolution chinoise de 1911, le général Yuan Che-kaï a sollicité l'aide financière des puissances, le Japon a pris place dans le consortium bancaire constitué pour passer contrat avec le président de la République chinoise. Mais, s'il est parvenu à placer ses intérêts sur un pied d'égalité avec ceux des grandes puissances, le Japon n'a pu, à la veille de la Grande Guerre, obtenir de celles-ci un blanc-seing pour se tailler dans la « Chine des dix-huit provinces » une zone d'influence comparable à celles dont bénéficient les Européens.

Les progrès accomplis par l'impérialisme nippon sont assez importants en effet pour inquiéter les concurrents occidentaux et en particulier les États-Unis, dont les intérêts risquent de se heurter à ceux de l'« Empire du soleil levant » en Extrême-Orient et dans le Pacifique. Au lendemain de la guerre russo-japonaise, les rapports jusque-là assez amicaux ont tendance à quelque peu s'aigrir entre les deux grandes puissances riveraines du Pacifique. Les Américains ne craignent pas seulement une concurrence économique qui pourrait à longue échéance léser leurs intérêts, mais encore et davantage peut-être les ambitions territoriales du jeune impérialisme nippon que l'on soupçonne de convoiter les récentes acquisitions insulaires des États-Unis ; Hawaï et Philippines. Autre sujet de méfiance : l'afflux d'immigrants japonais sur la côte ouest de l'Union. Les habitants de Los Angeles et de San Francisco voient sans enthousiasme s'entasser dans les « bas quartiers » de leur ville de forts contingents d'une main-d'oeuvre active et bon marché pesant lourdement sur le marché du travail. Sous la pression de ses administrés le gouverneur de l'État de Californie doit prendre des mesures discriminatoires à l'égard de l'immigration japonaise, provoquant de vives protestations à Tokyo, où l'on est surtout sensible au caractère vexatoire de ces dispositions, d'ailleurs désavouées par le président Roosevelt. Ce dernier parvient en 1907 à obtenir du Japon, contre la suppression de mesures jugées humiliantes par son gouvernement, la limitation volontaire de son immigration aux États-Unis.

Ce *gentleman's agreement* marque-t-il le commencement d'une détente dans les relations des deux pays ? Pas immédiatement : en 1907 Washington craint une action japonaise contre ses possessions insulaires et dépêche à Tokyo le secrétaire d'État à la Guerre, Taft, que le gouvernement nippon parvient à persuader de ses intentions pacifiques. Roosevelt ne décide pas moins l'année suivante d'envoyer une escadre américaine dans le Pacifique, démonstration « payante » puisqu'elle incite le Japon à signer le 30 novembre 1908 un accord avec les États-Unis sur la base du maintien du statu quo dans le Pacifique. La tension dès lors se fait moins vive et, lorsqu'en juillet 1911, l'Angleterre et le Japon décident de renouveler leur traité d'alliance défensive, les Américains obtiennent qu'en aucun cas celle-ci ne puisse jouer contre eux.

À la veille de la guerre de 1914, le Japon, dont l'armée et la flotte ne cessent d'augmenter en nombre et en efficacité, a su, malgré l'opposition d'ailleurs passive des puissances, étendre son influence sur une partie des marchés extrême-orientaux. Ses produits industriels, de qualité médiocre mais défiant quant au prix toute concurrence et par conséquent adaptés aux clientèles faméliques d'Asie, commencent à rivaliser avec ceux de l'Occident, comme le font ses capitaux et ses hommes d'affaires. On est loin, bien qu'un demi-siècle seulement se soit écoulé depuis la révolution de 1868, du Japon des samouraïs. L'Empire nippon est devenu une grande puissance mondiale.

6 Naissance de la Triple-Entente

Depuis la chute de Crispi, l'Italie a, nous l'avons vu, amorcé un rapprochement avec sa grande voisine latine. La convention tunisienne de 1896, l'accord commercial qui en 1898 mettait fin à une « guerre douanière » de dix ans, l'entente coloniale de 1900 par laquelle les deux pays se donnaient réciproquement carte blanche au Maroc et en Tripolitaine, enfin l'accord politique de 1902 qui assurait à la France la neutralité de l'Italie, marquèrent de part et d'autre la volonté de normaliser des relations devenues difficiles. L'attitude de l'Italie dans l'affaire marocaine et le soutien que la diplomatie transalpine avait apporté à la France lors de la conférence d'Algésiras indiquèrent s'il en était encore besoin après l'échange de visites des deux chefs d'État latins, mais de façon plus manifeste encore, que « l'innocent tour de valse » dont parlait le chancelier de Bülow s'était transformé en « flirt ». Ainsi, dès les premières années du XXe siècle, la Triple-Alliance, dont Bismarck avait fait la base de son système, semble condamnée à terme plus ou moins rapproché. L'Italie pourra bien, jusqu'à la veille de la guerre, renouveler une alliance dans laquelle elle trouve une garantie contre un isolement diplomatique qu'elle redoute par dessus tout, le cœur n'y est plus. À Berlin comme à Vienne on ne se fait plus guère d'illusion sur la fidélité éventuelle de l'allié latin. On voit même, au sein de la Triplice, renaître le vieil antagonisme austro-italien. Celui-ci ne s'alimente plus seulement de traditions irrédentistes, bien que derrière des hommes de la trempe de Cesare Battisti, député de Trente, l'agitation ait repris dans les territoires restés sous la domination autrichienne. Mais il faut y ajouter une rivalité nouvelle à propos des questions balkaniques et en particulier des provinces riveraines de l'Adriatique.

Or, tandis que s'accentue le fléchissement de la Triplice, on assiste dans le camp adverse à un resserrement de l'alliance. Bien plus, la Grande-Bretagne, que la guerre du Transvaal a fortement éprouvée et qui s'inquiète de plus en plus de la politique d'armements navals poursuivie par le Reich, se décide à renoncer à ses traditions isolationnistes et, après l'échec des négociations avec l'Allemagne, amorce un spectaculaire rapprochement avec la France d'abord, puis avec la Russie. Entente cordiale en 1904 et convention anglo-russe de 1907 constituent avec l'alliance franco-russe les éléments d'une Triple-Entente dressée devant le bloc des « puissances centrales ». Dès lors l'Europe, divisée en deux camps irréconciables, va se préparer au grand affrontement dans lequel la plongera en juin 1914 l'attentat de Sarajevo.

L'Entente cordiale

L'échec des négociations avec Berlin a provoqué en Grande-Bretagne une vague d'hostilité envers l'Allemagne. Inquiète du développement rapide de la flotte de guerre allemande, consciente désormais des méfaits de la concurrence germanique sur les marchés extérieurs, l'opinion publique anglaise manifeste à partir de 1901 une antipathie croissante à l'égard du Reich. Mouvement d'origine populaire et spontanée, à peine accentué par la fureur anti-allemande de la presse et que les dirigeants britanniques prennent en charge plus qu'ils ne l'ont suscité. Il n'empêche que le 23 octobre 1901 à Edimbourg, répondant aux attaques des journaux allemands à propos des « atrocités » commises par les Anglais au Transvaal, Joseph Chamberlain fit observer que celles-ci n'étaient que peu de chose en regard des cruautés dont l'armée prussienne s'était rendue coupable en 1870-1871. Venant d'un homme qui avait été à l'origine des tentatives de rapprochement avec l'Allemagne, ces paroles marquaient bien l'évolution qui était en train de se faire dans les esprits. Et c'est le même Chamberlain qui, passant par Le Caire en 1902, faisait part au consul de France de son désir de renouer avec notre pays des relations d'amitié. Le roi y était favorable, de même que le nouveau Premier ministre, Balfour, qui venait de remplacer à la tête du cabinet britannique son oncle, l'isolationniste Salisbury. Au *Foreign Office* Lord Lansdowne se montre prudent ; il ne peut être question d'engager l'Angleterre dans des questions continentales n'intéressant pas ses intérêts directs, mais la France est une puissance « navale », en cas de guerre avec l'Allemagne – et l'attitude récente de Guillaume II ne permet pas d'en écarter l'hypothèse – l'appui de la flotte française serait un atout précieux et permettrait en particulier d'assurer la garde de la Méditerranée tandis que l'effort britannique se porterait essentiellement en mer du Nord. D'où les avances britanniques pour un rapprochement avec la France, dans la mesure où le contrat passé n'aliénerait pas trop la liberté d'action du gouvernement de Londres. Mais encore faut-il que l'opinion publique et les milieux gouvernementaux français soient disposés à admettre l'éventualité d'une entente entre les deux grandes puissances coloniales. Or, si le ministre des Affaires étrangères, Delcassé, se montre favorable à un rapprochement avec la Grande-Bretagne, son attitude est loin d'être celle de tout le cabinet et surtout elle se heurte à un violent courant d'anglophobie consécutif à l'affaire de Fachoda. C'est le temps où journaux et revues nationalistes, ruminant les vieilles rancunes, énumèrent à plaisir les perfidies d'« Albion », où offensée des attaques de la presse française la reine Victoria renonce à son traditionnel séjour sur la Riviera tandis que le prince de Galles refuse d'ouvrir à Paris l'Exposition universelle de 1900. Couplets populaires, refrains de chansonniers et images d'Épinal rappellent aux badauds l'affront subi sur le Haut-Nil et la glorieuse épopée de Marchand.

L'atmosphère n'est donc pas à l'idylle et pourrant Delcassé ne renonce pas à engager des pourparlers avec le cabinet britannique. Il s'est en effet persuadé qu'un accord avec l'Allemagne est impossible, que l'opposition entre les deux pays est un fait irréversible et que dans ces conditions l'amitié anglaise ne saurait être repoussée. D'autant plus que depuis 1902 l'alliée russe s'est engagée à fond en Extrême-Orient, se détournant par conséquent des affaires européennes et laissant la France seule face au bloc des puissances centrales. Il dépêche donc à Londres l'ambassadeur Paul Cambon qui par ses qualités d'intelligence, de sang-froid et de tact s'impose rapidement auprès des milieux dirigeants britanniques. Le dessein du ministre français des Affaires étrangères consiste à profiter en premier lieu des bonnes dispositions de l'Angleterre pour régler à l'amiable toutes les questions coloniales susceptibles d'alimenter la rivalité des deux pays. Ce contentieux « impérial » étant liquidé, on pourra tout à loisir envisager une collaboration plus étroite et, qui sait, amener peu à peu la Grande-Bretagne à adhérer à l'alliance franco-russe.

• *Un tel accord colonial devant reposer sur un échange de garanties,* Delcassé songe à un « troc » Égypte-Maroc. La France accepterait de renoncer à tous ses droits sur l'Égypte, reconnaissant le protectorat de fait exercé par l'Angleterre, celle-ci laissant de son côté carte blanche à la France pour intervenir dans les affaires de l'Empire chérifien. L'Espagne serait associée à une négociation qui exclurait en revanche toute participation de l'Allemagne. Les premiers pourparlers engagés par Cambon sur cette base ne trouvèrent que peu d'écho auprès du gouvernement britannique. Il fallut que la France agitât la menace d'un accord sur le Maroc passé avec le seul gouvernement espagnol pour que Londres se déclarât enfin disposé à discuter à trois la question marocaine. C'est le 8 avril 1903 que Lansdowne – favorable à la France et qui comptait Talleyrand parmi ses ancêtres – fit connaître à Paris son accord de principe : le premier pas était fait. Le second pris la forme d'une visite à Paris du souverain britannique, Édouard VII, au début du mois de mai 1903. Bien que Delcassé ait déclaré : « C'est le roi tout seul qui a conclu le projet de visite à Paris », Édouard VII ne faisait en réalité qu'exécuter la politique préconisée par le *Foreign Office,* lequel étant soucieux d'un rapprochement avec la France voulait la soutenir par une démarche spectaculaire.

L'accueil des Parisiens fut d'abord franchement hostile. Le roi fut sifflé et salué des cris de « Vive les Boers ! Vive Marchand ! ». Cela ne dura pas. La bonne humeur du souverain, quelques paroles aimables dictées par son sens de l'opinion, eurent tôt fait de transformer l'hostilité des premiers jours en cordialité puis en un vif engouement. Le pas le plus difficile était franchi, celui qui passe par la rue et dont ensuite l'écho retentit dans la presse et dans les conservations quotidiennes. En juillet, ce fut le tour du président Loubet de se rendre à Londres en visite officielle: il y fut reçu avec enthousiasme.

Peu de temps avant l'arrivée en Angleterre du président de la République, les négociations ont été ouvertes par Eugène Étienne, président de la Commission des affaires coloniales à la Chambre et véritable chef du « parti colonial ». Accompagné de parlementaires français, Étienne est reçu par Chamberlain qui lance pour la première fois la formule de « l'Entente cordiale ». Enfin avec le président Loubet arrive Delcassé qui engage les négociations décisives. Celles-ci cependant vont traîner en longueur: Lansdowne et Delcassé se sont pourtant mis d'accord sur l'essentiel, à savoir le « troc » Égypte-Maroc, mais ce sont des questions de détail qui vont pendant plusieurs mois retarder la conclusion d'un accord. La France en particulier, qui possède depuis la paix d'Utrecht (1713) un droit de pêche sur une partie de la côte de Terre-Neuve, entend n'abandonner celui-ci que contre de substantielles concessions en Afrique, ce que Londres n'est guère disposé à lui accorder. Finalement, Delcassé, qui voulait aboutir avant la chute du gouvernement conservateur, accepta de faire des concessions tandis que Lord Cromer, commissaire anglais en Égypte faisait de son côté pression sur le cabinet britannique. Le 8 avril 1904 l'accord qui scelle l'« Entente cordiale » entre la France et l'Angleterre est signé par Landowne et l'ambassadeur Paul Cambon.

• *L'accord d'avril 1904* est une véritable liquidation du contentieux franco-britannique ; il comprend :

— la renonciation par la France au droit de pêche exclusive qu'elle possédait à l'ouest de Terre-neuve, en échange des îles de Los situées en face de Konakry, d'une rectification de frontières dans la zones Tchad-Niger et d'une indemnité ;

— un arrangement sur le Siam, partagé en deux zones d'influence et sur les Nouvelles-Hébrides où sont réglées les modalités de l'administration conjointe ;

— surtout un échange de déclarations par lesquelles la France s'engage à

« ne pas entraver l'action de la Grande-Bretagne en Égypte » tandis que l'Angleterre reconnaît « qu'il appartient à la France de veiller à la tranquillité du Maroc ». Des articles secrets prévoyaient le cas où la France proclamerait son protectorat sur le Maroc, l'Angleterre le sien sur l'Égypte.

On le voit, le traité de 1904 ne comportait aucune clause de politique générale. Il ne liait pas le sort des deux nations dans une alliance comparable à celle qu'avaient conclue la France et la Russie et laissait à Angleterre toute sa liberté d'action. Tel qu'il était cependant, et parce qu'il supprimait entre la France et l'Angleterre toute cause de friction, l'accord constituait un changement très important dans la situation diplomatique de l'Europe. Établissant un climat de cordialité entre les deux puissances hier rivales, il préparait incontestablement un rapprochement plus étroit. L'Allemagne ne s'y trompa guère et bien que Bülow ait feint de n'attacher que peu d'importance à l'Entente cordiale, on a vu que la Wilhelmstrasse avait déclenché la crise marocaine en 1905 dans le dessein premier de séparer les nouveaux amis. L'Entente cordiale annonçait bien un nouveau groupement des puissances.

Évolution de l'alliance franco-russe

Tandis que s'amorce le rapprochement avec la Grande-Bretagne, que devient l'alliance scellée en 1892 entre la République et l'Empire des Tsars ?

• *L'affaire de Fachoda avait eu pour conséquence de resserrer l'alliance avec Saint-Pétersbourg.* Jusqu'en 1898 en effet le gouvernement français avait interprété l'alliance au sens strict: la convention militaire de 1892 devait s'appliquer dans le cas seulement d'une guerre avec l'Allemagne ; elle écartait l'éventualité d'une intervention de la France dans les affaires balkaniques, de même que la Russie ne voulait pas s'engager à donner son appui à son alliée dans la question d'Alsace-Lorraine. Peu satisfaite de l'indifférence française à l'égard de ses intérêts balkaniques, la Russie avait témoigné bien peu d'empressement à seconder Paris au moment de la crise de Fachoda. Craignant un affaiblissement de l'alliance, Delcassé s'était, dès son arrivée au Quai d'Orsay, préoccupé de cette situation et avait entrepris d'y porter remède. Aussi engage-t-il une négociation qui aboutit en août 1899 à un échange de lettres avec le ministre russe Mouraviev. Le texte des accords de 1892 demeure inchangé. Mais Paris et Pétersbourg décident d'en modifier l'esprit ; l'alliance n'aura plus pour seul but « le maintien de la paix » mais elle visera en outre à maintenir « l'équilibre européen ». Par cette formule la France s'engage à assister la Russie dans sa politique balkanique, pour le cas notamment où l'Autriche-Hongrie tenterait de porter atteinte au *statu quo* et la Russie promet de son côté son appui dans la question d'Alsace-Lorraine. L'année suivante un protocole d'État-Major prévoit le cas d'une guerre avec l'Angleterre, la France s'engageant à mobiliser dans cette éventualité 150 000 hommes sur les côtes de la Manche, la Russie à lancer à partir du Turkestan une opération de diversion en direction de l'Inde.

On comprend l'étonnement de la Russie devant la « subite anglophilie » de l'opinion française au lendemain de la visite d'Édouard VII à Paris. Le gouvernement du tsar qui voit alors se dresser devant toutes ses entreprises, que ce soit en Asie centrale ou en Extrême-Orient, la vigoureuse opposition de Londres, voit d'un œil assez maussade cette réconciliation inattendue. Guillaume II n'ignore pas cette situation et voudrait profiter du léger froid qui sévit entre Paris et Pétersbourg pour briser la Duplice et renouer avec la Russie une amitié qu'il a conscience d'avoir imprudemment sacrifiée dans sa hâte de

LA RENCONTRE DE GUILLAUME II ET DE NICOLAS II À BJORKÖ

« Le 22 juillet je reçus un télégramme de Guillaume II ; il était tout heureux de m'apprendre que le Tsar l'avait invité à venir le joindre à Bjorkö, petite île de la baie de Finlande. Un télégramme encore bien plus joyeux me parvient le lendemain... : « Le Tsar, me disait l'Empereur, avait été très ému et heureux de le revoir ; il avait accédé à tous ses désirs ; le traité germano-russe était conclu ». J'ai reçu de lui maint télégramme excentrique, mais jamais de manifestation aussi enthousiaste que celle-ci. Il me décrivait avec un lyrisme débordant l'instant de la signature : quand il posa la plume avec laquelle il avait paraphé ce document de l'histoire mondiale, un rayon de soleil passa à travers la vitre de la cabine et éclaira la table de la signature ; il leva les yeux et il lui sembla voir au ciel Guillaume Ier et Nicolas Ier se serrant les mains profondément émus. »

Source : von Bülow, *Mémoires*, op. cit.

rompre avec le système de Bismarck. Il multiple donc les démarches auprès de Nicolas II, s'efforçant de séduire le tsar par mille prévenances et de le convaincre qu'il n'a aucun intérêt à demeurer l'allié d'« une nation en décadence » et qui « empeste l'Europe de sa puanteur ».

Le moment semble favorable à la réalisation du projet allemand de vaste alliance continentale qui, ouverte à la France et à la Russie, neutraliserait l'une et l'autre, tout en réalisant l'isolement de l'Angleterre. On ne peut espérer de la France sans doute qu'elle y adhère de bon cœur, aussi faut-il lui forcer la main en amenant d'abord la Russie dans l'alliance allemande. Or, au lendemain de Tsushima, le tsar nourrit l'amertume à l'égard de son alliée occidentale dont l'attitude a été assez passive pendant la guerre russo-japonaise. Dans ses lettres à Nicky (Nicolas II), Willy (Guillaume II) ne manque pas de le souligner et en profite pour proposer au tsar « en plein désarroi » une amitié moins ingrate. Mais Nicolas II se laisse difficilement fléchir. Sans doute conserve-t-il quelque ressentiment à l'égard de l'indifférence française, pas assez toutefois pour rompre avec une politique qui ne présente pas que des aspects négatifs, principalement sur le plan financier. Pour vaincre ses scrupules, le Kaiser s'emploie à le convaincre que depuis la fin de la crise marocaine, la France et l'Allemagne entretiennent de très bonnes relations.

• *Le 23 juillet 1905 Guillaume II* rencontre le tsar à Bjorkö, dans les eaux finlandaises et parvient à lui arracher la signature d'un traité qui établit entre la Russie et l'Allemagne une alliance défensive.

Mais le tsar avait agi à l'insu de son ministre des Affaires étrangères, le comte Lamsdorff qui, mis au courant du traité de Bjorkö, en mesure aussitôt toute la gravité pour l'alliance franco-russe. Il lui semble exclu que la France accepte d'entrer dans une combinaison diplomatique dont l'Allemagne serait le centre et, de fait, lorsque l'ambassadeur à Paris, Nélidov, fait allusion dans un entretien avec Rouvier à l'éventualité d'une alliance continentale, le président du Conseil français, qui personnellement n'est pas hostile à un rapprochement franco-allemand, déclare que l'opinion publique n'acceptera jamais une alliance avec l'Allemagne et que « le gouvernement est obligé de compter avec le sentiment national ».

Lamsdorff s'emploie donc à convaincre le tsar de son erreur. La Russie ne peut à la fois entrer dans l'alliance allemande et conserver l'amitié de la France, une amitié qui, outre les garanties militaires qu'elle apporte à l'Empire des

Tsars, ouvre le marché de Paris aux emprunts russes. Force est donc à Nicolas II de renoncer aux engagements de Bjorkö ; il fait part de sa décision à Guillaume II à qui il propose un article additionnel : l'alliance germano-russe ne pourrait être appliquée en cas de guerre franco-allemande, ce qui est un moyen indirect d'annuler le traité. En fait, sans qu'il y ait eu dénonciation formelle, le traité de Bjorkö se trouve ajourné.

Venant après l'échec allemand vis-à-vis de l'Entente cordiale, directement visée par le déclenchement de la crise marocaine, l'abandon du traité de Bjorkö par le Tsar marque une défaite importante pour la Wilhelmstrasse. L'Allemagne n'a pu séparer la France ni de son « amie » britannique, ni de son alliée russe. La crise de 1905-1906, loin de priver la France de ses appuis diplomatiques, prépare au contraire la formation de la Triple-Entente.

La Triple-Entente

• Délibérément provoquée par Bülow pour briser l'Entente cordiale, *la crise marocaine a eu pour conséquence inattendue de rapprocher la France et l'Angleterre.* Le gouvernement britannique avait été impressionné par l'attitude menaçante de l'Allemagne. L'effacement de la puissance russe après les défaites de Mandchourie lui semblait un élément nouveau dans le jeu européen, élément dangereux pour l'équilibre continental et dont il fallait bien que la Grande-Bretagne tînt compte. Privée pour un temps d'un appui militaire efficace à l'Est, la France se trouvait pratiquement seule en face de l'Allemagne et de ses alliées, à la merci donc d'une agression qui aboutirait sans doute à son écrasement. Londres ne pouvait courir ce risque. Une nouvelle victoire de l'Allemagne lui assurerait une hégémonie absolue sur le continent au moment où sur mer elle s'efforçait de rivaliser avec celle de l'Angleterre. Ces considérations déterminèrent le cabinet britannique non seulement à donner à la France, dans l'affaire du Maroc, un appui diplomatique conforme à l'esprit de l'Entente cordiale, mais à envisager pour la première fois une intervention dans une guerre sur le continent. Jusqu'à la fin de l'année 1905 le pouvoir restait aux mains des conservateurs qui engagèrent avec le gouvernement français des conversations dans lesquelles furent envisagées les « complications qui pouvaient survenir » du fait des initiatives allemandes. Le gouvernement britannique se déclarait résolu à prendre toutes les mesures nécessaires pour empêcher l'Allemagne de s'installer dans un port marocain à partir duquel elle pourrait ensuite menacer les communications de la Grande-Bretagne avec son Empire.

Arrivés au pouvoir en 1906, les libéraux pourtant très attachés au principe du « splendide isolement » ne modifièrent pas cette politique nouvelle. Le nouveau secrétaire d'État aux Affaires étrangères, Sir Edward Grey, d'accord avec le Premier ministre, prit même l'initiative de nouvelles conversations d'État-Major pour établir avec la France « les bases d'une action militaire commune ».

À aucun moment sans doute il n'est dans l'esprit du cabinet britannique de transformer ces consultations d'État-Major – et ceci malgré les instances de l'ambassadeur à Londres, Paul Cambon – en une alliance formelle liant les deux gouvernements et impliquant l'intervention automatique de l'Angleterre dans un conflit franco-allemand. Grey ne veut pas en effet encourager la France à adopter en face de l'Allemagne une attitude trop agressive.

Sûre de l'appui militaire de l'Angleterre, la France pourrait être tentée d'engager une guerre de revanche dans laquelle le gouvernement britannique ne veut pas être jeté. Le système des conversations d'État-Major a pour lui l'avantage de garantir la sécurité de la Grande-Bretagne tout en conservant sa liberté d'action. Attitude qui sera jusqu'à la veille de la Grande Guerre celle de l'Angleterre. Telle qu'elle est, elle représente déjà pour la France un sérieux appui : l'Entente cordiale que la diplomatie allemande avait voulu briser, est donc sortie renforcée de la crise marocaine.

• *Mais la politique de la Wilhelmstrasse a eu une autre conséquence* plus inattendue et plus importante encore peut-être, celle de *rapprocher l'Angleterre et la Russie.* Bien que le traité de Bjorkö soit demeuré secret, la Grande-Bretagne était au courant des manœuvres allemandes pour détacher la Russie de l'alliance française et mettre en place une vaste coalition continentale dont elle-même eût été exclue ; l'alerte avait été chaude et l'isolement britannique évité de bien peu. Le danger écarté, le gouvernement anglais s'applique à rendre impossible toute nouvelle tentative de la diplomatie allemande pour susciter contre Londres une alliance continentale.

Paris souhaite depuis longtemps un rapprochement entre ses deux amies. La situation se trouverait clarifiée et le gouvernement de la République ne risquerait plus de se trouver dans une position aussi fausse que celle qu'il avait dû adopter pendant la guerre russo-japonaise. Le Quai d'Orsay conseille donc aux dirigeants britanniques de régler les différends anglo-russes afin de normaliser les relations avec l'Empire des Tsars. Cette proposition est accueillie assez favorablement par le *Foreign Office* qui commence à se rendre compte de l'impossibilité de mener parallèlement « une politique d'entente avec la France et une politique de contre-alliance contre la Russie ». Sir Edward Grey confie ses préoccupations à l'ambassadeur de Russie et se déclare prêt à négocier avec Saint-Pétersbourg une liquidation du contentieux anglo-russe. Le gouvernement russe ne peut rester insensible à ces avances anglaises ; il accepte d'ouvrir avec Londres des négociations sur les problèmes en suspens entre les deux pays. Affaiblie par la guerre contre le Japon et par les troubles révolutionnaires de 1905, la Russie n'est pas en mesure en effet de poursuivre en Asie centrale et en Extrême-Orient une politique d'expansion dont le développement se heurte depuis vingt ans aux intérêts britanniques. Il semble dès lors raisonnable au gouvernement du tsar de liquider les litiges en cours afin de nouer avec Londres des rapports plus amicaux.

De longs et difficiles pourparlers s'engagent donc entre l'ambassadeur anglais à Saint-Pétersbourg, Nicholson, et le ministre russe des Affaires étrangères, Isvolsky. Trois problèmes sont à régler, « trois dents sensibles à soigner en même temps » : la Perse, l'Afghanistan et le Tibet.

La France sert d'intermédiaire et agit auprès de ses deux amies pour concilier les points de vue. Finalement on aboutit à la signature d'une convention anglo-russe le 31 août 1907. L'Angleterre renonce au Tibet où elle entretenait une mission militaire, la Russie à l'Afghanistan. La Perse est divisée en trois zones : « russe » au Nord, « anglaise » au Sud, « neutre » au Centre.

Les arrangements anglo-russes de 1907 ont un caractère analogue à ceux que la France et l'Angleterre avaient adopté trois ans plus tôt à propos de leurs litiges coloniaux et qui avaient donné naissance à l'Entente cordiale. Pas plus que celle-ci ils ne constituent pour les deux pays un engagement de politique générale, mais en liquidant un passé de rivalités et de méfiance, ils rendent possible une collaboration diplomatique entre la « baleine » et « l'ours ».

L'entente cordiale renforcée par les conversations d'État-Major de 1906, les arrangements anglo-russes de 1907 prolongent l'alliance franco-russe et constituent dans l'Europe du début du XXe siècle un nouveau groupement des puissances que l'on désigne sous le nom de Triple-Entente. Sans doute celle-ci manque-t-elle encore de solidité et ne forme-t-elle pas une véritable alliance. Mais, au moment où la vieille Triplice se lézarde et semble condamnée du fait de l'attitude italienne, « L'Entente » apparaît au contraire comme un groupement riche d'avenir et qui ne cessera par la suite – en dépit des efforts du Reich pour en dissocier les éléments – de se renforcer. Pour les dirigeants allemands, elle constitue une menace d'encerclement. Tous leurs efforts vont tendre à la briser.

TROISIÈME PARTIE

Les épreuves de force et la course à la guerre

Situation générale

À partir de 1907 l'Europe se trouve divisée en deux blocs antagonistes. À l'intérieur de chaque camp les rivalités d'hier se sont atténuées. Elles s'exaspèrent au contraire d'un camp à l'autre, que ce soit entre la France et l'Allemagne, entre le Reich et l'Angleterre à propos des armements navals ou entre l'Autriche-Hongrie et la Russie pour la prépondérance dans les Balkans. Elles provoquent des crises de plus en plus violentes et qui vont à plusieurs reprises menacer la paix européenne : crise bosniaque en 1908-1909, seconde crise marocaine en 1911, guerres balkaniques de 1912-1913, enfin conflit austro-serbe de juillet 1914 d'où sort la Première Guerre mondiale.

Pendant cette période de sept ans, on voit se modifier les préoccupations des grandes puissances européennes. Le « partage du monde » est désormais pratiquement achevé. La montée des jeunes puissances extra-européennes, États-Unis et Japon, limite les possibilités d'expansion des vieux impérialismes en Amérique latine et en Asie. Le continent africain ne comporte pratiquement plus de territoires vacants. Les anciens empires demeurés théoriquement indépendants, comme la Turquie et la Chine, sont divisés en zones d'influence sur lesquelles s'exerce pratiquement le protectorat des grandes puissances. Il n'est plus guère possible dès lors de modifier le *statu quo* mondial sans heurter les intérêts d'un rival et déclencher une crise internationale.

L'Europe revient donc au centre des préoccupations. Pas un conflit, pas un litige entre les puissances européennes, qui n'ait sur le vieux continent son point de départ ou son aboutissement. Lorsqu'en 1911 l'Allemagne relance l'affaire marocaine c'est, comme en 1905, beaucoup plus pour peser sur la Triple-Entente que pour protéger ses intérêts économiques. L'abandon de territoires, qui lui est consenti par la France au Congo pour prix de son « désintéressement » au Maroc, est aux yeux du gouvernement français le moyen de « sauvegarder la paix européenne ».

Menacée d'« encerclement » depuis 1907, l'Allemagne ne néglige en effet aucune occasion pouvant lui permettre de rompre le cercle des amitiés françaises. Mais elle ne sait pas les exploiter et, loin de briser l'entente, ses efforts aboutissent au contraire à resserrer les liens entre ses adversaires. Tel est le premier résultat des épreuves de force engagées par les empires centraux. Le second est de créer un climat de méfiance et d'inquiétude entre les deux camps, d'éloigner toute possibilité de règlement pacifique des questions en litige, d'accélérer enfin la course aux armements.

7 La crise bosniaque (1908-1909)

Les origines de la crise

Depuis 1906 la direction des Affaires étrangères de la double monarchie austro-hongroise est assumée par le comte d'Aehrenthal, partisan d'une politique active dans les Balkans.

Le nouveau chef de la diplomatie autrichienne veut profiter de l'effacement de la puissance militaire de la Russie après les désastres de la guerre russo-japonaise pour intervenir dans les Balkans et mettre fin au danger que les Slaves du Sud font courir à la Double Monarchie. Ce danger vient en premier lieu du petit État serbe où une révolution intérieure, fomentée par un groupe d'officiers, a mis fin de façon sanglante en 1903 au règne du roi Alexandre Obrenovitch. Les rebelles ont porté au pouvoir Pierre Ier Karageorgevitch, un ami de la Russie et de la France (il a fait ses études militaires à Saint-Cyr), qui se montre résolu à libérer son pays de la tutelle austro-hongroise et appelle aux Affaires étrangères le russophile Pachitch.

Vienne s'inquiète de cette situation. L'existence d'une Serbie indépendante et sur le territoire de laquelle se développe une active propagande en faveur de l'union, sous une même couronne de tous les Slaves du Sud, est une menace pour les provinces méridionales de la double monarchie et pour le maintien de l'autorité autrichienne sur la Bosnie-Herzégovine, confiée on s'en souvient par le congrès de Berlin à l'« administration » de Vienne. Dès cette période, d'Aehrenthal songe sérieusement à étouffer le « foyer révolutionnaire » que constitue le petit royaume serbe. Pour cela il commence par faire économiquement pression sur Belgrade par de sévères mesures douanières et en interdisant l'importation dans l'Empire du bétail serbe : une crise économique, pense-t-il, ramènera le gouvernement serbe à une plus grande docilité. Cette guerre douanière s'avérant insuffisante, le ministre autrichien décide de frapper plus fort : en janvier 1907 il obtient du gouvernement turc l'autorisation de construire une voie ferrée vers Salonique par le Sandjak et le Novi-Bazar, entre Serbie et Monténégro qui se trouveraient ainsi définitivement séparés. Puis il envisage l'annexion de la Bosnie-Herzégovine, seul moyen de couper court au mouvement « yougoslave » dans cette province et prélude à une action de plus grande envergure contre la Serbie.

L'annexion de la Bosnie-Herzégovine

Il fallait faire vite. La Russie se relevait lentement de la guerre contre le Japon et des troubles révolutionnaires de 1905 : il fallait profiter de son affaiblissement temporaire. Mais ce qui précipita surtout les événements, ce fut la révolution « jeune turque » de juillet 1908. Le groupe des réformateurs turcs du comité « Union et Progrès », dirigés par Enver-Pacha et désireux de transformer leur pays en un État moderne, avaient provoqué un soulèvement de la garnison de Salonique, remplacé le sultan Abdülhamid par Mahomet V, un inoffensif vieillard et entrepris de donner à l'Empire ottoman un régime constitutionnel. Dans le Parlement qui devait être convoqué à Constaninople, les Bosniaques auraient été appelés à envoyer les délégués et le nouveau gouvernement manifestait le désir de résoudre avec ceux-ci, en écartant toute intervention étrangère, le sort de leur territoire demeuré théoriquement sous la souveraineté du sultan. Vienne doit donc agir avant que le gouvernement de Constantinople ait pu mettre son projet à exécution. Mais il lui faut d'abord obtenir l'assurance que son action sera soutenue par ses alliées et, si possible, acceptée par la concurrente russe.

Du côté de la Triplice, l'Allemagne approuve l'initiative austro-hongroise après même que d'Aehrenthal ait avisé Bülow qu'il allait « démolir le nid de vipères serbe ». L'Italie voudrait profiter de l'occasion pour demander des compensations mais elle sera gagnée de vitesse. Quant au prince Ferdinand de Bulgarie, il accepte de donner son approbation en échange du titre de roi et de l'indépendance totale de son pays.

Reste la Russie. L'État-Major autrichien ne la juge pas en état de soutenir une guerre européenne mais le ministre des Affaires étrangères préfère agir aux moindres risques. Le 16 septembre 1908 il rencontre au château de Buchlau, en Moravie, son collègue russe Isvolsky à qui il promet, en échange de son assentiment au projet d'annexion de la Bosnie, l'appui diplomatique de Vienne pour une modification du régime des détroits. Isvolsky accepte verbalement la proposition austro-hongroise mais commet l'imprudence de ne pas faire fixer par écrit les conclusions de l'entretien, si bien qu'il lui sera difficile ensuite de faire valoir les promesses reçues.

Fort de cette habile préparation diplomatique, le gouvernement austro-hongrois prononce le 5 octobre 1908 par décret l'annexion de la Bosnie-Herzégovine. Le même jour Ferdinand de Bulgarie se déclare complètement indépendant de l'Empire turc et prend le titre de roi.

La crise

L'annexion de la Bosnie-Herzégovine avait un caractère unilatéral contraire aux stipulations du congrès de Berlin. La Serbie proteste et se tourne vers Saint-Pétersbourg qui lui conseille d'abord la résignation. Isvolsky espère en effet pouvoir obtenir la compensation promise ; en octobre il se rend à Londres où il tente d'arracher à Sir Edward Grey son consentement au libre passage de la flotte russe dans les détroits. Mais le chef du *Foreign Office* demeure inflexible bien qu'Isvolsky ait menacé de mettre fin à la politique de rapprochement anglo-russe. À Berlin le ministre russe n'est guère plus heureux : « Je suis dans un affreux pétrin » déclare-t-il à Bülow, mais le chancelier n'est nullement disposé à « tirer M. Isvolsky du bourbier dans lequel il s'est lui-même empêtré ». Conscient de son échec le ministre du tsar déclare à qui veut l'entendre qu'il a été « roulé » par d'Aehrenthal et que d'ailleurs celui-ci avait promis de ne prononcer l'annexion qu'après rédaction d'un accord diplomatique entre la Russie et la Double Monarchie. Aussi réclame-t-il la réunion d'une conférence internationale, ce que ni l'Autriche-Hongrie, ni l'Allemagne ne sont résolues à accepter.

Entre Vienne et Saint-Péterbourg, la situation se tend bientôt de façon dramatique. Les États-Majors prennent de part et d'autre des mesures de mobilisation, sans cependant acheminer de troupes vers la frontière. Craignant d'être entraînées dans un conflit où leurs intérêts vitaux ne sont pas engagés, l'Angleterre et la France offrent alors leurs bons offices et proposent à l'Allemagne de s'associer à leur démarche. Fort habilement, Bülow décline cette invitation pour contraindre les deux puissances de l'entente à « lâcher » leur amie russe : « Si nous refusons notre appui à une médiation – déclare-t-il dans une dépêche du 6 février 1909 – les Français chercheront seuls à empêcher les éruptions guerrières, c'est-à-dire feront des remontrances à Pétersbourg et conseilleront le calme et la souplesse... Si nous restons cois, la France devra agir d'elle-même, et par là sautera l'anneau de l'encerclement qui, depuis longtermps, est devenu fragile. »

Le calcul était bon. A Londres on conseilla au gouvernement russe d'accepter le fait accompli. À Paris, le ministre des Affaires étrangères, Stéphen Pichon, prévient Isvolsky que la France ne pourrait s'engager dans un conflit issu d'une situation dans laquelle les « intérêts vitaux » de la Russie ne sont pas en jeu. L'Autriche-Hongrie a donc les mains libres.

Vienne en profite pour pousser son avantage. Après de difficiles négociations le gouvernement turc finit pas accepter le 26 février 1909 l'annexion de la Bosnie-Herzégovine. La Serbie est « invitée » à en faire autant et d'Aehrenthal profite de sa situation de force pour exiger en même temps de Belgrade la promesse écrite de « changer le cours de sa politique actuelle envers l'Autriche-Hongrie, pour vivre désormais avec cette dernière sur le pied d'un bon voisinage », ce qui signifie en clair l'abandon de toute propagande et de toute agitation en faveur du mouvement yougoslave. Le petit royaume accepte la première exigence mais se refuse à tout engagement qui ne serait pas adressé à l'ensemble des puissances. Le 19 mars c'est donc un véritable ultimatum que Vienne fait remettre au gouvernement serbe : celui-ci, avant de répondre par un refus, c'est-à-dire de s'engager dans un conflit contre l'Autriche-Hongrie, demande à la Russie si elle peut compter sur son appui armé. Tandis qu'on s'interroge à Pétersbourg sur les possibilités de soutien à la Serbie, Bülow entre en scène. Le 22 mars il ordonne à son ambassadeur d'exiger d'Isvolsky « son assentiment formel et sans réserve » au nouvel état de choses et il ajoute qu'« une réponse évasive, conditionnelle, obscure, sera considérée comme un refus ». C'est un véritable ultimatum.

La Russie s'interroge. Sa situation militaire et financière lui permet-elle de faire face à une guerre contre les puissances de la Triplice? Le mouvement révolutionnaire, difficilement contenu quatre ans plus tôt ne risque-t-il pas de se rallumer à la faveur d'un conflit extérieur ? La France et l'Angleterre accepteront-elles finalement de se joindre à elle ? Les réponses données en Conseil des ministres à ces questions inclinent le tsar à refuser l'épreuve de force. Il faut céder, accepter d'« avaler une pilule amère » comme le déclare Isvolsky à l'ambassadeur d'Angleterre : le 31 mars 1909 la Serbie avisée de la dérobade russe signe la note exigée par les puissances centrales.

Les conséquences de la crise

La crise bosniaque, préfiguration de celle de juillet 1914, a fortement inquiété l'Europe. La Russie en sort profondément humiliée et résolue à effacer l'affront subi dès qu'elle aura reconstitué ses forces. L'Autriche-Hongrie et son alliée allemande ont remporté un incontestable succès diplomatique mais celui-ci est en fait plus apparent que réel. Bülow avait espéré briser l'alliance franco-russe, en démontrant au tsar la vanité de l'amitié française. Or, si le gouvernement russe en veut à la France de ne pas lui avoir apporté le soutien qu'il était en droit d'en attendre, il éprouve surtout une très vive hostilité à l'égard de Berlin dont l'intervention a été déterminante. Loin de vouloir renoncer à l'alliance avec Paris, les dirigeants russes se montrent au contraire résolus à la renforcer afin d'éviter toute nouvelle humiliation et si possible de venger celle qu'ils avaient subie. Dès l'été 1909, la Russie se prépare activement à prendre sa revanche dans les Balkans. Et elle obtient très vite un premier succès en parvenant à attirer dans son camp Ferdinand de Bulgarie, qui, peu reconnaissant à l'égard des ses alliés de la veille, se tourne vers Péterbourg qui lui accorde un emprunt.

Enfin, l'annexion de la Bosnie-Herzégovine a pour conséquence d'affaiblir un peu plus encore la Triple-Alliance en provoquant le mécontentement italien. Ulcérée d'avoir été tenue à l'écart de l'affaire bosniaque et de n'avoir par conséquent reçu de l'Autriche-Hongrie aucune compensation, l'Italie amorce une politique de rapprochement avec la Russie. Le 24 octobre 1909 Victor-Emmanuel III et Nicolas II se rencontrent à Racconigi : en échange de son appui diplomatique dans la question des Détroits, l'Italie reçoit de Pétersbourg carte blanche en Tripolitaine.

Devant cette mauvaise humeur italienne, d'Aehrenthal s'inquiète. Le 19 décembre il accepte de conclure avec Rome un arrangement affirmant le maintien du *statu quo* dans les Balkans, toute nouvelle annexion de la part de l'Autriche-Hongrie devant automatiquement donner lieu à une compensation pour l'Italie.

La crise s'apaise donc au début de 1910. Dès l'année suivante cependant, l'affaire d'Agadir va mettre de nouveau le feu aux poudres.

8 La seconde crise marocaine

Après une courte période de détente la situation internationale se tend brusquement au cours de l'été 1911, à la suite d'une nouvelle initiative de l'Allemagne. Celle-ci poursuivant une politique de prestige et cherchant à obtenir des gains territoriaux en Afrique n'hésite pas à courir le risque d'un conflit pour monnayer ses « droits » dans l'Empire chérifien.

Les origines de la crise

• *L'acte d'Algésiras n'avait pas réglé la question marocaine.* Il n'avait pas donné à la France la liberté d'action au Maroc. Tout au plus avait-elle reçu mission de maintenir l'ordre sur les confins algériens et dans les ports atlantiques, l'Espagne étant chargée pour sa part d'une besogne analogue sur la côte Nord. Le cas d'une intervention contre des troubles éclatant à l'intérieur du pays n'avait pas été prévu. Or l'anarchie n'avait cessé de gagner du terrain dans l'Empire chérifien, donnant à la France d'innombrables prétextes d'intervention. En 1907-1908 l'assassinat à Marrakech d'un médecin français entraîne le gouvernement de la République à faire occuper Oudjda, puis, à la suite du massacre d'ouvriers européens, la plaine de la Chaouïa autour de Casablanca. La même année le sultan Abdülaziz, accusé de favoriser l'installation des Français dans le pays, fut détrôné et remplacé par son frère Moulay Hafid qui poursuivit d'ailleurs la même politique. La pénétration française ne cessait de faire des progrès au grand déplaisir de la Wilhelmstrasse. L'Allemagne, en effet, se montrait extrêmement vigilante et s'appliquait à entraver l'action de la France. En septembre 1908 une grave tension avait été provoquée par la protection accordée par le consul d'Allemagne à Casablanca à un groupe de déserteurs de la Légion étrangère française. Il avait fallu toute l'énergie de Clemenceau, alors président du Conseil, pour dénouer la crise.

Cependant l'Allemagne se rend bien compte qu'elle ne parviendra pas à la longue à empêcher l'implantation de la France dans l'Empire chérifien, qu'il peut dès lors lui être utile de se servir des droits qu'elle prétend posséder au Maroc comme d'une monnaie d'échange vis-à-vis de la République. Aussi adopte-t-elle à la fin de 1908 une attitude nouvelle. Pour obtenir de la France une certaine souplesse dans le conflit balkanique, Guillaume II se déclare disposer à « en finir avec ces frictions ». Le 9 février 1909 un accord est conclu entre les deux pays reconnaissant à la France une situation prépondérante au Maroc à condition que celle-ci admette en échange de partager avec l'Allemagne les avantages économiques. Déjà le ministre français des Affaires étrangères, Pichon, voit dans cette convention sur le Maroc le prologue d'un rapprochement franco-allemand.

De fait la collaboration économique s'engage entre les deux pays. Elle donne vite des résultats décourageants. Au Maroc, le groupe allemand Mannesmann cherche à obtenir une place privilégiée dans la société chargée d'exploiter les ressources minières du pays : la France refuse de même qu'elle s'oppose aux prétentions allemandes d'obtenir la parité avec elle dans l'exploitation des chemins de fer marocains. Les efforts tentés pour prolonger hors du Maroc cette collaboration économique ne furent guère plus satisfaisants. Un projet de consortium franco-allemand regroupant la compagnie française de la *Ngoko-Sangha* et les compagnies allemandes du Sud-Cameroun pour l'exploitation commune des ressources congolaises échoue pour des raisons financières devant l'opposition du Parlement français. Aussi l'Allemagne déçue se montre-t-elle résolue à partir de 1910 à reprendre sa liberté d'action et à s'appuyer sur l'acte d'Algésiras pour « rouvrir » la question marocaine.

L'occasion lui en est fournie par l'occupation de Fez en mai 1911. À la suite d'une rébellion contre le nouveau sultan Moulay-Hafid et pour protéger la vie des colons européens bloqués dans la ville, le gouvernement de la République avait donné l'ordre d'intervenir et fait occuper Fez par le général Moinier. Cette action outrepassait les droits attribués à la France par l'acte d'Algésiras ; elle permettait donc à l'Allemagne de rouvrir le dossier du Maroc au nom de la violation du *statu quo*. Pour les milieux pangermanistes l'intervention française doit fournir au Reich l'occasion de prendre pied au Maroc. Mais le secrétaire d'État aux Affaires étrangères, Kiderlen-Wächter, propose à son gouvernement un plan plus subtil. Il faut, déclare-t-il, accepter d'abandonner à la France la totalité du Maroc à condition d'obtenir d'elle de substantielles compensations. Bien entendu il faudra exercer une pression sur le gouvernement de la République en « prenant des gages », en occupant par exemple un port de la côte marocaine.

Au sein du gouvernement français certains hommes d'État pressentaient cette initiative et auraient souhaité que l'on accordât une compensation à l'Allemagne. J. Caillaux, ministre des Finances puis chef du gouvernement et Jules Cambon, ambassadeur à Berlin étaient de ceux-là. En juin, Cambon eut à Kissingen d'importants entretiens avec le secrétaire allemand des Affaires étrangères. Il évoqua avec Kiderlen le principe d'une compensation et rentra à Paris bien décidé à l'obtenir. Or le 1er juillet l'Allemagne déclenchait la « crise d'Agadir ».

La crise d'Agadir

Le 1er juillet, un petit navire de guerre allemand, la *Panther*, arrive devant le port sud-marocain d'Agadir et y débarque un contingent symbolique. Officiellement il s'agit d'assurer la protection des colons allemands ; en fait c'est la prise de gages recommandée par Kiderlen. Ayant engagé avec la France des négociations sur le principe de la compensation, le gouvernement allemand use maintenant de l'intimidation pour obliger Paris à faire une offre importante.

• *Quelle va être la réaction du gouvernement français ?* Envoyer à son tour un navire de guerre mouiller devant Agadir, face à la canonnière allemande et riposter à l'épreuve de force par la force. C'est l'avis des milieux d'État-Major et de certains hommes politiques. Ce n'est pas celui de Joseph Caillaux devenu le jour même du « coup d'Agadir » président du Conseil. Malgré l'avis de son ministre des Affaires étrangères, de Selves, Caillaux se montre décidé à poursuivre la négociation, ce que conseille d'ailleurs le gouvernement britannique. Les pourparlers reprennent au début juillet mais lorsque Kiderlen est interrogé par Jules Cambon sur le prix réclamé par l'Allemagne pour que la France soit libre d'agir au Maroc, c'est la totalité du Congo français qu'exige le chef de la

Wilhelmstrasse. Ainsi l'Allemagne, qui possédait déjà le Cameroun, se trouverait à la tête d'un vaste domaine colonial en Afrique centrale et pourrait espérer avoir sa part lorsqu'interviendrait la « liquidation » du Congo belge. Pour obtenir gain de cause, Kiderlen est décidé à pousser jusqu'au bout l'épreuve de force engagée le 1er juillet en agitant au besoin la menace de guerre.

Quels que soient les sentiments pacifiques du président Caillaux, il ne peut souscrire aux exigences allemandes. Sur ce point le cabinet est unanime et dès le 17 juillet l'Allemagne est avisée que la France n'accepte pas la cession de toute sa colonie d'Afrique centrale. La rupture parait imminente et Kiderlen semble accepter d'un cœur léger le risque d'un conflit. Mais l'attitude de l'Empereur et de son entourage est moins agressive : le contact est donc maintenu in extremis entre les chancelleries. Mais c'est l'attitude du gouvernement britannique qui s'avère décisive. Londres avait d'abord conseillé à Paris de poursuivre les négociations et de chercher un terrain d'entente avec Berlin. Mais, avisé de l'importance des exigences allemandes, le cabinet britannique s'émeut. Il ne peut accepter que la France s'humilie en cédant sous la menace la totalité de sa colonie du Congo et il le fait savoir à Guillaume II. Le 21 juillet le gouvernement anglais déclare excessives les exigences allemandes et annonce sa résolution d'appuyer si nécessaire par les armes la position française. Dans un discours prononcé à Londres, le pacifique Lloyd George, chancelier de l'Échiquier, se risque même à déclarer que « la formule de la paix à tout prix est indigne d'un grand pays » et les escadres anglaises sont mises en état d'alerte.

Après quelques jours d'une très vive tension, Kiderlen doit se résoudre à modérer quelque peu ses exigences. Mais il est au courant du désaccord de Selves-Caillaux et sait habilement tirer partie de l'absence d'unité de vues au sein du cabinet français. Les négociations reprennent donc entre Paris et Berlin mais sur un double plan. Aux pourparlers officiels entre Cambon et Kiderlen vient se superposer une négociation secrète entre le baron de Lancken, porte-parole de la Wilhelmstrasse et l'agent français Fondère, dépêché par le président du Conseil en personne qui passe ainsi au-dessus de son ministre des Affaires étrangères. Ces pourparlers secrets ne donnèrent pas de résultats mais furent connus du Quai d'Orsay et eurent pour effet d'envenimer le conflit entre Caillaux et de Selves. Les négociations furent très difficiles : on n'arrivait pas à se mettre d'accord sur la part du Congo français qui serait abandonnée à l'Allemagne. La France d'autre part, pour ne pas avoir l'air de céder à un chantage et donner à l'arrangement l'apparence d'un « échange », réclamait la cession d'un petit territoire allemand au Togo ou au Cameroun. En août la négociation fut de nouveau interrompue du fait des exigences allemandes. Le gouvernement français envisagea même un moment d'avoir recours aux armes. Mais interrogé par le président du Conseil, le ministre de la Guerre montra que l'état de désorganisation dans lequel se trouvait le haut-commandement et la faiblesse de la France en artillerie lourde rendaient très aléatoire pour l'armée française un conflit engagé dans ces conditions. Au point de vue diplomatique, la France n'obtient pas de Londres les assurances désirées et l'alliée russe, calquant son attitude sur celle de la France au moment de la crise bosniaque, déclare que « les intérêts vitaux » de la France n'étaient pas menacés par la crise marocaine. Le gouvernement de la République dut en conséquence se montrer un peu plus généreux envers l'Allemagne, en offrant notamment des concessions économiques dans l'Empire chérifien. Berlin se vit de son côté incité à plus de souplesse par le déclenchement d'une panique boursière dans la capitale allemande. Caillaux, qui était un « technicien » des finances de très grande classe, a prétendu plus tard avoir provoqué de toute pièce cette crise boursière intempestive. Quoi qu'il en soit celle-ci inquiéta suffisamment le gouvernement allemand pour le décider à mettre un terme à l'affaire d'Agadir.

L'ACTION FINANCIÈRE CONTRE L'ALLEMAGNE SELON CAILLAUX

« Le plus grave débat eut lieu à propos du Maroc dont les Allemands avaient affirmé leur intention de se désintéresser, mais dont, liés par des paroles imprudentes, par de semi-engagements, pris vis-à-vis de quelques uns de leurs groupements, ils aspiraient à retenir le Sud-Ouest sous le masque de participations économiques.

« Quand, dès le début de septembre, ils manifestent cette prétention, nous leur répondons par un refus formel. Nous nous refusons à quelque discussion que ce soit sur ce sujet.

« L'orage est sur le point d'éclater. Mais j'ai pris mes sécurités. J'ai, par avance, fait venir l'attaché financier de l'ambassade de Russie à Paris avec lequel je suis en excellentes relations personnelles. La Russie a – je le sais – de grosses disponibilités sur le marché de Berlin. Il est convenu qu'à ma demande elles seront retirées. J'appelle des financiers français dont les établissements ont crédité des banques allemandes. Les crédits seront coupés quand je l'ordonnerai. Je fais agir à Vienne dans le même sens qu'à Petersbourg. On me promet les concours que je désire.

« Quand M. de Kiderlen fait la grosse voix, quelques coups de téléphone partent de la place Beauveau et, comme par enchantement, une crise financière se déclenche en Allemagne. Les valeurs baissent, les dépôts sont retirés, les faillites se multiplient, le public s'affole. M. de Kiderlen s'aperçoit que, suivant les expressions de M. Jules Cambon, quand il parlait de la guerre, il en déclarait une à laquelle il ne s'attendait pas. Il constate aussi sans doute que l'Allemagne n'est pas, en 1911, préparée financièrement à la redoutable partie. Il bat en retraite. Nous avons gain de cause sur toute la ligne. »

Source : Joseph CAILLAUX, *Mes Mémoires*, II, *Mes audaces* - Agadir, 1909-1912, Paris, Plon, 1943, pp. 170-171.

• *Le 4 novembre 1911 un accord est enfin signé entre les deux pays.* L'Allemagne s'engage à ne pas « entraver l'action de la France au Maroc » et accepte à l'avance le protectorat français sur l'Empire chérifien. Elle reçoit en échange une partie importante du Congo français, entre le Cameroun et le Congo belge, avec accès à l'Atlantique au Congo et à l'Oubangui et contre cession à la France d'un petit territoire, le « bec de canard », situé au sud du lac Tchad. Il était en outre prévu qu'en cas de vente du Congo belge, la France ne pourrait exercer le droit de préemption qui lui avait été reconnu par la conférence de Berlin en 1884, qu'après avoir conféré avec l'Allemagne.

Les conséquences de la crise

• *À Berlin comme à Paris le dénouement de la « crise d'Agadir » a mécontenté les milieux nationalistes.* Pourtant les deux gouvernements avaient un moment espéré élargir l'accord et entrevu la possibilité d'un rapprochement. Guillaume II n'avait-il pas déclaré à l'attaché militaire français : « Nous sommes les deux seuls peuples militaires. À nous deux, nous ferions ce que nous voudrions dans le monde ? » Et Joseph Caillaux ne formulait-il pas, de son côté, l'espoir que l'accord ouvrirait entre la France et l'Allemagne « une ère nouvelle » ? Mais pas plus en Allemagne qu'en France les opinions publiques ne suivirent les impulsions gouvernementales. En France, on reprocha à Caillaux d'avoir payé d'un prix trop lourd le désintéressement de l'Allemagne au Maroc. Peu de temps après la conclusion de l'accord, le cabinet Caillaux fut renversé et remplacé par un gouvernement Poincaré, la présence de l'homme d'État lorrain à la tête du pays étant considérée comme la garantie d'une attitude résolue en face de l'Allemagne. Outre-Rhin, l'accord du 4 novembre ne fut guère mieux accueilli. Les milieux coloniaux firent grief à Kiderlen-Wächter de n'avoir pas tenu bon et obtenu la totalité du Congo. Le secrétaire d'État aux Colonies démissionna et la diplomatie du Reich fut sévèrement jugée par les journaux nationalistes. Aucune suite ne fut donc donnée au rapprochement envisagé et les rancunes accumulées de part et d'autre furent en fin de compte avivées par cette seconde crise marocaine.

• *Sur le plan des alliances, Agadir a eu pour effet de resserrer les liens entre la France et ses partenaires.* Une nouvelle fois c'est la brutalité des méthodes diplomatiques allemandes qui a provoqué l'inquiétude de l'Europe et aggravé l'isolement du Reich. Sans doute l'attitude de la Russie a-t-elle été très prudente, calquée d'ailleurs en tout point sur celle de la France dans la crise bosniaque. Le gouvernement du tsar n'a pas cependant pris à son compte toutes les rancunes d'Isvolsky et, interrogé au point le plus aigu de la crise, il a fait savoir que, sans souhaiter un conflit, il remplirait « scrupuleusement » ses obligations dans le cas où la guerre viendrait à se déclencher. Mais c'est surtout l'Entente cordiale qui a été resserrée par la crise d'Agadir, sans d'ailleurs aboutir à la conclusion d'une alliance politique engageant les deux pays. Mais lorsqu'en juillet 1911 la France s'est trouvée placée devant une espèce d'ultimatum et que la guerre a paru imminente, les conversations d'État-Major ont été reprises et les modalités d'une intervention britannique sérieusement étudiées. Le 20 août, le Comité de Défense impériale a été réuni pour examiner les mesures à prendre en cas de conflit.

Tout s'est passé par conséquent comme si la Grande-Bretagne avait eu avec la France une alliance défensive. Sans soute conserve-t-elle sa liberté d'action pour l'avenir mais il n'en demeure pas moins que jamais les pourparlers militaires n'avaient été poussés aussi loin.

• *Au total la seconde crise marocaine a eu pour conséquence de renforcer l'Entente cordiale.* L'Allemagne ne manque pas de s'en inquiéter et tente, au lendemain d'Agadir, de renouer la négociation avec Londres. Certes la course aux armements navals rendait difficile une conciliation entre les deux pays mais on ne désespérait pas à Berlin de monnayer une réduction des constructions navales en échange d'un accord politique avec la Grande-Bretagne. Le gouvernement britannique ne rejette pas *a priori* cette combinaison et dépêche à Berlin le ministre de la Guerre Lord Haldane, connu pour ses sympathies germaniques. Mais la mission Haldane (février 1912) échoue devant les exigences de l'Allemagne. Berlin ne veut s'engager en effet que sur la base d'un ralentissement de ses constructions navales. En échange, il exige de l'Angleterre une promesse de neutralité dans un conflit où l'Allemagne ne pourrait être « considérée comme agresseur ». Sir Edward Grey, secrétaire d'État aux Affaires étrangères, refuse un engagement aussi peu conforme à l'esprit de l'Entente cordiale et propose à l'Allemagne un simple pacte de non-agression. Or, ce que désirait la Wilhelmstrasse, c'était précisément la rupture de l'entente franco-anglaise. Ainsi serait brisé un encerclement dont la relative cohésion commençait à inquiéter sérieusement les dirigeants allemands. Les négociations n'aboutirent donc pas et devant l'échec de cette tentative de rapprochement, le gouvernement de Berlin décida l'accélération de son programme naval. La course aux armements reprenait de plus belle et la Grande-Bretagne se trouvait amenée à se rapprocher de plus en plus étroitement de la France.

9 *Les conflits Balkaniques de 1912-1913*

Au début de 1912, la Russie a pansé ses blessures et reprend une politique extérieure active. L'expansion en Extrême-Orient lui étant désormais interdite, à moins d'engager contre le Japon un nouveau et hasardeux conflit, elle se tourne à nouveau vers les Balkans où elle reprend sa politique traditionnelle de poussée vers les Détroits. Comme ses prédécesseurs, Nicolas II va envisager successivement, pour parvenir à ses fins, une alliance avec l'Empire ottoman et, ayant échoué dans cette première voie, une entente avec les puissances balkaniques contre la Turquie. Celle-ci connaît alors, à l'intérieur et à l'extérieur, des difficultés qui la rendent plus vulnérable aux coups qui lui sont portés.

La situation dans les Balkans

En 1912 la Turquie doit en effet faire face à une double crise.

• *Sur le plan intérieur, la révolution « jeune turque »* se heurte à la résistance des nationalités sujettes. Le nouveau régime avait paru pourtant s'orienter vers un plus grand libéralisme. L'adoption d'un système « parlementaire », dans lequel les minorités devaient pouvoir manifester leurs aspirations, avait suscité beaucoup d'espoir parmi les populations chrétiennes des Balkans. Il fallut vite déchanter. Au lendemain de la révolution de 1908, le comité « Union et Progrès » avait installé ses partisans dans toutes les administrations. Son but était de renforcer la cohésion nationale au sein de l'Empire ottoman en procédant à une « turquisation » du pays. Aussi avait-il multiplié les tracaseries habituelles : écoles « turques » favorisées aux dépens des écoles où étaient enseignées les langues nationales, envois de colons turcs dans les régions rebelles à la « turquisation », mesures d'exception pour briser les résistances locales, etc. Cette politique eut pour effet de dresser une nouvelle fois les populations sujettes contre le gouvernement de Constantinople. Dès 1910 l'agitation reprit en Macédoine, secrètement entretenue par les États balkaniques : Serbie, Bulgarie et Grèce qui attendaient une occasion favorable pour voler au secours du peuple frère.

• *Cette occasion leur fut fournie par l'intervention italienne en Tripolitaine.* En septembre 1911, le gouvernement italien, qui convoitait depuis longtemps cette province lointaine de l'Empire et qui s'était mis d'accord avec la France pour l'occuper dès que celle-ci aurait établi son protectorat sur le Maroc, décida de mettre son projet à exécution. Il annonça au gouvernement turc – dont l'autorité sur le pays était en fait purement nominale – son intention d'occuper la Tripolitaine. Devant le refus de Constantinople, l'Italie déclara la guerre à la Turquie et entreprit aussitôt de s'emparer des territoires convoités. Des troupes débarquèrent aisément à Tripoli et Benghazi et le 5 novembre 1911 l'annexion du pays fut prononcée. Mais si les Italiens s'étaient facilement rendus maîtres du littoral, ils se heurtèrent, quand ils voulurent s'avancer à l'intérieur du pays, à une vive résistance de la part des populations arabes encadrées par des officiers turcs. Pour briser cette résistance, l'Italie prit alors la décision de porter la guerre dans la mer Égée où Rhodes et le Dodécanèse furent occupés. La guerre italo-turque fut marquée, sur le plan diplomatique, par un refroidissement des relations franco-italiennes, de courte durée sans doute, mais qui faillit renverser l'édifice patiemment construit depuis 1896 par les diplomates des deux pays. Deux paquebots français, le *Carthage* et le *Manouba*, que les Italiens suspectaient de transporter des officiers turcs déguisés et des médecins et infirmiers à destination de la Tripolitaine via Tunis, furent arraisonnés et saisis par la marine italienne. Après une courte période de tension, due en particulier à l'attitude de la presse, les navires français purent cependant reprendre leur route et l'incident fut clos, les deux gouvernements s'étant appliqués à en limiter la portée.

Mais la guerre italo-turque allait surtout favoriser les projets des petits États balkaniques, résolus à venir en aide à la Macédoine. Trop faibles pour intervenir isolément, ils vont se liguer en une coalition dirigée contre l'Empire ottoman, puis attirer la Russie dans leur camp. Mais le gouvernement russe ne souscrivit pas immédiatement à ce projet. Il tenta tout d'abord d'offrir son alliance à la Turquie en échange du libre passage de sa flotte dans les Détroits ; ni le gouvernement turc cependant, ni les puissances européennes pressenties par Pétersbourg à propos d'un accord russo-turc, n'encouragèrent la Russie dans cette voie. Celle-ci guidée par son représentant à Sofia, se tourna dès lors résolument du côté des puissances balkaniques et encouragea la formation entre ces dernières d'une véritable *Ligue balkanique*, placée sous son influence et dont le but avoué était de refouler les Turcs de leurs dernières possessions européennes.

La base de cette ligue militaire fut le traité d'alliance serbo-bulgare, signé le 13 mars 1912. Officiellement défensif, le traité comportait en fait une clause secrète nettement offensive. Au cas où le *statu quo* dans les Balkans serait menacé ou si des troubles intérieurs se produisaient, amenant l'un des deux pays signataires à entrer en guerre l'autre le suivrait automatiquement. On prévoyait en outre le partage de la Macédoine, à l'exception d'une zone contestée de part et d'autre du Vardar, dont l'attribution était laissée à l'arbitrage du tsar. Le 29 mai, la Bulgarie complétait cette alliance par un traité signé avec la Grèce, traité de caractère défensif et dirigé contre la Turquie. Enfin le Monténégro, sans signer de convention écrite, fit connaître aux gouvernements bulgare, serbe et grec son adhésion à la ligue. Pendant toute la durée des négociations, la diplomatie russe, en particulier les représentants de Péterbourg à Belgrade et à Sofia, avaient en coulisse activement participé à l'élaboration des accords, donnant des conseils et préparant les textes. La Ligue balkanique apparaît donc comme dirigée et contrôlée par la Russie, ce qui ne laisse pas d'inquiéter le gouvernement français que Pétersbourg laisse cependant, au lendemain du traité serbo-bulgare, dans l'ignorance de la clause offensive secrète.

Mais en août 1912, le président du Conseil, Raymond Poincaré, rend visite au tsar et se fait communiquer à Saint-Pétersbourg le texte du traité serbo-bulgare. Il se rend compte immédiatement du caractère explosif de l'alliance qui « contient en germe non seulement une guerre contre la Turquie, mais une guerre contre l'Autriche » et il proteste vivement auprès du gouvernement russe, craignant l'extension à toute l'Europe d'un éventuel conflit balkanique. Impressionné par l'attitude de Poincaré, le gouvernement du tsar conseille à ses clients balkaniques la plus grande modération. Mais il est déjà trop tard. Les puissances balkaniques savent bien que malgré les conseils de prudence qu'elle ne cesse de prodiguer, la Russie ne pourra les abandonner. Elles sont impa-

LA STRATÉGIE AUSTRO-ALLEMANDE ET LES GUERRES BALKANIQUES

« Il est certain aujourd'hui que la formation de la Ligue balkanique fut connue dès le printemps 1912 par les cabinets de Vienne et de Berlin, et que ceux-ci n'essayèrent rien pour prévenir la guerre qu'elle avait comme but. Ils étaient persuadés du succès final de la Turquie. Ils comptaient que les États balkaniques épuisés deviendraient soit une proie facile à saisir, soit des instruments dociles à manier. Ils espéraient tout au moins que la Serbie, au cas d'une conflagration européenne ultérieure, serait hors d'état d'inquiéter l'Autriche-Hongrie et que toutes les armées de l'empereur-roi pourraient sans danger sérieux être employées contre la Russie et la France. Enfin la victoire ottomane, à quoi devaient coopérer de nombreux officiers allemands introduits dans les troupes du sultan, devait établir à Constantinople la prépondérance définitive de la diplomatie germanique. La Turquie deviendrait une alliée ou une complice. Elle pourrait fermer les détroits à la Russie et à la Roumanie. Une intervention de sa part, ou la simple menace d'une intervention dans l'Arménie russe, obligerait la Russie de distraire des champs de bataille d'Europe plusieurs corps d'armée. »

Source : A. Gauvain, *Les Origines de la guerre*, Paris, 1918.

tientes d'agir avant qu'un traité ait mis fin à la guerre italo-turque et se décident donc, en octobre 1912, à engager les hostilités contre la Turquie. Le 13 elles adressent un ultimatum à Constantinople : la première guerre balkanique est déclenchée.

La première guerre balkanique (octobre 1912 - mai 1913)

L'Empire turc se hâte de conclure à Lausanne la fin des hostilités avec l'Italie, retirant ses troupes de Tripolitaine et cédant Rhodes et les îles du Dodécanèse. Mais déjà les Balkaniques sont entrés en campagne. L'Europe s'attend à de longues opérations et à une victoire turque. En fait, la guerre sera courte et marquée par la supériorité militaire des alliés.

En quelques semaines la Macédoine est entièrement libérée, les Grecs sont à Salonique, les Bulgares assiègent Andrinople et marchent sur Constantinople. Le 3 décembre la Turquie demande l'armistice. Cependant l'Europe commence à s'inquiéter. Le gouvernement serbe, soutenu par la Russie, veut en effet profiter de sa victoire pour obtenir un accès à l'Adriatique, mais l'Autriche, qui veut faire des provinces albanaises de l'Empire ottoman un État indépendant, s'y oppose. De part et d'autre on consulte ses alliés. Guillaume II et Poincaré sont d'abord réticents mais, craignant d'ébranler leurs alliances, doivent finalement se résoudre à promettre leur soutien. L'Autriche et la Russie mobilisent partiellement et de nouveau la guerre semble en vue. De même qu'au moment de la crise d'Agadir, c'est l'attitude de l'Angleterre qui évite le déclenchement d'un conflit européen. Jugeant l'attitude de la Serbie « désespérante, idiote et dangereuse », le gouvernement britannique fait pression sur Pétersbourg et la Serbie qui abandonne ses prétentions. Poincaré propose alors la réunion d'une conférence européenne réunissant à Londres les ambassadeurs des grandes puissances et des belligérants. La Turquie y envoie ses représentants mais ne peut se résoudre à céder Andrinople : en février la guerre reprend.

Mais de nouvelles victoires des alliés – les Bulgares s'emparent d'Andrinople et le roi du Monténégro vient assiéger Scutari – obligent les Turcs à traiter. Le 30 mai 1913, les préliminaires de Londres abandonnent à la Ligue balkanique tous les territoires de Turquie d'Europe situés à l'ouest d'une ligne Enos-Midia, ainsi que les îles de la mer Egée et la Crète.

La seconde guerre balkanique (26 juin-10 août 1913)

Dès qu'il s'agit de partager les dépouilles de la Turquie d'Europe, l'accord entre les puissances balkaniques fait place à une âpre rivalité. Les Serbes qui n'ont pu obtenir l'accès à l'Adriatique réclament une compensation en Macédoine, au détriment de la Bulgarie qui estime avoir fourni le plus gros effort dans la guerre et exige en conséquence la part la plus importante du butin territorial. Devant cette menace bulgare la Serbie passe contrat avec la Grèce. Les deux pays parviennent à se mettre d'accord sur la répartition des territoires macédoniens et fixent le Vardar comme limite à l'expansion bulgare ; puis ils signent contre la Bulgarie une alliance défensive pour dix ans. Bientôt la Roumanie, qui n'a pas pris part à la guerre mais qu'inquiète l'agrandissement de la Bulgarie, entre en lice. Elle réclame du gouvernement de Sofia une compensation qui pourrait être la cession de la Silistrie. Elle reçoit satisfaction mais sur le problème de la Macédoine les Bulgares demeurent intraitables. Ainsi s'achemine-t-on vers une seconde crise dressant les uns contre les autres les alliés de la veille.

Bien entendu ces événements ne laissent indifférents ni l'Autriche-Hongrie ni la Russie. Vienne se réjouit d'un conflit entre les vainqueurs d'hier, tout en craignant les effets d'une victoire serbe : victorieuse, la petite nation balkanique exercerait dans la Balkans une véritable prépondérance et deviendrait pour la Double Monarchie une menace particulièrement grave. L'Autriche souhaite donc une victoire bulgare et le nouveau ministre des Affaires étrangères, le comte Berchtold, envisage même avec le chef d'État-major Conrad de Hötzendorff l'éventualité d'une intervention autrichienne en cas de victoire serbe. Ils savent que la Russie ne l'acceptera probablement pas et c'est de sang-froid qu'il prennent ainsi le risque d'une guerre généralisée.

• *Forte de cet appui, la Bulgarie se prépare à une attaque contre la Serbie.* Le gouvernement russe essaie pourtant d'empêcher un conflit dans lequel il craint d'être entraîné. Le traité serbo-bulgare de 1912 lui ayant conféré un pouvoir d'arbitrage, il convoque à Saint-Pétersbourg les présidents du conseil des États balkaniques, afin de chercher avec eux une solution à la crise. À Belgrade, Pachitch, chef du gouvernement serbe, répond favorablement à la proposition russe, en dépit d'ailleurs d'une violente opposition de l'opinion publique. Mais le président du Conseil bulgare, Danev, d'abord enclin à la conciliation, finit par subir la pression des milieux d'État-Major et ajourne au dernier moment, le 26 juin 1913, son départ pour la Russie. Le lendemain la Bulgarie engage par surprise les hostilités contre la Serbie.

Les Bulgares comptaient sur la soudaineté de leur attaque pour écraser les Serbes avant que les Grecs aient eu le temps de mobiliser. Or, l'effet de surprise passé, les troupes serbes parviennent à enrayer puis à repousser l'offensive bulgare. Les Grecs passent le Vardar et volent au secours de leurs alliés. Le 10 juillet, la Roumanie, que son alliée autrichienne essaie pourtant de retenir, s'engage à son tout dans la lutte du côté gréco-serbe. Enfin, la Turquie, qui voit là pour elle l'occasion de prendre sa revanche sur la Bulgarie et de récupérer

Andrinopole, mobilise et se prépare à intervenir. Attaqués de tous les côtés, vaincus par les Serbes à la Bregalnitsa début juillet, les Bulgares demandent l'armistice. L'Autriche-Hongrie va-t-elle comme prévu exécuter son plan et se jeter sur la Serbie victorieuse ? Avant de le faire, elle interroge ses alliées. Le 4 juillet Berchtold adresse à Berlin et à Rome une note dans laquelle il dévoile ses intensions, souligne le danger que la formation d'une « Grande Serbie » ferait courir à la double monarchie, se déclare résolu à en écarter le risque, mais, l'intervention autrichienne pouvant entraîner celle de la Russie et déclencher de ce fait un conflit généralisé, il demande à ses alliés de la Triplice s'ils sont prêts à le suivre dans cette voie. Berlin répond négativement : l'Autriche-Hongrie a préservé ses intérêts vitaux en écartant les Serbes de l'Adriatique, la poussée serbe en Macédoine est d'une importance infiniment moindre pour la sécurité de la Double Monarchie et le gouvernement allemand n'est pas disposé dans ces conditions à soutenir son alliée dans une initiative susceptible de déclencher un conflit européen. À Rome la réponse est encore plus nette. Le président du Conseil Giolitti et le ministre des Affaires étrangères San Giulano font savoir à Vienne que l'Italie considérerait comme offensive une action militaire contre la Serbie. Le traité de la Triple-Alliance étant purement défensif, rien ne l'oblige à prendre les armes aux côtés de l'Autriche. Celle-ci ne doit

La "poudrière balkanique" en 1914

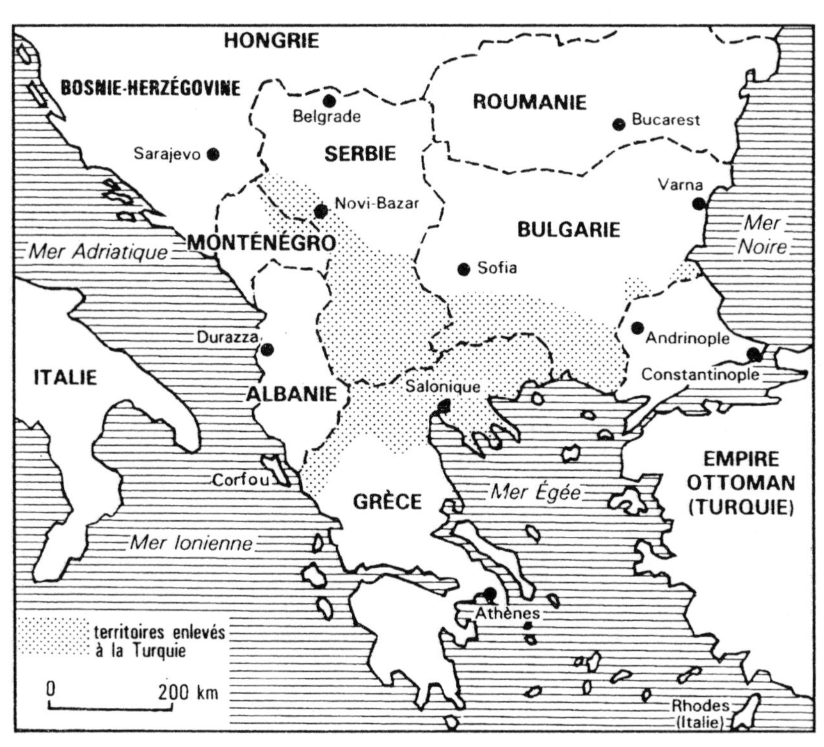

donc pas compter sur l'appui de Rome où l'on déclare : « On vous retiendra par les pans de votre redingote si c'est nécessaire. »

Ne pouvant compter que sur ses seules forces, l'Autriche-Hongrie doit se résigner à abandonner la Bulgarie. Celle-ci, envahie de tous côtés, sa capitale menacée par la marche convergente des alliés, doit se résoudre à traiter. La paix est signée le 10 août 1913 à Bucarest. De ses conquêtes de 1912, la Bulgarie ne gardait que la côte de Thrace et la vallée de la Stroumitsa. La Serbie recevait Monastir et la vallée du Vardar, partageant avec le Monténégro le Sandjak de Novibazar. La Grèce obtenait le Sud de la Macédoine, Salonique et la Thrace occidentale. La Roumanie annexait la Dobroudja méridionale et la Turquie, par une paix séparée signée le 29 septembre, obtenait la restitution d'Andrinople. Enfin une Albanie indépendante était créée sur le littoral adriatique.

• *Au lendemain de la paix de Bucarest,* la situation des puissances centrales s'est affaiblie dans les Balkans. La Serbie s'est agrandie de 1 200 000 habitants, la Roumanie et la Grèce entretiennent avec elle de bonnes relations et la Bulgarie n'a pas oublié la dérobade de l'Autriche. Sans doute l'Albanie indépendante lui semble-t-elle destinée à subir une sorte de protectorat autrichien, mais elle doit de ce côté compter avec l'Italie qui convoite le contrôle des deux rives du canal d'Otrante et suscite bientôt le soulèvement des tribus musulmanes contre le prince allemand désigné pour gouverner la petite principauté.

L'Allemagne de son côté, qui exerçait depuis la fin du XIXe siècle une forte influence dans l'Empire ottoman, y plaçant ses capitaux et fournissant à l'armée turque des instructeurs et des cadres, a perdu beaucoup de son prestige auprès du gouvernement de Constantinople. Elle a été sensible d'autre part à la défection roumaine. Aussi, le gouvernement du Reich semble-t-il regretter d'avoir « retenu » l'Autriche-Hongrie. Guillaume II partage maintenant les inquiétudes de Vienne et regrette sa prudence de l'été 1913. La lenteur avec laquelle les Serbes évacuent les territoires attribués à l'Albanie, ayant en octobre 1913 déterminé Vienne à leur imposer une sorte d'ultimatum, le Kaiser s'associe cette fois sans réserves à la démarche du comte Berchtold : « Les Slaves – écrit-il au ministre autrichien des Affaires étrangères – ne sont pas nés pour commander mais pour obéir... Quand l'empereur François-Joseph demande quelque chose, le gouvernement serbe n'a qu'à s'incliner. Sinon il n'y a qu'à bombarder Belgrade et à l'occuper jusqu'à ce que la volonté de Sa Majesté soit exécutée...

« ...Vous pouvez être sûr que je serai derrière vous et que je suis prêt à tirer l'épée, si c'est nécessaire. »

Même si l'on fait la part des rodomontades inséparables du personnage de Guillaume II, cette lettre du Kaiser en dit long sur les intentions allemandes neuf mois avant le déclenchement de la crise dont allait sortir la Première Guerre mondiale.

La paix de Bucarest, en renforçant une Serbie de plus en plus résolue à devenir le Piémont des Balkans, en suscitant la rivalité de l'Italie et de l'Autriche à propos de l'Albanie, en ramenant enfin l'Allemagne à une politique de prestige en Orient, a créé dans la péninsule balkanique une situation explosive. La moindre étincelle peut désormais y allumer un conflit général.

10 *La crise de juillet 1914*

Depuis 1911 l'Europe vit en état de paix armée. Chaque année une nouvelle « crise » internationale risque de déclencher un conflit généralisé. L'Europe se trouve en effet divisée en deux blocs dont les ramifications sont telles que le moindre incident est capable de dégénérer en guerre continentale. Les « alertes » successives ont profondément influencé les gouvernements et les opinions publiques : partout, on commence à s'habituer à l'idée qu'une guerre est inévitable pour régler les différends en cours et si, dans l'ensemble, les peuples demeurent épris de paix et de tranquillité, on voit dans la plupart des pays, des milieux restreints mais influents, le plus souvent proches de l'État-Major, développer l'idée que, puisqu'après tout la guerre finira par éclater, mieux vaut prendre l'initiative des opérations et choisir le moment le plus favorable.

Les gouvernements ne partagent généralement pas ces vues excessives ; ils n'en désirent pas moins se prémunir contre l'éventualité d'un conflit en resserrant leurs alliances et en dotant leurs pays de moyens militaires puissants. C'est dans ce contexte que l'assassinat de l'archiduc héritier d'Autriche, à Sarajevo, le 28 juin 1914, provoque une nouvelle crise dont devait cette fois sortir la Première Guerre mondiale.

LA SITUATION INTERNATIONALE EN 1914

L'exaspération des rivalités économiques et politiques incite les puissances européennes à améliorer leur situation militaire et diplomatique. Mais, le resserrement des alliances et la course aux armements provoquent en retour un état de tension et une psychose d'insécurité qui finissent par créer un climat favorable au déclenchement d'un conflit général.

Les rivalités internationales

Elles se développent sur un double plan, économique et politique.

• *La concurrence économique entre la Grande-Bretagne et l'Allemagne* a été parfois considérée comme une des causes fondamentales de la guerre de 1914-1918. Pour séduisante qu'elle soit, cette conception ne doit pas être admise sans réserves. Il est certain que depuis la dernière décennie du XIXe siècle, une sévère lutte économique s'était engagée entre les deux plus grandes puissances industrielles d'Europe. Il n'est pas moins vrai que dans ce conflit d'intérêts, l'Allemagne n'avait cessé de faire des progrès et d'enlever à sa rivale une part importante de ses débouchés extérieurs. En France, en Belgique, en Italie, en Amérique du Sud, le commerce allemand avait, en 1914 assez nettement dépassé celui de la Grande-Bretagne et nous avons vu que cette situation n'était pas indifférente aux Britanniques, qu'elle avait même favorisé le

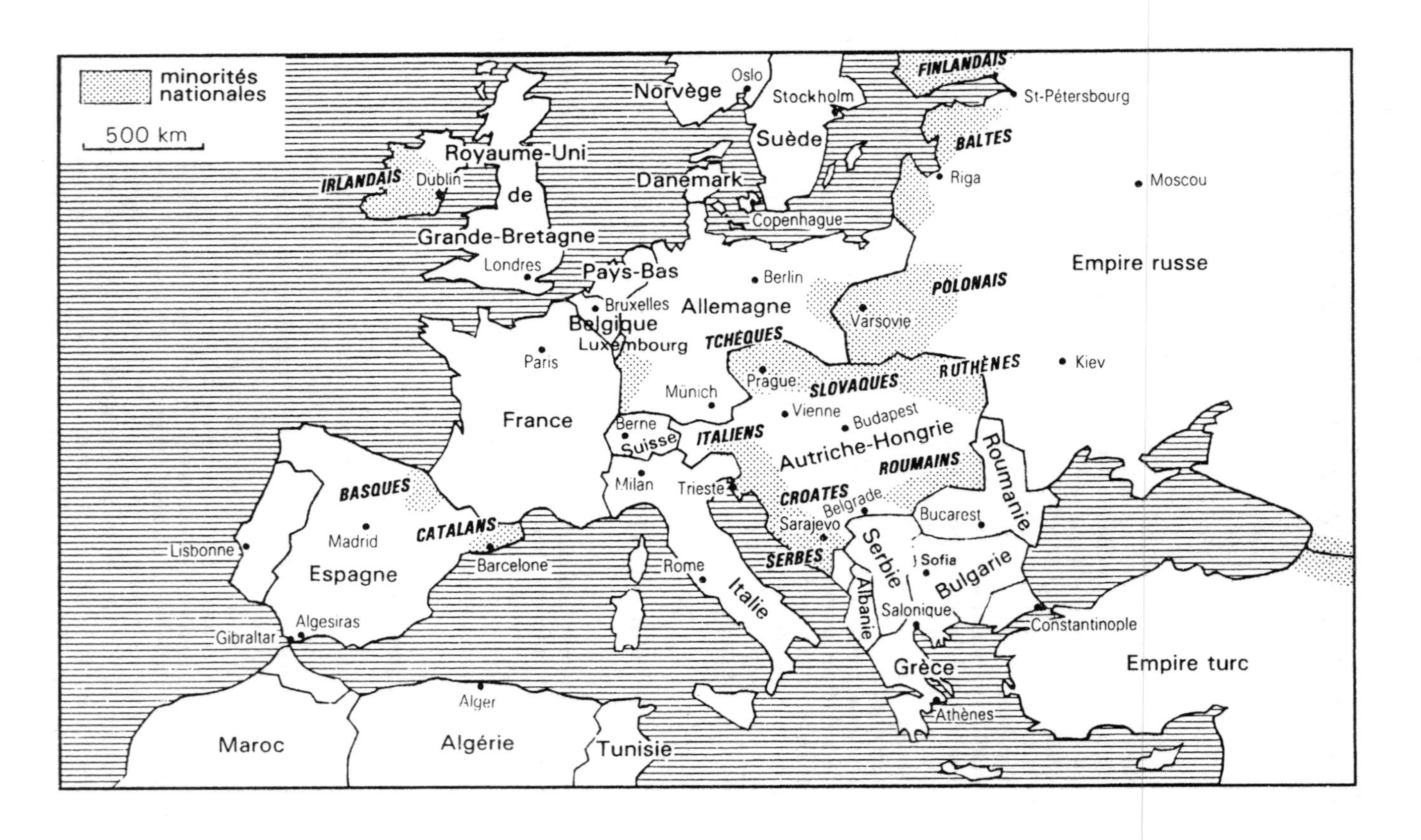

minorités nationales
500 km
Norvège
Oslo
Stockholm
FINLANDAIS
St-Pétersbourg
Suède
BALTES
Royaume-Uni de Grande-Bretagne
IRLANDAIS
Dublin
Danemark
Riga
Moscou
Copenhague
Londres
Pays-Bas
Berlin
Empire russe
POLONAIS
Bruxelles
Allemagne
Varsovie
Belgique
Luxembourg
TCHÈQUES
Paris
RUTHÈNES
Kiev
Prague
SLOVAQUES
Münich
Vienne
Budapest
France
Berne
Suisse
ITALIENS
Autriche-Hongrie
Roumanie
ROUMAINS
BASQUES
Milan
Trieste
CROATES
Belgrade
Bucarest
CATALANS
Sarajevo
Madrid
Lisbonne
Barcelone
Rome
SERBES
Serbie
Sofia
Bulgarie
Espagne
Italie
Albanie
Salonique
Algesiras
Constantinople
Gibraltar
Grèce
Empire turc
Alger
Athènes
Maroc
Algérie
Tunisie

développement d'un puissant courant germanophobe dans l'opinion anglaise au début du XXe siècle. Mais il n'est pas moins exact que ce courant, s'il a pu renforcer certaines dispositions du gouvernement et de l'opinion publique britannique, était insuffisant pour déclencher un conflit armé entre les deux pays.

En Angleterre, les inquiétudes des milieux d'affaires concernent un avenir lointain. Pour les années proches on n'a pas à craindre d'asphyxie économique et on ne souhaite pas un dénouement par la force de la concurrence commerciale entre les deux pays. D'ailleurs – et cela est tout à fait symptomatique – au moment de la crise, ce sont les milieux de la Cité de Londres qui se montreront les plus réticents devant l'éventualité d'un conflit avec l'Allemagne.

Du côté allemand, les choses sont à peine différentes. Peut-être les hommes d'affaires sont-ils un peu plus agressifs que leurs concurrents britanniques. L'industrie allemande a en effet accru trop vite ses forces productives et se trouve devant la nécessité de s'ouvrir de nouveaux débouchés. Une guerre victorieuse contre la Grande-Bretagne permettrait sans doute de ravir à celle-ci une partie de ses marchés extérieurs. Mais là encore il s'agit de vues à longue échéance. Pour l'instant la conjoncture est favorable. De 1909 à 1913, les prix se sont maintenus à un haut niveau; ils ont très légèrement fléchi à la fin de 1913 pour reprendre dès janvier 1914 un mouvement de hausse favorable à l'expansion économique. Aussi les milieux d'affaires allemands se montrent-ils dans l'ensemble optimistes et l'on ne trouve nulle trace dans les documents politiques de pressions exercées par eux dans le but de déclencher un conflit militaire. Ainsi la rivalité économique a pu contribuer à alourdir l'atmosphère internationale, elle n'est pas pour autant la cause directe de la guerre.

• *Les rivalités politiques* ont, semble-t-il, joué un rôle plus important. Sur le plan colonial pourtant, bien des difficultés ont été aplanies depuis le début du siècle. La France a réglé ses litiges avec l'Italie en 1900, l'Angleterre en 1904 et l'Allemagne en 1911. Le Reich, tard venu dans la compétition impériale, n'hésite pas il est vrai à « prendre des risques » pour arrondir ses maigres possessions coloniales. Mais en 1914 la France et l'Angleterre admettent la nécessité d'élargir la part de l'Allemagne : elles lui reconnaissent une situation prépondérante dans l'Empire ottoman envisageant de lui céder des territoires susceptibles de devenir « vacants ». Le danger ne vient donc pas de ce côté. Autre point critique devenu moins sensible : l'Alsace-Lorraine. La rivalité franco-allemande s'y est progressivement atténuée, les députés « protestataires », hostiles à l'annexion, ayant été peu à peu remplacés par des « autonomistes » reconnaissant le fait accompli et désirant seulement une plus grande autonomie locale. Pourtant la politique de « germanisation » n'a pas porté tous les fruits qu'en attendait le gouvernement du Reich. Chaque année plusieurs milliers de jeunes gens quittent l'Alsace en cachette pour ne pas servir dans l'armée allemande. On voit même au cours des quelques années qui précèdent la guerre se rallumer l'hostilité entre la population et les fonctionnaires ou les militaires allemands. Mais rien de tout cela n'est comparable à la tension qui avait suivi la guerre de 1870-1871 et l'idée d'une « guerre de revanche » ne trouve plus guère d'échos que dans certains milieux ultra-nationalistes.

C'est donc dans les Balkans que la tension est la plus forte. Là s'est rallumée depuis l'échec de la Russie en Extrême-Orient, la vieille rivalité entre les deux grands empires d'Europe orientale : la Russie qui aspire depuis toujours à dominer les Détroits et l'Autriche-Hongrie que l'union des peuples slaves sous l'égide de la Serbie, « Piémont des Balkans », menace de mort. Pour se survivre, la Double Monarchie ne peut laisser se développer l'agitation nationale yougoslave, agitation dont les racines se trouvent précisément dans le petit royaume serbe. À Vienne, on songe de plus en plus à une action « préventive » contre la Serbie. Mais les Russes peuvent-ils accepter de laisser démembrer leur « client » serbe et de voir l'Autriche étendre son influence sur tout le Nord de la péninsule ? Dès 1913, il semble que d'une initiative malheureuse de l'Autriche peut naître le conflit européen.

Le resserrement des alliances

France et Grande-Bretagne, Allemagne et Italie, n'ont pas d'intérêts majeurs dans la question balkanique. Pourtant le jeu des alliances risque de les entraîner dans un conflit d'abord limité aux Balkans. Or, depuis 1912, ces alliances se sont renforcées. Du côté de la Triple-Entente, la France et la Russie ont multiplié les conversations militaires. En juillet 1912, une convention d'État-Major a défini la collaboration des deux flottes et des deux armées et prévu des délais plus courts pour la mobilisation des troupes russes, de façon à dégager le plus possible le front français. Un nouvel emprunt a été consenti à la Russie, pour lui permettre d'améliorer son réseau ferroviaire et de hâter ainsi l'acheminement de ses troupes vers le front. Enfin, pour resserrer l'alliance, le gouvernement français a décidé à la fin de 1913 d'envoyer Delcassé comme ambassadeur à Saint-Pétersbourg. Entre la France et l'Angleterre d'autre part, les conversations militaires ont repris et abouti en novembre 1912 à la signature d'une convention navale par laquelle la France accepte de prendre en charge la surveillance de la Méditerranée. En échange, le gouvernement français voudrait obtenir de Londres une déclaration écrite définissant les engagements des deux pays en politique générale, mais il ne peut obtenir de Sir Edward Grey qu'une approbation des contacts d'État-Major. Malgré les instances de la France et de la Russie, la Triple-Entente ne parvient donc pas à se transformer en une Triple-Alliance engageant les parties contractantes, la Grande-Bretagne conservant jusqu'à la veille de la guerre sa liberté d'action.

Du côté de la Triplice, nous avons vu qu'après ses hésitations de l'été 1913, Guillaume II s'était repenti de la mollesse avec laquelle il avait soutenu son allié autrichien. Il était maintenant résolu à soutenir la Double Monarchie « contre vents et marées » et à régler le plus vite possible le compte de la Serbie. Quant à l'Italie, bien que la Triplice ait été renouvelée pour la sixième fois en décembre 1912 et que des entretiens assez poussés aient eu lieu au cours de l'année 1913 entre les états-majors allemand et italien, elle demeure un allié douteux, du fait de ses relations tendues avec l'Autriche-Hongrie à propos de l'Albanie, des progrès enregistrés par les intérêts économiques italiens en Dalmatie, et dans les Balkans et aussi du réveil de l'irrédentisme dans la Péninsule.

La course aux armements

L'atmosphère internationale se trouve encore alourdie, à partir de 1913, par la reprise de la course aux armements. En juillet, le gouvernement du Reich fait voter, à la demande du général en chef Moltke, une nouvelle loi militaire portant les effectifs en temps de paix de 623 000 à 820 000 hommes. Ainsi l'Allemagne pourra-t-elle soutenir une guerre sur deux fronts et porter, comme le prévoit depuis 1905 le plan Schlieffen, tout son effort contre la France.

Pour faire face à cette menace, le gouvernement français présente, à la demande de Raymond Poincaré, nouveau président de la République, une loi portant le service militaire à trois ans. Malgré l'hostilité d'une grande partie du

UNE GUERRE INÉVITABLE

L'ambassadeur de France à Berlin, Jules Cambon, rapporte au ministre des Affaires étrangères Pichon les propos alarmants de son collègue de Belgique ; novembre 1913.

« Le baron Beyens, ministre de Belgique, m'a fait le 10 de ce mois une importante communication au sujet des impressions que son souverain a emportées de son récent voyage en Allemagne. Le roi Albert a eu à Potsdam avec l'empereur et le chef d'État-Major général, de Moltke, une conversation qui l'a frappé. Il pensait jusqu'ici, comme tout le monde, que Guillaume II, dont l'influence personnelle s'était exercée dans bien des circonstances critiques au profit du maintien de la paix, était toujours dans les mêmes dispositions d'esprit. Cette fois il l'a trouvé complètement changé... L'empereur en est venu à penser que la guerre avec la France est inévitable et qu'il faudra en venir là un jour ou l'autre... Et il est persuadé que l'idée de la revanche ne cesse pas de hanter l'esprit français. L'empereur, il n'est pas besoin de le dire, croit à la supériorité écrasante de l'armée allemande et à son succès certain. Le général de Moltke parla exactement comme son souverain. »

Source : *Documents diplomatiques français*, 1871-1914, IIIe Série, Vol. VIII, pp. 653-655, 22 novembre 1913.

Parlement, la « loi des trois ans » est votée le 7 août : elle porte les effectifs du temps de paix à 750 000 hommes. La Russie de son côté met sur pied un plan de réorganisation militaire étalé sur quatre ans. Partout donc on se prépare à l'éventualité d'un conflit armé. Seule l'Allemagne cependant est prête à engager les hostilités. On pense même de plus en plus, dans les milieux d'état-major du Reich, que le moment est particulièrement favorable, la France et la Russie ayant entrepris un vaste effort militaire, susceptible de porter ses fruits dans les années à venir. Le mieux ne serait-il pas de frapper avant que l'adversaire ait achevé sa préparation ? C'est l'argument développé par l'État-Major allemand et c'est un argument auquel l'empereur se montre de plus en plus sensible. Alors qu'en janvier 1913 le Kaiser paraissait encore à notre ambassadeur J. Cambon animé de « sentiments pacifiques », Guillaume II déclare au roi des Belges en novembre 1913 que « la guerre était nécessaire et inévitable ». Ainsi, au moment où va se nouer la crise de juillet 1914, il semble bien que le gouvernement et les chefs militaires du Reich soient prêts à profiter d'une situation qui leur est favorable pour régler une fois pour toutes les problèmes en litige.

LA CRISE

• *Le 28 juin 1914,* visitant la ville de Sarajevo, en Bosnie, au cours des grandes manœuvres de l'armée autrichienne, l'archiduc-héritier François-Ferdinand fut assassiné par un étudiant bosniaque membre de la « Main noire », une association secrète liée au mouvement nationaliste yougoslave dont le chef était le colonel Dimitrievitch, chef du service de renseignements serbe. Bien que le gouvernement serbe ne fût pour rien dans l'attentat, l'Autriche-Hongrie se montra résolue à profiter de ce meurtre pour régler le compte du petit royaume balkanique et « éliminer la Serbie comme force politique ». Le chef de Cabinet du comte Berchtold se rendit à Berlin où il obtint le 5 juillet le plein appui de Guillaume II. Un ultimatum fut préparé en commun et remis à la Serbie le

23 juillet. Il exigeait la fin des « campagnes malsaines » contre l'Autriche-Hongrie, la révocation des fonctionnaires coupables de menées anti-autrichiennes, la dissolution des groupes nationalistes. Surtout l'article 6 imposait à Belgrade la participation à l'enquête sur l'attentat de fonctionnaires austro-hongrois. Les termes de l'ultimatum avaient été calculés pour que le gouvernement serbe le repoussât, or Belgrade en accepta tous les articles sauf le dernier. Cela suffit à l'Autriche pour rompre aussitôt les pourparlers et commencer à mobiliser. Berlin et Vienne espéraient, à condition de faire vite, limiter le conflit aux Balkans ; mais déjà les puissances européennes entraient en mouvement.

• *Le 26 juillet la Grande-Bretagne proposa la réunion d'une conférence* des quatre puissances « étrangères à l'affaire serbe ». France, Allemagne, Angleterre et Italie, pour tenter de trouver une solution au conflit, mais l'Allemagne refusa catégoriquement. La Russie, de son côté, tenta de provoquer une discussion directe entre Autriche et Serbie ; elle n'eut guère plus de succès. Finalement, pour couper court à toute nouvelle tentative de conciliation, Vienne déclara la guerre à la Serbie le 27 juillet et entreprit aussitôt « l'expédition de châtiment ».

Que va faire la Russie? Elle ne peut, sous peine de perdre toute influence dans les Balkans, laisser écraser la Serbie. Certes, elle n'est pas prête, mais dans une situation militaire bien meilleure toutefois qu'en 1909 ; de plus la France lui a garanti son appui. Aussi, se décide-t-elle le 29 juillet à mobiliser 13 corps d'armée. Sir Edward Grey propose alors sa médiation : l'Autriche-Hongrie prendrait un gage en occupant Belgrade puis on négocierait. Et il ajoutait, pour donner plus de poids à sa proposition, que l'Angleterre « ne pourrait pas rester longtemps à l'écart » d'un conflit européen. Inquiet, le chancelier allemand Bethmann-Hollweg invite Vienne à une plus grande modération, mais dans le même temps l'État-Major du Reich, impatient de livrer la bataille, donne à l'Autriche l'assurance que « l'Allemagne marchera sans réserve », poussant ainsi le gouvernement autrichien à l'intransigeance. La mobilisation partielle de l'armée russe ayant provoqué une protestation de Berlin, la Russie décide de lancer le 30 juillet, malgré les conseils de prudence de la France, l'ordre de mobilisation générale. Désormais les décisions vont être largement influencées par les chefs d'État-Major qui ont le souci de ne pas se laisser devancer par l'adversaire. Le 31, l'Allemagne exige par un ultimatum que la Russie cesse de mobiliser; un autre ultimatum adressé à la France demande quelle sera notre attitude en cas de guerre russo-allemande. N'ayant pas obtenu de réponse satisfaisante, l'Allemagne décrète le 1er août la mobilisation générale. Le même jour tandis que la France mobilise à son tour, elle déclare la guerre à la Russie, le 2 elle exige de la Belgique le libre passage pour ses troupes et le 3 elle déclare la guerre à la France. Du côté de la Triplice, l'Italie et la Roumanie, qui ne sont liées que par une alliance défensive, jugent que les conditions dans lesquelles la guerre s'engage ne les obligent pas à intervenir et décident de conserver leur neutralité.

Quant à la Grande-Bretagne, elle est demeurée longtemps indécise. Le gouvernement britannique est en majorité décidé à soutenir la France si cela est nécessaire mais ne veut pas s'engager trop tôt pour ne pas encourager la France et la Russie à se montrer intransigeantes. Jusqu'au dernier moment le doute plane sur l'attitude anglaise et ces hésitations de Londres ont sans doute encouragé les puissances centrales à prendre le risque d'un conflit. C'est l'invasion de la Belgique qui, en mobilisant l'opinion publique anglaise, lève les dernières oppositions au sein du cabinet britannique. Le 4 août, le Royaume-Uni déclare la guerre à l'Allemagne. Les hostilités commencent aussitôt. On croit de part et d'autre qu'elles seront de courte durée. En fait, la guerre va durer plus de quatre ans, faire des millions de morts et bouleverser les destinées du monde.

Conclusion

Lorsque s'ouvre la crise de l'été 1914, personne ne songe sérieusement qu'elle va provoquer une guerre mondiale. Les alertes de 1911, 1912 et 1913 ont accoutumé les gouvernements et les opinions publiques à l'idée d'une guerre possible, mais comme à chaque fois la paix a été maintenue et le risque écarté, on ne voit pas pourquoi il n'en serait pas de même en juillet 1914. L'Autriche-Hongrie elle-même, qui prend délibérément le risque du conflit, pense qu'elle parviendra à limiter celui-ci à la péninsule balkanique. Pourquoi dans ces conditions la « côte d'alerte » est-elle dépassée et les gouvernements se trouvent-ils engagés ? Quels éléments nouveaux ont rendu possible une guerre que l'on avait pu jusque-là éviter ?

L'attitude russe a sans doute été l'une des plus déterminantes. Humiliée en 1909, hésitante en 1912 et en 1913, la Russie a fait front en 1914 et accepté le risque d'une guerre pour empêcher que sa « cliente » serbe fût la proie de l'Autriche-Hongrie. Agir autrement eût ruiné son influence auprès des Slaves des Balkans. De plus, bien qu'elle ne soit pas « prête » militairement, sa situation est en ce domaine infiniment meilleure que cinq ans plus tôt. Enfin, il semble que Pétersbourg ait été plus énergiquement soutenu par Paris qu'au cours des précédentes crises. En juillet 1914, le président Poincaré a été l'hôte du tsar. Il n'est pas impossible – bien que Poincaré s'en soit toujours défendu – que le président de la République ait donné au gouvernement russe des « assurances » à propos de l'attitude de la France dans l'éventualité d'une aggravation de la crise. De toute façon, le gouvernement français a agi avec énergie pour soutenir son allié et consolider son alliance.

Même attitude de la part de l'Allemagne vis-à-vis de l'Autriche-Hongrie. Guillaume II ne s'est pas pardonné d'avoir « lâché » Vienne l'année précédente. Il est maintenant résolu à renflouer la Double Monarchie et, s'il ne souhaite probablement pas la guerre générale, il en accepte le risque s'il faut payer de ce prix la liquidation des difficultés serbes. D'ailleurs, l'État-Major juge le moment particulièrement favorable pour l'Allemagne, tellement favorable déclare de Moltke que « selon toute probabilité il n'en reviendra pas un semblable ». Si la guerre est inévitable – et l'empereur ne manque pas une occasion de proclamer la fatalité du conflit – la meilleure solution n'est-elle pas de profiter d'un avantage qui peut ensuite se restreindre ?

Les hésitations de l'Angleterre, dont on ignora jusqu'au dernier moment si elle choisirait la guerre ou la neutralité, ont pu encourager les puissances centrales dans leur politique d'intimidation. Aucun traité ne liant la Grande-Bretagne à ses amies du continent, elle pouvait tout aussi bien se contenter d'attendre. Si elle s'engage à la dernière minute, c'est pour préserver l'équilibre européen, une victoire de l'Allemagne assurant à celle-ci l'hégémonie continentale. La violation de la neutralité belge donne aux ministres partisans de l'intervention l'occasion d'agir avec l'appui de l'opinion publique. Mais il est alors trop tard pour empêcher le conflit. Il ne reste à l'Angleterre qu'à se joindre à l'alliance franco-russe, alors qu'une attitude plus résolue eût peut-être, quelques jours plus tôt, fait reculer l'Allemagne.

Mais l'élément déterminant a sans doute été l'initiative de l'Autriche-Hongrie, décidée à en finir avec la Serbie et avec le danger que constituent pour l'Empire les aspirations des Slaves du Sud. Vienne a pesé les risques : guerre locale certaine, guerre européenne possible pour ne pas dire probable. Mais la persistance de l'agitation nationaliste slave ne risque-t-elle pas de provoquer plus sûrement l'éclatement de l'Empire et l'effondrement de la monarchie ? Assurée maintenant de l'appui sans réserve de l'Allemagne, persuadée que le problème yougoslave se posera de toute façon, à supposer que l'on trouve un compromis, « deux ou trois ans plus tard », l'Autriche-Hongrie engage délibérément l'épreuve de force. À la différence des autres puissances en cause elle se trouve devant un problème d'intérêt vital et elle agit en conséquence.

Une fois le mécanisme déclenché, plus rien ne peut l'arrêter, ni les tentatives de médiation, ni les scrupules des chefs d'État. Vienne a donné l'impulsion politique et c'est Pétersbourg qui prend les premières mesures militaires. Dès lors les faits obéissent à une dramatique fatalité. Les premiers coups pouvant être décisifs, les états-majors prennent le pas sur les « politiques » et l'implacable logique de la guerre domine le débat.

3 août 1914 : l'épée se substitue au dialogue des diplomates. Pendant cinquante-deux mois l'Europe va résonner du fracas des armes. Et lorsqu'elles se tairont, c'est une Europe sinistrée et amoindrie qui sortira du conflit.

Chronologie de la vie internationale de 1871 à 1914

	EUROPE	AUTRES CONTINENTS
1871	18 janvier - Proclamation de l'Empire allemand. 10 mai - Traité de Francfort.	
1872	27 juillet - Loi militaire en France. septembre - Réunion des trois empereurs à Berlin.	
1873	6 mai - Alliance russo-allemande. 6 juin - Entente austro-russe.	Mort de Livingstone.
1874	Loi allemande du septennat militaire.	Stanley découvre le Congo.
1875	mars - « Loi des cadres ». avril - Alerte franco-allemande. mai - Intervention anglo-russe à Berlin. 1er août - Révolte en Bosnie.	Disraeli achète les actions du Khédive.
1876	mai - Révolte de la Bulgarie. juin - Guerre serbo-turque. nov.-déc. - Conférence internationale à Constantinople.	novembre - Condominium franco-anglais en Égypte.
1877	15 janvier - Convention austro-russe. 24 avril - Guerre russo-turque.	
1878	3 mars - Traité de San-Stefano. juin-juillet. - Congrès de Berlin.	
1879	août - Rencontre Bismarck-Andrassy à Gastein. 7 octobre. - Alliance austro-allemande.	
1880		Stanley et Brazza au Congo.

1881	18 juin - Traité des Trois Empereurs. 21 juin - Traité secret austro-serbe.	mars - Raid des Kroumirs en territoire algérien. 12 mai - Traité du Bardo. juillet - Arabi Pacha ministre de la Guerre. Russes à Merv.
1882	20 mai - Conclusion de la Triple-Alliance.	juillet - Massacre à Alexandrie. Intervention anglaise. Occupation de l'Égypte et fin du condominium.
1883	Alexandre de Battenberg congédie les généraux russes.	Français en Côte-d'Ivoire. Révolte madhiste au Soudan. Intervention française en Annam et au Tonkin.
1884		Création des colonies allemandes du Togo, Cameroun et Sud-Ouest africain. novembre-février - Conférence de Berlin.
1885	mars - Tension anglo-russe. septembre - Battenberg proclame l'union de la Roumélie et de la Bulgarie. novembre - Guerre serbo-bulgare.	Les Russes à Pendjeh. mars - Incident de Langson. Chute de Jules Ferry. 9 juin - Second traité de Tien-Tsin. 17 décembre - Protectorat français sur Madagascar.
1886	Boulanger, ministre de la Guerre. février-mars - Renouvellement de la Triple-Alliance et accords sur la Méditerranée. août - Coup d'État en Bulgarie contre Battenberg. septembre - Crise bulgare.	Les Anglais en Birmanie.
1887	janvier - Nouvelle loi militaire du septennat en Allemagne. avril - Incident Schnaebelé. Tension franco-allemande. juin - Traité germano-russe de réassurance. juillet - Tension austro-russe. Ferdinand de Saxe-Cobourg, prince de Bulgarie.	
1888	Premiers emprunts russes en France.	Internationalisation du canal de Suez.

1889	janvier - Sondages de Bismarck pour une alliance avec l'Angleterre.	
1890	Crispi au pouvoir en Italie. 18 mars - Départ de Bismarck.	Français au Niger. Protectorat français sur le Laos. Accord avec l'Angleterre sur le Niger.
1891	Tarifs protecteurs en France. mai - Renouvellement anticipé de la Triplice. 27 août - Accord franco-russe.	Début du Transsibérien.
1892	17 août - Convention militaire franco-russe.	
1893	octobre - Le tsar ratifie l'alliance franco-russe.	
1894		Début de la guerre sino-japonaise.
1895		avril - Traité de Shimonoseki. Intervention des puissances.
1896	mars - Chute de Crispi. août - Massacres en Arménie.	mars - Désastre d'Adoua.
1897	mars-mai - Guerre gréco-turque. Accord austro-russe sur les Balkans.	
1898	octobre-novembre - Tension franco-anglaise. novembre - Traité de commerce franco-italien.	Fachoda. Guerre hispano-américaine.
1899	Révoltes en Macédoine.	
1900	décembre - Accord franco-italien.	Révolte des Boxers en Chine : intervention européenne.
1901	mai - Tentative de rapprochement anglo-allemand.	
1902	juillet - Accord franco-italien.	janvier - Alliance anglo- japonaise.
1903	juin - Coup d'État en Serbie.	

1904	8 avril - Entente cordiale franco-britannique.	février - Guerre russo-japonaise.
1905	mars-juillet - Première crise marocaine.	27 mai - Tsushima. 5 septembre - Paix de Portsmouth.
1906	janvier-avril - Conférence d'Algésiras.	
1907	31 août - Accord anglo-russe et formation de la Triple-Entente.	
1908	juillet - Révolution « jeune turque ». 5 octobre - Annexion de la Bosnie-Herzégovine par l'Autriche-Hongrie.	
1909	mars. - Tension austro-russe dans les Balkans. 24 octobre - Accord secret italo-russe.	février - Accord franco-allemand sur le Maroc.
1910		Le Japon annexe la Corée.
1911	Septembre - Début de la guerre italo-turque.	mai - Les Français à Fez. Le *Panther* devant Agadir (1er juillet). juillet-novembre. - Deuxième crise marocaine. 4 novembre - Accord franco - allemand.
1912	octobre - Première guerre balkanique.	30 mars - Protectorat français au Maroc.
1913	30 mai - Préliminaires de Londres. juin-août - Seconde guerre balkanique. juillet - Loi militaire en Allemagne. août - Loi militaire en France.	
1914	28 juin - Attentat de Sarajevo. 23 juillet - Ultimatum à la Serbie. 28 juillet - Guerre austro-serbe. 1er au 4 août -Début de la Première Guerre mondiale.	

Bibliographie sommaire

Ouvrages généraux

P. Renouvin et J.-B. Duroselle, *Introduction à l'Histoire des relations internationales,* Paris A. Colin, 1995.
P. Renouvin, *Histoire des relations internationales,* Paris, P.U.F., t. VI : *Le XIXe siècle. De 1871 à 1914. L'apogée de l'Europe,* 1955.
J. Droz, *Histoire diplomatique de 1648 à 1919,* Paris, Dalloz, 3e éd., 1972.
J.-B. Duroselle, *L'Europe de 1815 à nos jours : vie politique et relations internationales,* Paris P.U.F. (Nouvelle Clio), 2e édi., 1967.
F. L'Huillier, *De la Sainte Alliance au Pacte atlantique,* Neuchâtel : I) *1815-1898. L'hégémonie européenne et la formation des nationalités,* 1954 ; II) *1898-1954. Deux guerres placent l'Europe en face des nouveaux empires,* 1955.
J.-L. Miège, *Expansion européenne et décolonisation de 1870 à nos jours,* Paris, 1973.
Y.-G. Paillard, *Expansion occidentale et dépendance mondiale,* Paris, Colin, 1954.
H. d'Almeida-Topor et M. Lakroum, *L'Europe et L'Afrique. Un siècle d'échanges économiques,* Colin, 1994.
R. Girault, *Diplomatie européenne et impérialismes, 1871-1914,* Paris, Masson, 1979.
R. Poidevin, *L'Allemagne et le monde au XXe siècle,* Paris, Masson, 1983.
M. Tacel, *Le Monde et la France au XXe siècle,* Paris, Masson, 1989.
J.-P. Taylor, *The Struggle for Mastery in Europe, 1848-1914,* Oxford, 1954.

Ouvrages portant sur des points particuliers

Ch. R. Ageron et coll., *Histoire de la France coloniale,* Paris, A. Colin, 1950.
L. Albertini, *Le Origini della guerra del 1914*, Milano, 1943 , 3 vol.
J. C. Allain, *Agadir 1911, une crise impérialiste en Europe pour la conquête du Maroc*, Paris, Publications de la Sorbonne, 1976.
J-C Allain, *Joseph Caillaux*, 2 vol, Paris, Imprimerie nationale, 1981.
Ch. Andrew, *Théophile Delcassé and The Making of Entent cordiale*, Londres, Hamilton, 1968.
J.-J.Becker, 1914. *Comment les Français sont entrés dans la guerre,* Paris, Presses de la Fondation nationale des Sciences politiques, 1977.
Ch. Bloch, *Les Relations entre la France et la Grande-Bretagne de 1871 à 1878,* Paris, 1955.
J. Bouvier, R. Girault, *l'Impérialisme français d'avant 1914*, Paris 1976.
F. Chabod, *Storia della politica estera dal 1870 al 1896. I,* Le Premesse, Bari, 1951.
E. Decleva, *Da Adua a Sarajevo. La politica estera italiana e la Francia, 1896-1914*, Bari 1971.
C.Digeon, *La Crise allemande de la pensée française*, Paris 1959.
J. Droz, *Les Causes de la Première Guerre mondiale*, essai d'historiographie, Paris, Seuil, 1973.
H. Feiss, *Europe the World's Banker*, 1870-1914, New Haven, 1930.
F. Fischer, *Les Buts de guerre de l'Allemagne impériale*, Paris, 1970, traduit de l'allemand.

J. Ganiage, *L'Expansion coloniale de la France sous la IIIe République*, Paris, 1968.
P. Gerbod, *L'Europe culturelle et religieuse de 1815 à nos jours*, Paris, 1977.
R. Girardet, *Le Nationalisme français, 1871-1914*, Paris, Le Seuil.
R. Girault, *Emprunts russes et investissements français en Russie, 1887-1914*, Paris, A. Colin, 1973.
P. Guillen, *L'Allemagne et le Maroc de 1870 à 1905*, Paris, 1967.
P. Guillen, *L'expansion 1881-1818*, Paris, Imprimerie nationale, 1985.
W. F. Hallgarten, *Impertialismus vor 1914*, München, 1951, 2 volumes.
W. Langer, *The Franco-Russian Alliance*, Cambridge, 1929.
D. Lejeune, *Les causes de la Première Guerre mondiale,* Paris, A. Colin, 1992.
M. Levy-leboyer éd., *La Position internationale de la France, aspects économiques et financiers, XIXe-XXe siècles*, Paris, 1977
J. Marseille, *Impérialisme colonial et capitalisme français, histoire d'un divorce*, Paris, Albin Michel, 1984.
W.N Meddlicott, *The Congress of Berlin and after*, London, 1948.
J.-L Miege, *L'Impérialisme colonial italien de 1870 à nos jours*, Paris, SEDES, 1968.
P. Milza, *Français et Italiens à la fin du XIXe siècle,* Rome, École française de Rome, 1981.
M.-C. Morgan, *Foreign Affairs,* 1886-1914, Londres, 1973.
Opinion publique et politique extérieure, 1870-1915, École française, Rome, 1981.
R. Poidevin, *Les Relations économiques et financières entre la France et l'Allemagne de 1898 et 1914*, Paris, A. Colin, 1969.
R. Poidevin, *Finances et relations internationales*, 1887-1914, Paris A. Colin, 1970.
R. Poidevin, J. Bariety, *Les Relations franco-allemandes, 1815-1975*, Paris, A. Colin, 1977.
A. Pribam, *England and the International Policy of the Great European Powers*, 1871-1914, Oxford, 1931.
P. Renouvin, *La Question d'Extrême-Orient, 1840-1940,* Paris, 1953.
P. Renouvin, *Les Origines immédiates de la guerre,* Paris, 1927.
P. Renouvin, *Les Origines de la Première Guerre mondiale,* Paris, P.U.F., 1975.
Z.S. Steiner, *The Foreign Office and Foreign Policy*, 1895-1914, Cambridge, 1969.
L. Salvatorelli, La Triplice Alleanza : *Storia diplomatica*, 1877-1914, Milano, 1939.
G. Salvemini, *La Politica estera di Francesco Crispi*, Roma, 1929.
B. Schmitt, *Triple Entente and Triple Alliance*, New York, 1934.
E. Serra, *Camille Barrère e l'intesa italo-francese*, Milano, 1950.
J. Thobie, *Intérêts et impérialisme français dans l'Empire ottoman(1895-1914)*,Paris, Publications de la Sorbonne, 1977.
J. Vidalenc, *L'Europe danubienne et balkanique*, 1867-1970, Paris, Masson, 1973.
B. Vigezzi, *L'Italia di fronte alla prima guerra mondiale*, Vol. I, *l'Italia neutrale*, Milano, 1966.
R.A Webster, *L'Imperialismo industriale italiano*, 1908-1915, Torino, 1974.
S.R Williamson, *The Policy of Grand Strategy, Britain and France prepare to War, 1904-1914* Cambridge, Mars 1969.

Index des noms propres

Table des encadrés

Table

Troisième partie
Les épreuves de force et la course à la guerre

Masson & Armand Colin Éditeurs
34 bis, rue de l'Université, 75007 Paris
N° 10106101
Dépôt légal : juillet 2003

Achevé d'imprimer sur les presses de la
SNEL S.A.
rue Saint-Vincent 12 – B-4020 Liège
tél. 32(0)4 344 65 60 - fax 32(0)4 341 48 41
juillet 2003 - 29176

Imprimé en Belgique